CB008571

VIA ÁPIA

GEOVANI MARTINS

Via Ápia

3ª reimpressão

COMPANHIA DAS LETRAS

Grafia atualizada segundo o Acordo Ortográfico da Língua Portuguesa de 1990, que entrou em vigor no Brasil em 2009.

Capa
Alceu Chiesorin Nunes

Imagem de capa
Trem, de Maxwell Alexandre, 2018. Graxa, carvão, grafite, betume e acrílica sobre tela, 192 × 426 cm díptico (192 × 213 cm cada). Coleção particular. Reprodução: cortesia do artista e da galeria A Gentil Carioca.

Preparação
Márcia Copola

Revisão
Renata Lopes Del Nero
Aminah Haman

Os personagens e as situações desta obra são reais apenas no universo da ficção; não se referem a pessoas e fatos concretos, e não emitem opinião sobre eles.

Dados Internacionais de Catalogação na Publicação (CIP)
(Câmara Brasileira do Livro, SP, Brasil)

Martins, Geovani
Via Ápia / Geovani Martins. — 1ª ed. — São Paulo : Companhia das Letras, 2022.

ISBN 978-65-5921-118-0

1. Ficção brasileira I. Título.

22-117679 CDD-B869.3

Índice para catálogo sistemático:
1. Ficção : Literatura brasileira B869.3

Eliete Marques da Silva – Bibliotecária – CRB-8/9380

EDITORA SCHWARCZ S.A.
Rua Bandeira Paulista, 702, cj. 32
04532-002 — São Paulo — SP
Telefone: (11) 3707-3500
www.companhiadasletras.com.br
www.blogdacompanhia.com.br
facebook.com/companhiadasletras
instagram.com/companhiadasletras
twitter.com/cialetras

Dedico este livro à memória de Ecio Salles — esse vascaíno que foi uma revolução na vida de tanta gente, inclusive na minha.

Sumário

PARTE I

PARTE II

PARTE III

PARTE I

Rio, 27 de julho de 2011

Ainda falta uma hora pra cantar parabéns. Washington sobe e desce o salão, olha pro relógio. É sempre aquela história; quando curte um lazer, o ponteiro não tem pena, em cinco minutos passa um mês. No trabalho que é foda, tudo se arrasta. Ainda mais com essa larica que não para de crescer. Sem dar muita confiança pra ninguém, ele oferece os salgados integrais de mesa em mesa. Aqueles pastéis de ricota nunca foram tão atraentes.

Os convidados tavam em outra onda. Depois de comer que nem bicho na primeira hora de festa, eles começaram a recusar tudo, fazendo cara feia, antes mesmo de saber o que era. Pra piorar, o aniversariante inventou de chorar e não parou nunca mais. Um choro agudo mesmo, irritante, que atravessava o salão enquanto convidados, pais e funcionários fingiam não escutar. A babá fez que fez, dançou com os bichinhos da decoração, fez as caretas e as palhaçadas que o menino mais gosta. Nada do abençoado calar a boca. O choro se misturava com a trilha sonora da Galinha Pintadinha, os barulhos todos na festa, os brinquedos, as conversas. No meio da confusão, cheio de fome, Washington para e respira fundo, tenta enxergar o fim daquele dia.

A larica é um bagulho muito doido mesmo. Se por um lado ela te dá os melhores sabores do mundo, por outro tem o poder de comprimir seu corpo, atrapalhar a visão, sugar toda a energia, baixar a pressão. Pior que é sempre a mesma história: na onda, as primeiras duas horas passam mais rápido, ele consegue até se divertir um pouco com as crianças, dependendo da festa. Depois vem a lombra e logo aquela fome insuportável.

Se pudesse escolher, Washington ia trabalhar direto como garçom de bebidas. A bandeja é muito mais pesada, disso todo mundo sabe, mas ainda vale a pena. Lá no bar é sempre a maior gastação, as gerentes quase nunca aparecem, rapidinho a hora passa. Além disso, não é obrigado a sentir, durante as quatro horas de festa, aquele cheiro que sobe da bandeja de comida.

Mesmo depois de três anos como funcionário da casa de festas, Washington ainda não se acostumou com aquela gente; aguenta só porque sabe que sem dinheiro no bolso não é porra nenhuma. Era pra ser um bagulho rápido, só pra garantir um qualquer enquanto ele não passava da idade obrigatória de alistamento militar. Isso já faz três anos. O que faltava então pra correr atrás de um trabalho responsa? Carteira assinada, RioCard, Sodexo.

Depois de mais uma passada no salão, Washington voltou pra cozinha. Procurava o relógio quando bateu de frente com a gerente da festa. A bandeja cheia.

— Você tá oferecendo todo mundo no salão? — ela perguntou antes de abocanhar um dos pasteizinhos de ricota.

— Tô sim, Ângela. É que geral tá cheio já, cara. Tu viu como foi no começo da festa. Tem que deixar eles respirar agora — Washington respondeu, depois de virar os salgados numa vasilha com as outras sobras do dia.

Ângela fez uma cara de quem não gostou nada do que ouviu, mas só falou depois de conseguir empurrar o salgadinho goela abaixo.

— Ah, deixo sim, Washington. Deixo muito. Aí o cliente reclama com o pessoal lá de cima, você acha que eles vão cobrar de quem, fala pra mim?

— O que eu tô falando é que...

— Tem que falar nada não, Washington. Tem é que servir direito. Ou você acha que eu não vi você passando pra cima e pra baixo com essa cara amarrada? Ninguém é obrigado a aguentar mau humor de garçom não, meu filho. Tá estressado fica em casa. A gente cansa de falar isso aqui dentro. A pessoa, pra trabalhar aqui, tem que tá feliz, animada, sorriso no rosto. A gente aqui trabalha com festa. Eu duvido que você ia querer alguém mal-encarado na festa do teu filho...

— Sabe o que tão pedindo muito no salão? Hambúrguer. Vários convidados já falou comigo, se botar na pista vai sair legal.

— Então vamo mandar hambúrguer pra esse povo. Eu bem que tava estranhando que não saía hambúrguer nessa casa...

— Vou marcar daqui então, quando ficar pronto eu levo logo.

— Nada disso — se meteu Francisca, a cozinheira. — Leva essa bandeja aqui antes que esfria, o outro menino saiu e não voltou até agora.

Diferente do irmão, Wesley tava animado com a festa. Depois de um tempo sem trabalhar, voltou pra escala pra ficar no brinquedão acompanhado de Talia, maior gatinha que fazia seu primeiro evento na casa. Wesley ficou todo se querendo. Como era aniversário de um ano, tipo de festa com mais adulto que criança, sobrava tempo pra ficar de papo. Não queria chegar chegando pra não assustar, mas sabia que, pra ter alguma chance com a novinha, precisava partir logo pro ataque. A casa de festas é cheia de urso, não pode chegar uma funcionária nova que eles já caem em cima, um mais galudo que o outro.

— Você já trabalhou na festa de algum famoso? — Talia perguntou, depois que morreu o assunto sobre os pagodes e bailes preferidos de cada um.

— Ih, já rolou um monte. Você vai ver, aqui vem muito artista, jogador de futebol... Uma vez fiz dos filhos do Luciano Huck com a Angélica. Na moral, bagulho ficou doido, isso aqui parecia até final de novela, de tanto famoso que tinha. As gerente tonteando à vera, que tinha que tá tudo perfeito e pá, mas acabou que foi tranquilão.

— E o pessoal pediu pra tirar foto?

— Pode não, pô. Se alguma gerente vê, dá uma merda fodida. A gente tem que fingir que nunca viu na vida, que é tudo normal, ver esse povo aí de rolé fora da televisão.

Talia riu. Confiante de que ela queria assunto, Wesley confessou:

— Só uma vez que eu pedi pra tirar foto. Era aniversário da filha de um jogador do Flamengo, do Luiz Antônio ou do Júnior César, não lembro direito. Só sei que o Léo Moura veio. Aí eu não resisti, né, o cara é ídolo, tive que bater foto. Mas foi lá fora só, depois da festa.

A história não empolgou Talia, que fez que nem ouviu nada. Talvez não gostasse de futebol, ou até pior: torcesse pro Vasco. Pra se recuperar da bola fora, Wesley tentava emplacar outro assunto qualquer quando ela perguntou:

— Você sabe quanto é pra fazer uma festa aqui?

— Pelo que os menó diz aí, com menos de oito barão tu não passa nem da porta.

— Fala sério, oito mil reais pra quatro horas de festa?

— Isso quando o cliente não inventa de contratar mágico, personagem, essas paradas. Uma vez um casal aí contratou um grupo que fez o teatro da Pequena Sereia, juro pra tu, o bagulho não durou nem uma hora. Nego diz que só nessa brincadeira aí, do teatro mais o salão, deu papo de uns trinta mil. Fala tu, tem noção do que é isso?

Washington saiu da cozinha com a bandeja de hambúrguer. Naquela hora, a fome tinha virado ódio. Passou pelo brinquedão e contou pro irmão que ia malocar a bandeja toda. Magal tava entocado no banheiro, Washington precisava passar batido pelos convidados, pegar o corredor como quem volta pra cozinha e deixar o lanche com o amigo. A missão de Wesley era prestar atenção na gerente e, se ela brotasse no salão, puxar qualquer papo sobre a festa, pra não deixar ela chegar no corredor.

O plano foi executado com sucesso. Magal, que já tava no banheiro, aproveitou pra comer de uma vez a parte que tinha direito. Washington falou pro irmão ir logo depois do amigo, preferia dar mais uma volta no salão, sabia que Ângela tava na atividade dele.

Foi só Washington sair, que Talia chegou toda curiosa pra saber qual era o papo. Wesley perguntou se ela tava com fome. A menina contou que não comia nada desde a hora do almoço, que não gostava de mortadela, aí nem tocou no lanche dos funcionários. Ele explicou o esquema que tinham armado com os hambúrgueres, Talia ficou muito interessada. Antes de sair, Wesley avisou que ia desenrolar pra ela comer também.

Washington quase não acreditou quando entrou no banheiro e sentiu o aroma. Aquele era o cheiro da vitória. Começou os trabalhos com os de cheddar, seu preferido, mas só enquanto ainda quente. Na real, toda a comida da casa fica meio ruim depois que esfria. Também por isso Washington nunca espera pelas sobras com os outros funcionários. Não dá pra admitir aquilo. A disputa corporal na hora da divisão dos salgados consegue ser ainda mais constrangedora do que comer escondido num banheiro.

Detonou em tempo recorde os quatro de cheddar. Pra terminar a leva, ainda faltava mais quatro x-salada. Comia dois, deixava dois pra novinha do irmão. Mal enfiou o primeiro na boca, alguém bateu na porta.

— Tem gente — respondeu com a boca cheia.

— Tá fazendo o quê, aí? — Era a voz de Ângela.

Washington cuspiu os destroços do hambúrguer no vaso.

— Tô mijando, ué. Posso não? — Pegou os outros três, enrolou num avental que deixou por ali, deu descarga e saiu. A gerente esperava na porta.

— Daqui a pouco é o parabéns, tô ligado, Ângela. Deixa eu ir logo lá ajudar a arrumar os doces.

Washington chegou na cozinha tremendo ainda, parou do lado de Magal e começou a organizar o doce nas bandejas. Aos poucos, ficava mais tranquilo. É sempre relaxante essa parte do serviço; arrumar os docinhos é quase se arrumar pra ir embora. Parece mágica, os mesmos quarenta e cinco minutos que, no meio da festa, demoram uma eternidade, depois do parabéns passam tão rápido que ninguém sente.

— O que significa isso aqui? — Ângela apareceu na cozinha com os hambúrgueres na mão.

Sem esperar por resposta, começou o esporro na frente de todo mundo. O que dá mais raiva nessas horas é a certeza de que o esporro não vai dar em nada, igual das outras vezes que foi pego comendo escondido. Washington trabalha há anos na casa, e mesmo não sendo o funcionário ideal, conhece muito bem o serviço, tá sempre disponível, já salvou as gerentes várias vezes.

Não faz sentido mandar embora alguém de confiança por causa de meia dúzia de hambúrguer. Todas as gerentes sabem disso muito bem, por isso mesmo é que elas capricham bonito na hora do esporro.

— Tu vai me mandar embora ou vai ficar só nesse papinho gostoso?

Ângela não conseguiu disfarçar o susto que levou com a resposta.

— Tu até ontem era monitora, garçonete igual a gente. Já se entocou pra comer um montão de vez, agora quer meter essa pra mim? Não fode! Só tem cobra nessa porra dessa casa, eu tô cansado já. Na moral mermo, tô cansado dessa merda aqui.

Washington falava sem dificuldades. Era como se as palavras, as mesmas que segurou por tanto tempo, apenas pulassem pra fora, uma depois da outra. O pessoal na cozinha assistia à cena impressionado. Ninguém mais se lembrava que uma família aguardava lá fora pra cantar o parabéns da criança.

— Mas, Washington, eu só tava querendo dizer…

— Tem mais papo não, Ângela. Sem neurose. Só quero pegar meu dinheiro e vou meter o pé. — Voltou a si quando terminou a frase. O corpo quente de raiva.

Washington olhava pros objetos na cozinha, lugar onde passou quase todos os fins de semana nos últimos anos, e tudo parecia estranho. Ainda mais estranho do que no primeiro dia em que chegou pra trabalhar ali. Aos poucos, sentia o alívio chegar; era o fim. Ele nunca mais ia ver aqueles brinquedos, ouvir a merda daquelas músicas nem servir aquela gente que não tem capacidade de cantar o parabéns dos próprios filhos sem ajuda profissional.

— Se você quer receber, então espera até o fim da festa. Eu tenho mais o que fazer — foi o que Ângela respondeu, antes de sair batendo a porta da cozinha.

* * *

Wesley nem sentiu falta do irmão na hora do parabéns, tava preocupado demais com os outros moleques. Eles fizeram a maior presepada. Cantaram, inventaram coreografia e os caralho, tudo na intenção de se aparecer pra Talia. Pior que ela tava gostando, cheia de sorrisinho pras palhaçadas deles. Aquele bando de fura olho.

Só quando começou a rodar o bolo é que lembrou de Washington. Ele sempre passava por ali pra falar qualquer coisa, entocar uns doces, dar aquela morcegada de final de festa.

— Tu foi lá comer o bagulho, Talia?

— Ih, cara, com essa história de parabéns, eu até me esqueci de ir lá, acredita?

Nisso chegou um garçom pra explanar a história toda. Em casa de festas é assim, qualquer notícia se espalha que nem gripe. A confusão entre Ângela e Washington, então, já nasceu um clássico entre os causos da casa.

Fim de festa. Como sempre, os funcionários se amontoavam na porta da cozinha. Mais destacado, Washington fumava um cigarro sentado num bujão de gás. Wesley se aproximou e acabou encontrando o irmão mais tranquilo do que imaginava. Depois do primeiro garçom, vários outros passaram por lá pra contar o caô, a cada versão a história ficava mais sinistra.

— Qual foi, menó. Bora meter logo o pé.

— Tô esperando meu dinheiro, mano. Ângela é foda, tá marolando com a minha cara. Ela acha que se ficar me enrolando eu vou embora. Duvido, menó. Duvido que eu saio daqui sem meu dinheiro.

— Coé, menó, pega esse bagulho depois. Já é nove horas já, daqui a pouco é o jogo do Flamengo.

— Puta que pariu, caralho. Tinha até me esquecido dessa porra. Marca aí que vou lá atrás dela.

Wesley chegou a pensar em deixar o irmão de pista, correr pra ver o jogo do começo. Tava ansioso pra ver o duelo entre Ronaldinho Gaúcho e Neymar, dois dos maiores craques que já viu jogar. Os secadores do Flamengo adoravam falar que Ronaldinho Gaúcho já era, que veio pro Rio só pra curtir baile de favela e fazer suruba no Vips, que o futebol deixou na Europa. Wesley ainda acreditava no potencial do craque gaúcho. Acompanhava a carreira do Bruxo no Barcelona, depois viu alguns jogos no Milan. A idade é um peso, disso ninguém duvida, mas ninguém que faz o que ele fez desaprende a jogar bola assim de uma hora pra outra. Tudo é uma questão de se adaptar. E, de algum jeito, Wesley acreditava que nesse jogo Ronaldinho desencantava de uma vez. Era só isso que faltava. Mesmo sem grandes atuações do craque o time continuava invicto e brigava pela vice-liderança, se Ronaldinho mostrasse a que veio, era só entregar a taça.

No salão vazio, Ângela continuava dando seus pulos, olhava tudo com a maior calma, como se a coisa mais importante do mundo fosse a função de gerente de uma casa de festas. Washington ia atrás, e não parava de falar que precisava meter o pé. Esse jogo durou um bom tempo. Quando cansou de brincar, ela chamou Washington pra subir. Preencheu o recibo pra ele assinar, mas só entregou depois de contar o quanto lamentava aquele papelão na cozinha. Não era pra tanto, se tava estressado era só falar que ela chamava outra pessoa. Washington ouvia sem prestar atenção, só queria saber do envelope com as notas. Quando pegou o dinheiro pra contar, a bola acabava de rolar na Vila Belmiro.

* * *

— Caralho, menó, tu apostou duzentos conto no Flamengo hoje? Puta que pariu, tu é mais doido que eu.

— Qual foi, cara. Tu acha que eu ia adivinhar esse bagulho? Tinha várias festa aí no mês, ia arrebentar um dinheiro, pô. Fiz uma fezinha no meu time.

— Por isso que eu não gosto de aposta, menó, sem neurose. Esses bagulho é foda, não dá pra saber... Quanto é que tu pegou com ela lá?

— Sessenta conto. Fiz só duas festa essa semana.

Depois de quinze minutos no ponto, chegou o 557. No ônibus, Washington começou a contar como foi o caô. Melhor coisa foi ele puxar o assunto. Wesley tava cheio de curiosidade, mas não queria ficar sufocando, se o irmão quisesse falar de outra coisa, ia fingir que nem sabia de nada.

— Aí foi isso, mano, eu explodi. Falar pra tu, nem sei como aconteceu direito. Foi tudo muito rápido. Tava geral olhando e eu fui falando, falando a porra toda. Aí deu nisso. Mas também, última forma. Tava cansado de trabalhar ali mermo, agora é ir atrás de outra meta.

— Visão é essa, menó. Andar pra frente. Eu não sei como tu conseguiu ficar tanto tempo ali. Eu vou ficar também só até o final de ano, tá ligado que é várias festas, é isso, vou pegar essa grana, tentar pegar uma moto, caidinha mermo, foda-se, começar rodar no mototáxi, daqui a pouco eu me levanto, tiro carteira, pego uma Twister, uma Fazer, sei lá. Quero trabalhar mais pra ninguém não, sem neurose.

O ônibus atravessava o Joá na mola. Washington às vezes batia neurose, lembrando de um acidente que nem viu, onde uma

Kombi voou pra fora da pista e foi direto no mar. De vez em quando gritava pro piloto: Tá levando gado não, filha da puta. Mas só com o ônibus cheio, pra aproveitar o coro dos outros passageiros. Uma vez um moleque inventou de xingar o motorista com o ônibus vazio, deu a maior merda. O motorista, quando chegou ali em São Conrado, estacionou o ônibus e foi tirar satisfação com o moleque. A porrada comeu até que chegou a Guarda Municipal pra separar os dois. Dessa vez, além do ônibus vazio, Washington não grita porque tá doido pra chegar logo na Rocinha.

— Como é que a Ângela sabia que eu tava no banheiro, cara? Essa parada que eu não entendo. Desde que virou gerente ela só usa o banheiro do escritório, foi fazer o quê, ali?

— Papo reto, menó. Bagulho mandado mermo.

— Puta que pariu. É lógico, caralho. Foi tua amiga lá que me xisnovou, filha da puta. Bem que eu vi, menó, aquela cara de patricinha não me engana não, papo reto, aquilo é isca com armadilha.

— Tá maluco, mano? A mina nem te conhece, ia te xisnovar pra quê? Tá viajando tu.

— Então já é, cara, falo mais nada não. Vai na dessa mina aí que logo tu vai ver qual é. Só depois não reclama que eu não avisei.

Wesley não queria acreditar no papo do irmão. Talia parecia gente boa, e no fim das contas chegou a dar uma condição pra ele. O problema todo é que, na real, a suspeita tinha fundamento. Magal é fechamento com eles desde sempre, sem contar que tinha comido também, não ia dar o serviço desse jeito. A gerente aparecer de repente no banheiro também era estranho, mas não chegava a ser uma prova do bagulho mesmo. O jeito era ficar de olho, se ela tivesse ali de X9, uma hora se revelava.

Na saída do Joá, levantou um dos poucos passageiros do coletivo. Vinha lá da frente. Era um velho, que mesmo com quase todos os lugares livres vinha sentado num banco amarelo, pra afirmar sua prioridade. O homem se virou e embicou na direção da porta, eles perceberam logo o rádio de pilha colado na orelha. Só podia tá ouvindo o jogo. Na mesma hora, viram também que o coroa tava com cara de poucos amigos. Das duas, uma: ou era rubro-negro e o Flamengo perdia pro Santos, ou era secador e tava puto porque o Fla vencia a partida. Com aquela cara ali, os dois sabiam que não existia a menor chance pro empate.

Assim que ele chegou na porta do ônibus, Wesley perguntou o placar do jogo. O velho, que não tirava os olhos do chão, virou com raiva na direção dos irmãos, como se fossem eles os culpados de tudo.

— Neymar acabou de fazer mais um pro Santos — respondeu com raiva. Depois, quando viu a reação dos dois, completou: — Tá três a zero pros caras.

*

Ryan Giggs recebeu outra bola enfiada nas costas do lateral adversário, e com a perna esquerda acertou mais um cruzamento na cabeça de Chicharito Hernández.

— Tomar no cu, neguim. Só faz gol assim! — Douglas defendia as cores do Barcelona, e tava puto.

— Chora não, maluco. Vira logo essa porra aí e vamo pro jogo.

Já tava pra terminar a partida. Com esse gol, o terceiro do atacante mexicano, o placar marcava cinco pro Manchester United, time de Murilo, quatro pro Barça. Biel marolava com os dois enquanto apertava um baseado. Os amigos já tavam pra lá de Bagdá. Não que apostar uma dose de vodca a cada gol sofrido fosse novidade na casa, muito pelo contrário, já era um clássico entre eles. Mas naquela noite a porteira tava aberta. Pra se ter uma ideia, na última partida Murilo derrotou Biel por oito a seis, quer dizer, já entrou embrasado pro duelo com Douglas, seu maior rival no Bomba Patch. Isso sem contar o primeiro jogo, que terminou com o placar magro de um a um e foi pros pênaltis. O que é sempre pior, porque obriga o jogador a beber várias doses, alternando com o adversário.

Na hora que sofreu o quinto gol, Douglas achou melhor deixar por isso mesmo. Se fossem pros pênaltis do jeito que tavam, o bagulho ia ficar esquisito. O problema é que Murilo não consegue ganhar e ficar na moral. Ele tem que gastar os outros até o limite. E o pior de tudo, o que deixa Douglas mais bolado: só ganha com a mesma jogada.

Já nos acréscimos, Murilo gastava a onda quando Douglas, com sangue no olho, meteu uma bola na direita pro Messi. O craque argentino invadiu a área na diagonal, limpou dois adversários e bateu cruzado. O goleiro do United nem saiu na foto. Cinco a cinco e final do segundo tempo.

A quinta dose quase derrubou Murilo, que, apesar da bronca, dos três é o mais fraco pra bebida. Douglas sentiu que podia se aproveitar do momento. Queria meter logo mais dois na prorrogação só pro Murilo deixar de ser otário. Mas com os dois times muito desgastados, alguns jogadores lesionados, o placar continuou o mesmo.

É sempre tenso antes de começar os pênaltis. Douglas olha pra garrafa de Kovak pela metade, se arrepende de ter feito o gol de empate. De repente, no meio daquela confusão, ficou meio bolado com a cena que viu. Quarta-feira, tendo que trabalhar no outro dia, tão eles ali, enchendo a cara de novo. Agora não tinha mais jeito. Biel acendeu o baseado. Murilo preparava a primeira cobrança quando Douglas gritou:

— Caralho, neguim! O jogo!

Sem pensar duas vezes, Murilo largou o controle do Play Station e colocou na Globo. Puta sequela. Ligaram o videogame só pra marcar um dez antes do jogo entre Flamengo e Santos.

— Bora voltar pro Play — falou Murilo, muito sério, quando viu que tava três a zero pro Peixe.

— Qual foi, bróder? Tu não queria ver o jogo? Bora ver o jogo então, pô! — respondeu Biel, o vascaíno da casa.

Os três amigos se juntaram no início do ano. Primeiro a mãe de Murilo se mudou com o marido de volta pra Campo Grande, deixou ele e a irmã, Monique, dividindo a casa. Tudo tranquilo, até que no fim do ano passado Douglas alugou um quarto no prédio, ficou morando no andar de baixo. No começo, os dois não tinham muita ideia pra trocar; como qualquer vizinho, se cumprimentavam só de coé, coé, valeu, valeu.

Foi assim até um dia em que Murilo voltou bolado do quartel, cheio de ódio mesmo, doido pra fazer a mente. Foi direto lá na boca da Via Ápia, mas só tinha haxixe. Esticou rapidinho na boca do Valão, a mesma parada. Não era muito de fumar misturado com tabaco, mas não tinha outro jeito. Maconha, de acordo com os crias, só nas bocas lá pra cima do morro. Ganhou a travessa Kátia na direção do prédio, quando bateu de frente com o vizinho torrando um da rua. Douglas percebeu a virada de pescoço e chamou Murilo pra dar um dois no baseado. Mesmo sem nunca ter trocado antes uma ideia, eles já tavam acostumados com a marola um do outro. Depois disso, passaram a fumar juntos direto, um salvava o outro, rolava intera. Não demorou pro Douglas subir com o Play 2, e aí já era. Era resenha todo dia.

Monique ficou bolada com aquilo. Na intenção de fazer o Enem, era obrigada a aturar o barulho dos dois no pouco tempo que sobrava pra estudar. Depois que ela saiu pra ir morar com uma amiga, a mudança de Douglas foi inevitável. Ficava tudo mais prático. Dividiam as tarefas e despesas, não pesava pra ninguém. Uma casa grande era coisa rara na Rocinha; dois quartos, sala, cozinha, banheiro. O preço é um pouco salgado, mas vale a pena. Ali na área, cobravam quase a mesma coisa numa quitinete.

Foi nessa época que Douglas decidiu aprender a fazer tatuagem. Desde moleque gostava de desenhar, chegou até a fazer uns cursos e nunca perdeu a intimidade com o lápis. Com os estúdios que abriam no morro, viu na tatuagem uma possibilidade de trabalhar com uma parada que sempre gostou. A mudança foi importante também por isso, o espaço maior ajudava na hora de estudar, e seria perfeito pra quando começasse a rabiscar suas cobaias.

Biel chegou depois. Vendia doce no Carnaval quando conheceu os dois. Tinha que ver, meteu maior papo de playboy pra cima deles, Murilo e Douglas ficaram de bobeira. Nesses anos todos de Carnaval, nunca nenhum playboy tentou vender droga pra eles. Comprar sim, vira e mexe aparece um doidão procurando, mas vender? Isso só rola entre eles mesmo. Murilo se antecipou e disse logo que não queria. Batia neurose com ácido desde que ouviu lá no quartel de um cara que fritou demais e nunca mais voltou ao normal.

Douglas também nunca tomou, mas ficou animado com a oportunidade. Geral tava ligado que doce bom é só na mão dos playboys, que na favela é metanfetamina pura. Igual balinha. Se procurar legal, até consegue achar uma bala decente em favela, mas todo mundo sabe que a balinha da pista é outra diferença. Na real, tudo que é droga, com dinheiro, fica mais fácil. Murilo não se aguentou e explanou a história do maluco no quartel. Biel se meteu no papo:

— Coé, bróder, vou te falar, eu tô lendo um livro agora do cara que inventou o LSD. Albert Hofmann, o nome dele. É irado o livro, ele conta várias paradas, que nem a primeira vez que experimentou o doce. Dropou ele e o assistente dele. Aí tem que ver, mó marola, eles não conseguia sair com o carro. O maluco sentou no carro e pá, quando viu não sabia mais como ligar a porra do bagulho, imagina a onda que esse cara num tava? O jeito foi voltar os dois de bike. E essa é a melhor parte, sem neurose, que ele fala das paradas que viu, das cores ali que era tipo floresta, uns barulho sinistro, de árvore, bicho, a porra toda. E tudo isso na bike, fritando muito. Por isso o nome desse doce aqui é bike 100, é uma homenagem a esse dia.

Terminou a história e puxou uma cartela já pela metade. A imagem, mesmo deformada pelos quadrados que faltavam, logo foi reconhecida. Nela uma pessoa passeia de bicicleta, de olhos fechados, um sorriso no rosto inclinado pra frente, uma das pernas pra trás. No fundo da imagem, uma montanha separa a noite do dia, e o ciclista viaja perdido no tempo. Em qualquer bloco de rua, se via pelo menos um maluco com essa estampa na camisa. Quando viu a imagem, Douglas já começou a contar o dinheiro. Se Murilo não quisesse tomar também, foda-se, ia dropar de qualquer jeito. O problema é que só tinha mais quinze reais, e o playboy pedia vinte e cinco pelo quadrado. Murilo revirou o bolso e encontrou uma nota de vinte. Biel percebeu que Murilo balançava, deu o golpe final.

— A parada no doce que é sinistra, ele explica no livro, é que o bagulho bloqueia um negócio no teu cérebro, aí os neurônio tem que descobrir outro jeito de funcionar, tá ligado? Tu tem tipo que aprender tudo de novo. Por isso aquela onda lá da bike, se ligou? Era como se ele fizesse aquele bagulho pela primeira vez. Agora fala aí, meu bróder, tu já pensou, curtir esse bloquinho aqui, agora, como se fosse a primeira vez?

Murilo olhava a multidão em volta, cada um na sua onda. Sentia que podia ficar mais doido.

— Só tenho mais vinte aqui. Se gasto dez, só vai sobrar o da passagem.

— E vocês mora onde?

Os dois ainda se olharam um momento, antes de contar que moravam na Rocinha.

— Então, deixa esses dez pra água e vai andando. É a melhor forma.

Entregaram o dinheiro pro playboy. Biel ainda puxou uma tesourinha do kit drogas e ajudou a cortar o papel. Os dois droparam. Ele disse pra deixar na língua até passar o gosto amargo na boca, depois podia engolir com água que sempre fica um restinho. Biel acendeu um baseado, que pelo cheiro era até skunk. Rolou pra eles e disse que maconha boa faz o ácido bater mais rápido. Murilo e Douglas se encaravam pra tentar entender aquilo, de onde saiu aquele playboy, que além de vender droga pra eles ainda apertava baseado? Antes mesmo da onda bater, tudo parecia surreal.

Depois de um minuto com os três assistindo à partida, o Flamengo marcou seu primeiro gol. Luiz Antônio cruzou na direita, o goleiro Rafael furou e Ronaldinho Gaúcho, da pequena área, empurrou pro fundo das redes. Murilo ensaiou uma comemoração, mas ainda era cedo. O próprio Ronaldinho pegou a bola e, sem comemorar, levou de volta pro centro do campo. O Bruxo queria jogo.

Depois que a bola rolou, o time rubro-negro continuou a pressão. Os moleques olhavam espantados. O Flamengo ignorava que já tinha tomado três gols e que jogava fora de casa. E, menos de cinco minutos depois, diminuiu a diferença com uma cabeçada de Thiago Neves. Parecia até efeito do álcool. Era lá e cá, os caras com sangue no olho, parecia mais pelada que jogo de campeonato. Mais cinco minutos, e Deivid recebeu uma bola pelo alto, dominou e marcou o terceiro gol pro Flamengo.

O gol rompeu o espanto, e tanto Douglas quanto Murilo pularam do sofá, comemorando o empate. Da janela, Murilo gritava:

— Isso aqui é Flamengo, porra! Não adianta secar não, seus filho da puta!

Douglas engrossava o coro. Biel assistia às gargalhadas, porque na televisão o narrador da partida acabava de falar que o gol foi anulado.

Mal deu pra entender aquele impedimento, eles viram Neymar cair na grande área. Pênalti pro Santos. Num lance, toda a alegria virou a mais pura agonia; a pior derrota é sempre aquela que vem depois do auge da esperança. Os amigos voltaram bolados pro sofá. Borges, autor de dois gols pelo Peixe, pegou a bola pra bater, na intenção de garantir o hat-trick. Mas Elano, que poucos dias antes isolou um pênalti com a camisa da Seleção Brasileira, pediu a bola pro companheiro. Era um gesto de redenção, se emocionava o narrador da partida.

Sem piscar, os amigos acompanharam o jogador santista se preparar pra cobrança. Murilo pegou a garrafa de vodca e virou mais um gole. Elano apostou na cavadinha e ficou de bigode. Com tranquilidade, Felipe antecipou a jogada e segurou a bola. Pra descontar a ousadia, o goleiro rubro-negro ainda fez embaixadinhas antes de devolver a bola em jogo. Até Biel, que além de vascaíno não ligava muito pra assistir futebol, depois desse lance ficou vidrado na partida.

Depois disso, não demorou muito tempo pro Flamengo empatar. O morro parecia até que ia explodir, de tantos gritos, tiros e fogos. Na comemoração atrapalhada, se ligaram que não dava pra ver o segundo tempo de casa, não sem quebrar alguma coisa. Os três cataram o dinheiro que tinham, a garrafa de vodca e ganharam pra rua.

*

Assim que chegaram na Via Ápia, os irmãos perceberam alguma coisa estranha. Na maior favela da América Latina, é natural o fluxo intenso, o barulho de tudo ao mesmo tempo, mas naquele dia era diferente. Quando pisaram no bar lotado, olharam pro telão e, aí sim, tudo fez sentido. O primeiro tempo terminou três a três, a esperança agarrou todos os flamenguistas, o resto ficou pela curiosidade. O morro se arrumava pra festa.

— Pega lá um bengalinha pra gente, menó. Um jogo desse, se não fumar um, tu morre do coração. — Washington falava como quem viu o jogo todo.

No tempo em que o irmão foi na boca, Washington estalou uma latinha de cerveja. A preocupação com o trabalho, e até com a aposta, foi diluída pelo entusiasmo de todos em volta.

— Nem fumou ainda e já tá marolando, né, menó? — Chegou Wesley, dixavando o baseado. — Os amigo tão apostando firme, papo de vários galo.

— Tem mais pra eles não, cara. Um time que leva o empate assim, fica sem cabeça pro resto do jogo. Tô te falando, se o Flamengo jogar em cima disso, a gente ganha mole esse jogo hoje. O Maranhão deve tá é puto agora, vai perder duzentão pro pai.

A bola voltou a rolar. Wesley acendeu o baseado sem desgrudar os olhos do telão. Deu uns catrancos, e depois, quase que numa jogada ensaiada, rolou o baseado na mesma hora que Neymar arrancou livre pela esquerda pra marcar o quarto gol do Santos. Cheio de ódio, Washington pegou o baseado. Com o primeiro trago voltou pra cabeça tudo que era preocupação daquele dia.

Ligado no duzentos e vinte, o jogo não dava descanso nem

pros torcedores. Com os dois ataques inspirados, Ronaldinho e Neymar dando um show à parte, as oportunidades se multiplicavam na tela. Os mais fanáticos pareciam prontos pra ter um ataque do coração, Wesley era um deles. Seu irmão, por outro lado, depois do gol do Santos, não conseguia mais prestar atenção no jogo.

Começou a pensar em sua vida, na discussão que teve no trabalho, na aposta, tudo parecia tão bagunçado que nem o melhor jogo da temporada era capaz de competir. Entrou numa onda de avaliar o que tinha conquistado até os vinte e dois anos. Nada. Se morresse naquele dia, não deixava absolutamente nada pra ninguém. A mãe ia continuar pagando aluguel. Bateu remorso de ter largado a escola faltando só dois anos pra terminar o ensino médio, de não ter concluído o curso técnico que o tio arrumou pra ele no centro, só porque achava longe pra ir e voltar todo dia. Agora tava ali, sem trabalho, sem profissão, correndo risco de perder aposta e ainda ficar devendo na pista. Marolava tanto que nem viu a falta sofrida por Ronaldinho na entrada da área. Só percebeu quando toda a torcida reagiu à oportunidade de empatar o jogo.

Ninguém nem respirava na hora que Ronaldinho partiu pra cobrança. Num lance de gênio, fez o contrário do que todo mundo esperava, inclusive os jogadores de Santos e Flamengo; a bola, em vez de passar por cima da barreira, passou por baixo, indo morrer no canto esquerdo do goleiro. Quatro a quatro e a Rocinha veio abaixo.

Depois disso, não deu nem dez minutos pro Bruxo marcar o gol da virada, confirmando a vitória e deixando claro que o time aquele ano ia brigar pelo campeonato. Com o apito final, vieram mais gritos, fogos e tiros. Além de uma vontade enorme de abraçar, por parte dos flamenguistas. Por todo lado, você via gente desconhecida se cumprimentar, encher o copo um do outro. Quem era de fumar, fumava o baseado em qualquer roda.

A fila do pó dobrava a rua. Lança-perfume era mato. Se passasse um gringo por ali desavisado, ia voltar pra casa contando que no Rio viu a maior torcida do mundo comemorar a vitória numa final importante. Só faltava o Mestre mandar descer as caixas de som e começar um baile do nada, que nem foi no título do Brasileiro de 2009.

Washington abraçava o irmão e quase não acreditava no resultado. Um dia que tinha tudo pra terminar na merda, apontava pra outro lado, o da esperança, da vitória. Além de ver seu time vencer o maior jogo dos últimos tempos, garantiu um dinheiro que ia fortalecer na hora de procurar outro trabalho. Parecia que tava tudo escrito, igual roteiro de filme, viajava Washington na subida pra Cachopa. Quando chegaram em casa, ele não quis saber mais de nada, largou a roupa pelo quarto e se jogou na cama, confiante de que, no fim das contas, era um maluco de sorte.

Rio, 28 de julho de 2011

A batida na porta era forte, daquelas sem nenhum constrangimento. Mesmo assim, Douglas demorou pra entender que era ali na casa deles. Quando finalmente abriu os olhos, sentiu a porrada na cabeça. A noite anterior, que no sono profundo parecia tão longe quanto um sonho, veio cobrar seu preço. O dia ia ser daqueles em que promete nunca mais beber na vida.

Antes de atender a porta, ele ainda passou na cozinha, onde virou uma garrafa inteira no gargalo. Além de precisar molhar a garganta, era bom marcar um dez. Se fosse algum vizinho pra avisar ou reclamar de qualquer coisa, logo desistia e voltava outra hora. Mas as batidas continuavam. Só podia ser o Biel, depois de perder mais uma vez a chave por aí.

— Já vou, caralho! — gritou enquanto guardava a garrafa vazia na geladeira.

Abriu a porta e levou um susto. Tinha tanta certeza de que era o amigo, que nem fez questão de procurar uma bermuda. Era o Coroa, dono do prédio onde moram, e de mais alguns pra dentro do Valão. É um homem gordo e de poucas palavras que anda pra cima e pra baixo com a cara fechada, ignora qualquer bom-dia, boa-tarde, boa-noite e não conta pra ninguém como faz pra gastar seu dinheiro. Quando viu o Coroa, Douglas ficou sem saber o que fazer, se entrava pra colocar uma roupa ou se fingia que tava de boa levar o papo de cueca. O Coroa também não parecia muito à vontade com a situação. Passou os olhos no inquilino dos pés à cabeça, se demorando um pouco mais no quadril, como alguém que nunca viu ninguém com tesão de mijo.

— Tá em casa Murilo, tá?

— Bom dia, seu Coroa. Murilo tá de serviço hoje, saiu mais cedo pro quartel.

Douglas valorizava as palavras "serviço" e "quartel", como se com isso pudesse ganhar algum respeito.

— Chegando aí, manda subir lá em casa, lá.

— É só com ele mermo, senhor Coroa? Qualquer parada aqui da casa, pode falar comigo também.

— Então pronto. Fique sabendo você e avisa teus amigos que eu vou precisar da casa. Até o mês que vem vocês aí têm que ver um outro canto pra ficar.

— Que isso, Coroa? Se aconteceu alguma coisa, dá o papo logo. Tem moleque aqui não, qualquer bagulho a gente resolve na conversa, pô. O aluguel a gente não paga todo mês, na moral, pro senhor?

— Rapaz, a sorte de vocês é meu respeito pela senhora mãe desse moleque Murilo. Por causa dela, eu sei que muito móvel aí ela deixou, eu dou um mês ainda. Mais que isso já é abuso. Eu, se não fosse um cara bom de jogo, o certo era botar vocês na rua ainda hoje.

Douglas ficou tonteado. Quando abriu a porta e viu o Coroa, já se preparou pra ouvir reclamação, até porque, desde que mudou pra lá, só viu o Coroa abrir a boca pra reclamar de alguma coisa, mas nunca imaginou que ele fosse pedir a casa assim, na bronca, de uma hora pra outra.

— Aqui eu alugo prum casal que veio me procurar, sem filho, sem bicho, sem nada. A mulher que também trabalha fora. Gente que não faz zoada, bagaceira igual vocês, sabe não? Todo dia essa maconha veia, fedida, de vocês, a barulhada. Tem quem guente não. A minha mulher tem problema no pulmão. Tem dia que chega ficar sufocada, ela. Pior! Eu já falava de botar vocês na rua, ela inda defendia! Pra ver como é que é: ela defendia, ela. Que maconha no diabo desse morro não tem pra onde fugir, se não vem do vizinho, vem da rua, vem do bar, que o pessoal gosta demais, ela falava comigo. Mas agora acabou essa palhaçada, que prédio meu não é teatro. Isso aqui é lugar de família, sabe não? Gente que trabalha, tem que descansar. Eu dei foi chance, viu? Agora tem conversa não. Não tem conversa e nem remorso. Acabou.

O Coroa falava rápido, nervoso. A cara de amarela ia ficando vermelha. Douglas tentava achar uma brecha pra se defender, mas o Coroa não parava de falar um segundo.

— Hoje cedo, tinha nem tomado café ainda, em jejum que tava, pensei que vi minha senhora cair dura, morta, ali na minha frente. Tu sabe o que é isso, é, na cabeça de um homem, macho?

Quanto mais o Coroa falava, menos Douglas entendia.

— Pela tua cara de abobado, eu já sei que o amigo de vocês, o galego que veio morar aí, não passou pra contar a lambança que ele me arrumou ainda agora pouco tempo atrás. — Quando falou de Biel, o Coroa precisou até parar um pouco, respirar o ódio que sentia. — Tava minha mulher cuidando do café, enquanto eu alimentava lá meus passarinho, aí o outro então me aparece, vindo de não sei onde nem pra quê. O rosto do cabra, depois eu vi, transtornado que tava de droga. A mulher que trazia minha xícara de café, deu de frente com ele feito assombração ali no corredor. Na hora, o susto foi tão enorme que ela gritou de desmaiar e derrubou foi tudo no chão. Eu quase que ainda deixo fugir um canário, na correria que fui pra acudir. Pior! Teu amigo nem pra se mexer e ajudar, o corno. Ficou só mirando meu serviço com aquela cara de viciado, maluco, dele. Botei a mulher numa cadeira, mas quando eu fui cobrar minha satisfação, ele tinha sumido já; do jeito que entrou, saiu, a praga.

O Coroa não tinha pra que mentir, inventar nada daquilo. Até porque a história fazia sentido com as merdas em que o Biel se mete. Douglas ficou bolado, já ciente que ia ser difícil fazer o velho voltar atrás.

— Eu vou te falar legal, seu Coroa, num bagulho que nem esse, tem nem muito que falar não, tá ligado? Tamo no erro mermo, vai fazer o quê? — Douglas tentava encontrar as palavras certas, ganhar a confiança do Coroa. — O que eu posso falar é que sinto muito pela tua senhora, de coração mermo. A gente aqui tudo gosta dela, o senhor tá ligado. É que ontem, não tem jeito, a gente ficou muito doido. Todo mundo, né? O senhor viu o jogo? — O Coroa olhava sério pra ele, sem balançar a cabeça. — Mas aí, papo reto mermo, Coroa, ontem eu já tava falando com eles pra gente ficar na moral, dá uma segurada na cachaça, no fumo, ficar suave, trabalhando só e pá. Então, o senhor pode ficar tranquilo, é minha palavra que eu dou pro senhor, uma parada dessa nunca mais acontece aqui.

— O que eu tinha pra falar já falei. Pode avisar o Murilo que vocês têm um mês pra deixar a casa. — O Coroa se virou e subiu as escadas.

Douglas ainda tentou continuar o desenrolo, mas o Coroa continuou a subida sem dar muita ideia. Ele bateu a porta, ainda meio zonzo da cabeça. Fechava os olhos, vinham nuns flashes as imagens da última noite: o segundo tempo no bar, a garrafa de vodca vazia, a cerveja pra rebater, a outra garrafa de vodca (ainda mais barata que a primeira), uma coroa agarrando o Murilo no depósito do Mamédio, Biel cheirando pó com um desconhecido.

Douglas bateu a maior neurose com a vida que vinha levando. Já tava com mais de vinte anos na cara, morava sozinho desde os dezessete, não dava pra ficar nessa pra sempre, perdendo a linha no meio da semana, tendo que trabalhar no outro dia. Pra depois chegar ressaqueado no serviço, com a cara amassada. O gerente da farmácia faz um tempo que já solta o veneno. Só piadinha maldosa, bagulho de atraso e de olho vermelho. Douglas sabe que tá na bola da vez, mas nem por isso consegue ficar na disciplina.

Pior é que, de todos os trabalhos que já teve até agora, o de entregador é um dos melhores. Sempre gostou de andar de bicicleta, de cortar os carros na pista, sentir o vento na cara. Descia direto pra São Conrado e ficava só de marola, de um canto pro outro da orla. No trabalho, sempre que pode dá um dois entre uma entrega e outra, não precisa carregar peso, e ainda consegue desenhar no tempo em que ninguém liga pra farmácia.

Se parar pra ver legal, tirando o salário mínimo, a única parte ruim é ter que entrar nos prédios. Podia muito bem deixar as paradas ali com o porteiro, mas a pessoa não quer sair de casa por nada no mundo. Douglas tem vontade de quebrar tudo quando entra nos edifícios. Os vasos, quadros, espelhos, tudo. Não que tenha vontade de sair do morro, viver aquela vida. Mas acontece alguma coisa toda vez que vê aqueles ladrilhos que formam desenhos, os corredores impecáveis, as portas de madeira boa, a lixeira perfumada com lavanda, que ele sente ódio de verdade.

Por mais preocupado que tivesse com o trabalho, Douglas não conseguia mesmo era deixar de pensar na conversa com o Coroa. A pergunta não parava de crescer: por que deixaram aquele moleque cair ali com eles? Cada dia ficava mais claro que Biel é desses que só arrastam os amigos pra baixo. É um cara engraçado, bom de papo, até generoso nas paradas dele, mas já começa todo errado que vive uma mentira. Como é que pode, um moleque que é cria de favela, de escola pública, só porque nasceu branco viver no meio dos playboy, se vestir, falar que nem eles? Todo dia esse moleque mente. E não é uma, duas mentiras por dia igual todo mundo, é a vida inteira. Sobre onde nasceu, cresceu, sobre a mãe, a escola, tudo. Como é que pode? Até quando foi morar com eles na Rocinha, ele ainda continuou metendo aquela bronca de playboy por um tempo. Na real mesmo, parece que Biel não consegue se olhar no espelho e entender quem ele é, por isso é que vive se derramando. Pensar desse jeito fez Douglas até sentir pena do amigo, mas já tava decidido. Ia trocar uma ideia com Murilo, contar o bagulho do Coroa, explicar que a única forma de continuarem com a casa é botando Biel pra ralar. Nada pessoal, até porque eles não têm culpa do amigo viver na onda, pagando pra vacilar. O Murilo ia abraçar o papo, não tinha outro jeito.

Dava medo mesmo de perder aquela casa. Espaçosa, bem localizada, tirava onda. A travessa Kátia era uma das melhores ruas da Via Ápia. Em menos de dois minutos chegavam no ponto de ônibus, tinha padaria vinte e quatro horas e vários lugares pra comer, desde os PFs de sempre, até japonês, pizzarias, outras paradas. Sem contar que ficava a vinte minutinhos a pé da praia de São Conrado. A casa só não era perfeita porque o prédio fica entre um puteiro e uma igreja evangélica; e quando não é putaria de um lado, é louvor do outro. E foda mesmo é quando junta tudo, na sexta-cheira do fogo de Cristo. Fora esse detalhe, é só lazer. Eles não se preocupam com dinheiro pro mototáxi, nem sofrem com a falta d'água; dois problemas que a maioria dos moradores não conseguiam escapar.

A neurose crescia porque, além da dificuldade de achar uma

casa maneira, ainda iam ter que fazer a mudança. Carregar geladeira em beco, desmontar armário pra depois nunca mais montar de novo, subir colchão na corda, os perrengues de sempre. Só de pensar cansava. Douglas tava decidido: ia fazer qualquer parada pra continuar ali.

Depois que Biel metesse o pé, as despesas da casa iam subir um pouco, mas sem a presença do amigo com certeza ia ser mais fácil segurar no álcool e, com isso, no dinheiro. Logo comprava seus equipamentos todos, botava pra fluir o plano. Depois não devia demorar muito mais pra cair dentro de um estúdio, começar a levantar um dinheiro com tatuagem; aí só ia andar de bicicleta por lazer. Fazer o próprio horário, se trajar com umas roupas maneiras, conhecer várias novinhas. De repente, o despertador do celular começou a tocar lá no quarto. Tava na hora de acordar pro trabalho.

Rio, 3 de agosto de 2011

Uma semana sem o maluco botar a cara na rua. Se chamava no barraco do amigo, ninguém falava nada. A luz apagada direto. Washington chegou até a pensar que Maranhão podia ter voltado lá pra terra dele, e que não tinha mais jeito, ia ficar de pista. Mas o pior de tudo era que, na real mesmo, ele compreendia o amigo. Se fosse o contrário, se o Flamengo tivesse perdido o jogo, ele ia arrumar dinheiro onde? Não ia ter outra ideia, na certa ia passar também um tempo entocado; ou pra juntar a grana ou pra deixar caducar de vez.

Uma coisa essa história ensinava: bagulho de aposta é só dor de cabeça. Não interessa quem ganhou ou perdeu, o estresse é sempre dividido meio a meio. Um porque tem que pagar, outro porque tem que cobrar. Se tivesse na condição, até deixava pra lá essa parada.

Maior clima de montanha na Cachopa. No Larguinho, onde a rapaziada costumava marcar a qualquer hora do dia ou da noite, não se via uma vivalma pra salvar um baseado. Geral entocado. A melhor forma era voltar pra casa, que já queria chuviscar de novo.

Washington chegou todo se tremendo, na intenção de se jogar na cama e tacar cobertor por cima, mas na hora que botou os pés no quarto, começou a revirar tudo de novo, na esperança de encontrar pelo menos uma ponta perdida, mas nada, nada. O jeito era esperar Wesley voltar pra casa. Ficar sem trabalho é foda, um frio daquele, nada pra fazer, ele caretinha desde cedo.

Sentou na cama e acendeu o varejo que trouxe da rua. O papo com dona Marli direto voltava na mente. Como já imaginava, a bolação dela não foi nem tanto por ter sido dispensado, mas sim pelo jeito que aconteceu. Dona Marli sempre fez questão de ensinar aos filhos a importância de ter o nome limpo na praça, de não se queimar com ninguém, em trabalho nenhum, porque amanhã ou depois pode precisar, e aí já viu. É bom manter sempre as portas abertas, vive repetindo antes de falar de um monte de lugar onde trabalhou e onde pode voltar quando quiser, ou precisar. O problema todo é que o ataque de Washington tinha fechado uma porta. A porta de um trabalho de merda, disso ninguém duvidava, mas, ainda assim, uma porta.

Ele chegou a se arrepender de contar o caso pra coroa, mas não tinha outro jeito. Não dava pra falar que acordou um dia, bateu um vento diferente e ele decidiu parar de trabalhar. Não dava pra fugir, inventar história, só restava o papo reto. Além disso, Washington não podia negar o orgulho que sentiu quando contava sobre a discussão na cozinha, o jeito como conseguiu falar na frente de todo mundo aquilo que vinha preso na garganta aquele tempo todo. É claro que dona Marli deu toda a razão à gerente da festa, com aquele velho papo de que a menina não fez nada mais que o seu trabalho.

Washington e Wesley sempre ficaram bolados com o jeito submisso que a mãe trata as patroas e patrões, sempre muito cheia de dedos e agradecimentos. Mas se for puxar o fundamento, eles vão falar o quê? Pra ela nunca falta trabalho, criou os dois filhos sozinha, sem pedir nada pra ninguém. O jeito é escutar na disciplina.

Cansado de pensar, Washington ligou o computador, na intenção de acionar os contatos. No Facebook, procura pelos amigos online, escreve "salva" em caixa-alta pra meia dúzia deles e reza na espera de um milagre. Nesse meio-tempo, aproveita pra dar um confere no perfil de uma novinha que mandou solicitação de amizade. Pelos amigos em comum, deve ser de lá da Paula Brito.

Gleyce Kelly. Sem pressa, ele olha pras fotos e não consegue lembrar se já se cruzaram pelo morro. Muito difícil. Pelo que vê na tela, Washington tem certeza de que não podia esquecer. Se ela tava querendo assunto ou se é uma dessas pessoas que só coleciona amigo em rede social, ele já ia descobrir, já que curtiu em sequência todas as fotos do perfil. Terminado o serviço, voltou numa delas, sua preferida: Gleyce na praia, de biquíni, ostentando um piercing na língua.

O tédio sempre dá um tesão fodido. Washington meteu a mão na bermuda e em dois tempos já tinha a barraca armada. A chuva lá fora caía com raiva. Ele fechava os olhos e imaginava os dois transando nas areias da praia de São Conrado, às vezes vinha imagens dos dois no banheiro de sua casa, no sofá, na cama. Tava quase gozando quando ouviu um barulho na porta. Na mesma hora enfiou o pau de volta pra calça, torcendo pro sangue se espalhar na mesma velocidade que se reuniu ali.

— Até que enfim, menó bom! Porra, desentoca logo esse baseado aí que eu tô passando mal.

Como não teve resposta, ele foi só conferir se o barulho tinha sido ali mesmo. Era dona Marli, que chegava muito mais cedo que o normal, toda molhada por baixo da capa de chuva, com algumas sacolas de mercado.

— Você não toma jeito, né, Washington? Não tem um puto no bolso e só pensa em fumar essa merda.

— A bença, mãe.

— Deus te abençoe e lhe dê boa sorte.

Washington carregou as compras pra cozinha enquanto a mãe trocava de roupa. Assim que pisou no cômodo, viu a louça que deixou acumular ao longo do dia; a presença de dona Marli fazia sempre que a bagunça da casa gritasse desesperada. Dona Marli chegou na cozinha e ficou olhando tudo, só analisando a bagunça. Então, sem trocar nenhuma palavra, colocaram as compras no lugar.

Ele queria contar que foi várias vezes na rua atrás do Maranhão, mas lembrou que a coroa não sabia de aposta nenhuma; se botasse o assunto na mesa, podia ser ainda pior. Washington sentia necessidade de contar que fez alguma coisa naquele dia; que foi ver um trabalho não sei aonde, que viu um curso pra fazer, qualquer correria, inventada que fosse, mas não vinha nada. Conhecia muito bem aquele silêncio da mãe, podia ver que ela tentava se controlar e que não tinha jeito, uma hora ou outra ia explodir.

— O dia todo em casa e ainda tem coragem de me deixar louça pra lavar. Puta que pariu, eu devo ter jogado pedra na cruz. Três vezes! — Dona Marli parou de frente pra pia.

— Já ia lavar essa parada aí, mãe. A senhora que chegou cedo...

— E o chão, ia passar uma vassoura quando? Tá achando que engana quem, Washington? Se você tivesse disposição pra fazer as coisas dentro de casa, fazia de uma vez, não ficava me esperando chegar. Teu irmão mesmo, se fica em casa, deixa sempre tudo arrumado. Você não vê uma roupa, um lençol, um nada do Wesley jogado pela casa. E aí, ele é mais novo que você, maconheiro e igual você, qual é a desculpa agora?

Washington ficava puto com essa mania da mãe de sempre comparar os dois irmãos. Na cabeça dela, parecia que eles deviam ficar competindo pra ver quem era o melhor filho, quem ajudava mais dentro de casa, quem botava mais dinheiro.

— Qual foi, dona Marli, chega assim tonteando não, pelo amor de Deus. Já tava começando adiantar as paradas quando a senhora chegou.

— E mais cedo fez o quê? Levou os currículos lá que te falei?

Aquela conversa fazia Washington até sentir algum arrependimento de ter saído do trabalho. Tava ligado que a mãe ia tontear com o assunto até que ele arrumasse outro emprego. O que ele devia ter feito, e só agora consegue reconhecer, era ter procurado outra parada enquanto ainda fazia um dinheiro na casa de festas. Depois saía de lá com alguma garantia.

— Não tenho nem o dinheiro da passagem, mãe. Vou fazer o quê? Tô vendo aí se arrumo um material pra carregar, uma mudança pra fazer, mas com essa chuva tá foda. O amigo falou que amanhã vai me chamar pruma boa — conseguiu mentir.

— Tá sem dinheiro da passagem, vai andando, ué. Tu é feito de açúcar por acaso? Podia muito bem descer ali em São Conrado, deixar uns currículos no shopping, no pet shop, no Zona Sul... depois dava esticada ali na Gávea, pronto. Custava nada.

— Fica tranquila, dona Marli. Eu vou correr atrás dessa parada.

— Já te falei que dona é a senhora tua mãe. Eu não tenho nem cinquenta anos.

— E se fizer quarenta e cinco todo ano, não vai chegar lá nunca.

Enfim, sorriram um pro outro. Washington quis aproveitar o clima mais leve pra dar um pulo no computador, ver se alguém deu sinal de vida, mas não resistiu.

— Agora fala a verdade, dona Marli, a senhora ia contratar

um cara que chegou todo molhado na firma, sujo de lama, com os papel tudo esculachado? Fala pra mim, ia ou não ia? Do jeito que a senhora é, tenho certeza que ia ser a primeira a falar que, se o cara vai assim na entrevista, imagina depois que arrumar o emprego.

Washington tinha sempre resposta pra tudo. Isso fascinava e irritava dona Marli, que na maioria das vezes preferia só ignorar.

— Fui no banco hoje, Washington. Que inferno aquele lugar, você não faz ideia. Começo de mês é fogo, muita gente.

— Tá vendo como a senhora é? Já mudou até de assunto.

— Saí até mais cedo do trabalho hoje. — Dona Marli se abaixou pra guardar os potes; sem olhar pro filho, continuou: — Queria ver o negócio de um empréstimo com o gerente.

— Qual foi, mãe, tá devendo à boca?

Dona Marli nem falou nada, terminou de guardar a louça e foi direto pra sala, sentou no sofá. Washington já faz tempo tá ligado que a mãe não suporta essas brincadeiras. Por muito menos, quando era menor, levou umas porradas pra aprender a não falar que nem bandido. Dessa vez, não sabe por quê, imaginou que podia ser engraçado. Pelo menos tava livre pra voltar no quarto, ver se brotou alguém pra salvar a pátria.

Dona Marli tava inquieta no sofá, indignada mesmo. Ele fingiu que não viu e passou batido pro quarto. O amigo no chat tinha acabado de mandar mensagem, avisando que iam queimar um na casa do Moderninho. Washington botou um casaco e partiu na direção dos amigos. Quando voltou na sala, viu que a mãe continuava do mesmo jeito; parada de frente pra televisão desligada.

— Que história é essa de empréstimo, mãe? Aconteceu alguma coisa? — Ele também sentou no sofá.

— Eu não vou pagar aluguel a vida toda não, meu filho, não

mesmo. Daqui a pouco fico velha, não posso mais trabalhar, vou fazer o quê? Preciso garantir logo um canto pra mim.

O fato de a mãe ter começado a trabalhar antes dos dez anos de idade e mesmo assim não ter uma casa própria sempre deixava Washington cheio de ódio desse mundo.

— E a parada do dinheiro lá fluiu então?

— Foi pra análise. Agora é esperar — dona Marli respondeu, levantando as mãos pro céu.

— Tá ligado. Mas o juros desse bagulho aí não é muito salgado não?

— Se não atrasar, parece que é tranquilo até. Pelo menos tô pagando uma coisa que no final vai ser minha. Que se acontece alguma coisa comigo amanhã ou depois, posso deixar pra vocês. Dinheiro de aluguel não volta nunca pra gente, eu tô cansada dessa merda.

Dona Marli parecia outra pessoa, desabafando sobre aquilo. Muito mais frágil do que os filhos se acostumaram a ver. Washington queria falar pra mãe ficar tranquila, que ele ia arrumar logo um trabalho maneiro, que eles iam se levantar. Tava ligado que essas palavras iam deixar a mãe feliz e até orgulhosa, mas não conseguia dizer, porque não conseguia acreditar. Eles ficaram em silêncio por um tempo.

— Aí vou ver com o Valdir se ele me vende aqui mesmo; a gente já tá acostumado, não precisa fazer mudança...

— Acho que o Valdir não vende não, mãe. O cara é dono do prédio todo, vai se desfazer de um imóvel aqui dentro por quê?

— Dinheiro. Com dinheiro na mão acho que vende. Se não quiser também, é só procurar outro lugar, eu não sou planta nem nada pra criar raiz.

— Casa com dois quarto aqui no morro tá difícil. Se pá, vai achar só lá na rua 4, mas acho que o pessoal dos predinho ainda não pode vender não. — Washington queria incentivar a mãe, mas tudo que vinha na cabeça era dificuldade pra executar aquele plano.

— Qualquer coisa, já vi que tem uns prédios novos na Freguesia, ali pros lados do Itanhangá. É um pouco mais longe do trabalho, mas é tranquilo. Uns apartamento bom.

— Qual foi, mãe, vamo querer morar agora lá na área dos milícia, agora?

— Você tá com vinte e dois anos na cara, Washington. Já passou da hora de acabar com essas tuas graça. Falando igual marginal. Tu tem disposição pra se envolver na parada? Então pra que ficar se fazendo? Qual é a graça?, fala pra mim. Eu na tua idade já tinha você e tava esperando teu irmão. Você sabe o que é isso? Então acorda pra vida.

— Só tô falando que morar lá com os milícia é foda. — Washington tentava achar um jeito da mãe não ficar ainda mais bolada com aquela conversa. — A gente, mãe, o Wesley e eu, não tem jeito, a gente é maconheiro, a gente gosta de fumar maconha e a gente vai fumar maconha em qualquer lugar. Como é que vai morar praqueles lado desse jeito? Os cara é ruim.

— Se você não quer ir pra lá, meu filho, é contigo mesmo. Aluga uma casa aqui e faz o que quiser da tua vida. Pronto. A minha parte eu já fiz, vocês tão tudo criado, graças a Deus. Se for pra continuar comigo, a partir de agora é pra somar, entendeu? Vocês não têm mais idade nem tamanho pra me puxar pra baixo não. Tudo homem-feito. Já trabalhei a vida toda igual uma filha da puta pra sustentar você e seu irmão. Agora ou vocês me ajudam levar esse barco ou pula fora de uma vez.

Fim de papo. Washington tava na intenção de pedir um real pra comprar um varejo, mas perdeu a coragem. Dona Marli levantou do sofá e foi pro quarto. Pelo tempo, o baseado que rolou no Moderninho já tava na mente da rapaziada. Washington ligou a televisão, de cara quente. Com mais raiva de não ter sido capaz de dar uma moral pra sua coroa do que por ter desperdiçado a chance de fumar um baseado. Chegou a pensar várias vezes em levantar pra pedir desculpas, mas parecia pregado naquele sofá. Depois de vinte minutos pulando de um canal pro outro sem prestar atenção em nada, ele viu dona Marli voltar do quarto com uma nota de cinco reais na mão.

— Toma.

Já não chovia mais lá fora. Washington pegou o dinheiro, deu um beijo na coroa e saiu.

Rio, 8 de agosto de 2011

Em fila com seus companheiros de batalhão, Murilo saltou do blindado. Com os fuzis 7,62 atravessados no peito ganhavam o beco. Adrenalina era remédio contra a noite fria; ele chegava a suar dentro da farda. Assombrado, seguia o fluxo, e só conseguia ouvir o barulho dos coturnos marcando o tempo no concreto. Ninguém ali queria saber, ninguém perguntou, mas a realidade é que Murilo conhecia muito bem aquele beco. É cria. Ali aprendeu a correr, mentir, fumar. Mas agora, enquanto segue a fila de soldados pela noite, entende que talvez não tenha mais pra onde voltar.

Como foi chegar naquela situação? Até então o serviço militar era varrer, correr e vigiar. E tava bom desse jeito. Se tivesse disposição pra trocar tiro, fechava na boca; fazia mais sentido. Enquanto se esforçava pra entender como foi parar ali, via seus companheiros avançarem na atividade total, mesmo com os becos desertos. Das casas também não se ouvia nada, os bares todos fechados. Murilo ficou na dúvida se ainda tinha alguém no morro. Na mesma hora veio a resposta: seu batalhão foi encarregado de remover os últimos moradores que insistiam em ficar no território. Só então ele percebeu os buracos de bala nas casas ao redor, o sangue que descia manchando as escadas, como se viesse de uma fonte lá do alto da montanha.

Há quanto tempo viviam essa guerra? Murilo sentia o corpo cansado, doído, parecia que não dormia há várias noites. De repente, ouviu o estouro de uma rajada por ali. Apesar do susto, em dois tempos se meteu em posição de combate e começou a atirar lá pra cima, mesmo sem conseguir enxergar os adversários. Um vulto surgiu na curva e foi prontamente alvejado. Não interessava que todos os fuzis aplicaram ao mesmo tempo, Murilo sentiu que foram as suas balas que perfuraram aquele corpo. O elemento caiu no chão, sem vida, quando Murilo reconheceu: era o Faísca, amigo das antigas, e que de um tempo pra cá fechava na boca. Outro corpo surgiu pra ser derrubado. Era Douglas, que, antes de se esborrachar no chão, deixou cair o guarda-chuva. As rajadas não paravam um segundo, e mesmo em choque Murilo não negava fogo, mandava bala atrás de bala, foi treinado pra isso. Mais uma pessoa abatida. No auge da adrenalina, Murilo não tinha mais tempo pro espanto, sua missão era largar o dedo.

Baixou a cabeça pra trocar o pente e na mesma hora veio aquele silêncio de depois da troca. Ele se apressou pra recarregar a arma. Quando levantou a cabeça, viu uma mulher parada a pouco mais de um metro de distância. Não conhecia aquele rosto, mas conhecia a pessoa. Era estranha a sensação.

— Acabou. Vamos pra casa — ela disse.

Depois de refletir por um instante, Murilo apontou o fuzil contra a mulher e acordou desesperado.

O salto que deu no banco assustou a passageira do lado, que resmungou qualquer coisa. Lá fora do ônibus tava a maior escuridão. Murilo olhou na janela, pra tentar entender o caminho por onde passavam. O 594 acabava de cruzar o Parque da Cidade e subia em direção à Rocinha.

A maioria dos ônibus que passam no morro, passam lá por baixo, pela Via Ápia ou pelo largo das Flores. Se Murilo pegasse qualquer um desses, com certeza chegava em casa muito mais rápido. Só que o ponto final do 594 é ali no Leme, colado no quartel, então acaba sempre preferindo dar essa volta de ônibus do que andar até Copacabana.

Mesmo com o caminho mais longo, o trânsito intenso da estrada da Gávea, o rolézim no morro tira onda; tem a vista pra Lagoa quando passa pela 99, as novinhas da academia com aquelas roupas de lycra, os cartazes dos próximos eventos, as atrações nos bailes. Morar lá embaixo, de alguma forma, afasta a pessoa do que acontece no resto do morro, por isso Murilo sempre acorda naquela parte do caminho, pra ver o que tá rolando.

Só quando o ônibus embicou na Vila da Miséria é que lembrou do pesadelo. No susto, conferiu suas roupas. Queria ter certeza de que trocou a farda. Os tempos eram de paz desde que o Nem assumiu a frente do morro; talvez por isso ele começou a ser também chamado de Mestre, tanto pelos vagabundos quanto pelos moradores. A última operação grande que teve, foi aquela em que morreu o Fiscal, trocando de .30. Fora isso, fazia alguns anos sem nenhuma troca de tiro. Polícia só entrava pra pegar o arrego, os rivais sabiam que pra tomar um morro daquele tamanho só com golpe de Estado, a administração local tocava o negócio na maior tranquilidade. Ainda assim, Murilo batia neurose de andar fardado na favela.

De onde vinha aquele pesadelo?, se perguntava, ignorando tudo que passava na janela. A cada parte do morro; Rua 1, Portão Vermelho, Paula Brito, Dioneia. O 594 ficava cada vez mais vazio, e depois da Curva do S não tinha mais ninguém. Lá no fundo do ônibus, Murilo pensava sobre sua condição de soldado. Tá certo que recebeu treinamento, aprendeu a atirar, a montar e desmontar um fuzil. E por mais que faça a guarda armado e cante aquelas músicas onde os soldados falam que vão fazer e acontecer, nunca chegou a se imaginar no meio de uma guerra, na troca de tiro. Na real mesmo, desde moleque Murilo pensou que podia fazer várias paradas, nenhuma delas tinha a ver com o serviço militar.

É impossível não pensar em tudo que aconteceu nos últimos dois anos. Murilo largou a escola depois de repetir o segundo ano e entrou direto no quartel. A intenção era levantar algum dinheiro no primeiro ano, depois meter o pé, pensar em qualquer outra parada. Nisso veio a mudança da mãe e depois da irmã, a chegada de Douglas e Biel, tudo foi acontecendo muito rápido, e em quase dois anos no Exército não deu pra juntar dinheiro nenhum. A sensação era de que a vida não dava tempo pra pensar nem escolher nada, é sempre um dia depois do outro pra ver no que vai dar.

Murilo quase passou batido pelo ponto de ônibus. Sorte que ainda viu a Pizza Rio na janela, deu tempo de pular do banco, gritar pro piloto que ia descer na Via Ápia. Passar na boca depois do trabalho era rotina, pegar dois bengalinhas, às vezes até um haxixe, e ganhar pra casa. Naquela noite, mais do que normal, parecia caso de necessidade.

Chegou na boca e os amigos de sempre tavam no plantão. Faísca, um pouco mais atrás, destacado do vapor, ostentava uma MP5 novinha, chegava a brilhar.

— Fala tu, braço, mó paz? Dá dois benga aí pra mim.

— Escolhe aí. — Da Visão entregou a carga na mão de Murilo.

Todo dia, ele escolhe dois bengalinhas ali naquela bolsa. Tem vezes, quando é final de carga, que perde um tempão na caça dos mais servidos. Se não encontra, fica por ali, troca uma ideia até a carga nova chegar. Dessa vez recebeu a bolsa sem interesse, pegou os dois primeiros que viu, entregou o dinheiro e guardou os baseados. Queria ir pra casa.

Faísca chegou junto. Um adesivo do Botafogo enfeitava sua arma. Murilo não pôde deixar de imaginar como ficaria um do Flamengo enfeitando seu fuzil de guarda.

— E o quartel como tá, neguim?

— Tô vindo de lá agora.

— Fala tu, lá vocês têm dessa aqui também? — Faísca exibia a metralhadora.

— Tem não, pô. Lá a gente trabalha só com fuzil. FAL e ParaFAL.

— Fica lá pesadão de meiota, né, danado?

— Bagulho é gostosinho de atirar, maluco. O foda é tirar a guarda com ele. Mó peso do caralho.

— Essa daqui é levinha, pô. É o aço pra ficar na contenção e, se precisar, também dar um pinote. — Faísca falava cheio de convicção mesmo sem nunca ter participado de nenhuma troca de tiro.

— Tá ligado.

— Pega ela aí pra tu ver.

Murilo pegou com cuidado a metralhadora, mas não demorou pra ficar à vontade. Nunca teve oportunidade de portar uma daquelas antes, mas a arma era velha conhecida dos tempos de Counter-Strike. Isso fez Murilo lembrar de uma época boa; comecinho de adolescência, pegava onda de manhã na praia de São Conrado, depois ficava enfurnado na lan house até tarde da noite, jogando, desenrolando com novinhas no chat.

— Tá maluco, eu fazia um estrago com essa aqui no CS, papo reto. Era só headshot.

Falou isso, e todo mundo ali na boca, desde os vagabundos até os viciados, começou a contar também sobre as armas e as fases que preferiam no lendário jogo de tiro; com geral falando ao mesmo tempo, era difícil de entender qualquer coisa.

Sem querer marolar demais, Murilo devolveu a metralhadora, se despediu da rapaziada e meteu o pé. O morro continuava estranho. Ele olhava as lojas, os botecos, as barracas de comida, aquele monte de gente na rua, e tava tudo igual mas diferente. Só esperava que a maconha tivesse mesmo a braba, pra depois do banho cair de uma vez na cama, embarcar num sono tranquilo.

Rio, 17 de agosto de 2011

Tava quase de noite quando Wesley chegou no morro. Ele sentia uma parada esquisita no estômago desde que saiu da delegacia, mas só quando viu o China é que se lembrou de ter passado o dia inteiro sem comer. Mal pegou o salgado das mãos da atendente, brotou o Zói pra pedir um real. Wesley fingiu que não era nem com ele. Já faz um tempo se ligou que o Zói só fumava cigarro de baile, ficou bolado com essa parada. Vários moradores fumando qualquer mata-rato que aparece, aí o cara que é mendigo vai fumar Gudang Garam? É muita marola com a cara do trabalhador.

Mesmo depois de não arrumar nada, o Zói continuou por ali. Talvez esperasse pelos novos clientes, talvez tivesse esperança que, depois de encher a barriga, alguém mudasse de ideia. Os funcionários nem tentavam mais expulsar ou impedir que ele pedisse dinheiro pros clientes; com o tempo, o Zói se tornou parte fundamental daquele lugar. Num morro tão grande, onde tanta gente não se conhece nem de vista, ele funciona como uma espécie de elo, de assunto comum, da Rocinha de cima a baixo.

Muita gente acredita que o Zói só se faz de maluco. O cara, quando vai pedir dinheiro, não olha nos olhos de ninguém, se você faz uma pergunta não responde, se você xinga ele não liga, parece que só sabe repetir a mesma frase: Me dá um real. Aí, quando vai comprar as paradas dele, é outra diferença. O cigarro de baile tem que ser de canela. Já tentaram várias vezes empurrar o de menta pra ele, nunca aceitou. Na boca também, sabe muito bem o que é um pó de dez, uma maconha de cinco ou de cinquenta. E não deixa vapor nenhum tentar dar uma de sagaz pra cima dele. Às vezes dorme embaixo da marquise perto da Curva do S, em outras fica pelo Valão ou pela Via Ápia. Sempre na área, acumula história por esses becos, bota medo em criança pequena, é sempre muito falado. Não tem jeito, depois de tantos anos pelas ruas da Rocinha, o Zói acabou conquistando a simpatia de grande parte dos moradores.

Na metade do salgado, Wesley entendeu que ia dar ruim continuar comendo, bateu estranho aquela massa. Deu a última golada no refresco de maracujá, pensou em jogar o salgado no lixo, mas no fim ofereceu pro Zói, que respondeu pedindo um real. Wesley jogou o salgado na direção de um grupo de cachorros, acendeu um cigarro e foi atrás de um mototáxi.

Na Via Ápia não tinha nem ninguém no ponto das motos. Era estranho, mesmo na hora do rush pelo menos uma meia dúzia fica marcando por ali. Olhou com atenção o que acontecia na rua; era intenso o fluxo de gente pra cima e pra baixo, mas faltava alguma coisa de fundamental. Eram as motos. Nenhuma subia nem descia, não dava pra ouvir o barulho do motor, sentir o cheiro que escapa pelo cano.

Foi então que Wesley percebeu que na boca não tinha ninguém. Ficou bolado. Só faltava ter lombrado o morro. Mirou lá no final da rua, do lado ali da Pizza Rio, viu um mototaxista virar a rua com uma passageira. Os dois tavam de capacete, o que acontecia muito de vez em nunca, só mesmo quando era corrida pra pista. Tudo parecia estranho demais, quando de repente ele viu um grupo de polícia, tudo Polícia Civil, que saía da travessa Roma. Depois conseguiu ver vários outros vindo de outros cantos. Com suas camisas e calças pretas e aquela certeza que eles têm de que nenhum traficante vai inventar de aplicar pra cima deles. Deu até calafrio.

Wesley nem lembrava da última vez que viu polícia na Rocinha. Bater de frente com eles ali, logo naquele dia, fazia tudo parecer que tava mandado, sinistro de verdade. Um grupo com três polícias vinha na direção do ponto das motos. Quando cruzaram por ele, Wesley no susto perguntou qual era o motivo da operação.

— Você é jornalista, por acaso? — foi a resposta do cana.

Wesley pensou em dizer que era morador, mas bateu neurose de soar como desacato, acabar tendo que mostrar documento, passar por todo aquele procedimento outra vez no mesmo dia.

— Controle de pirataria — outro policial ainda respondeu antes de se afastarem de vez.

Wesley olhou na caça do mototáxi, mas ele já tava longe, com outro passageiro na garupa. Sem querer marcar muito por ali, decidiu subir a pé.

No caminho, encontrou o morro funcionando na maior tranquilidade. As motos, os ônibus, carros e pessoas disputando o espaço na rua. O barulho das buzinas e dos alto-falantes. Wesley viu vários mototaxistas disponíveis, mas preferiu continuar a pé, já que se aproximava da Curva do S. Pelo menos economizava aqueles dois reais. Enquanto subia a ladeira, não conseguia deixar de pensar na moto que o amigo tá passando. Mil reais, nova, cento e cinquenta cilindradas. Tudo bem que é BA e só dá pra rodar dentro do morro, mas mesmo assim vale a pena. Se começar a rodar no mototáxi, rapidinho junta dinheiro pra comprar uma outra com documento, pode até tirar a carteira. Dona Marli que podia encrencar, mas era só inventar qualquer história, o que não dava era pra perder essa boa. Já faz um tempo que Wesley pensa em trabalhar no mototáxi. Além de fazer o próprio horário e trabalhar perto de casa, sabe que as novinhas perdem pra quem roda de moto.

Quando chegou em casa, encontrou Washington na maior felicidade. Ele nem sabia que tinha polícia no morro, e tava todo feliz que o Maranhão botou a cara, sem o dinheiro, é verdade, mas com uma indicação num trabalho de carteira assinada, coisa quente, recomendação de um primo que trabalha um tempão no restaurante.

— Se o menó tá duro, por que não vai ele mermo agarrar essa boa? — Wesley ficou desconfiado.

— Tá recebendo auxílio agora. Tá vendo a meta também de voltar pra terra dele.

— Tá ligado, mano. Eu tenho mó vontade de ir lá no Maranhão um dia, eu.

— Foda é que o Maranhão nasceu mermo foi lá no Piauí, sei lá.

Aquilo era mó graça. Apelido ali na Cachopa pegava que ninguém entendia, mas pegava firme. Tinha vários ali que nem sabiam o nome na real. O Maranhão era um deles, depois de gastar a onda tentaram porque tentaram se lembrar do nome do amigo, mas não conseguiram.

— Qual foi, menó. Aperta um aí que hoje eu fui diplomado. — Wesley decidiu mudar de assunto. Tava doido pra contar logo o perrengue que passou.

Washington não entendeu muito bem o papo do irmão, mas ainda tinha um fino guardado na intenção de carburar; começou os trabalhos. Só quando acenderam o baseado e Wesley deu o primeiro puxão é que pegou na pasta o registro da ocorrência.

— Foi esquisito o bagulho hoje, menó, papo reto. Mas foi engraçado também, sei lá, os cara é mó piada. Tá ligado que eu hoje fui lá ver o bagulho da identidade, né? Fui mermo. De manhãzinha, já brechei que ia dar sol, hã, peguei logo uma bermuda dessa, brotar na praia, tá ligado? Ainda mais curtir uma parada diferente, já ia tá dali de Ipanema mermo, gostosim. Tranquilão, né, tudo certo, bateu mó preguiça de subir ali na boca. Eu ia passar lá na da Via Ápia mermo, era até caminho. Vê legal agora, cheguei lá: tava em falta, tinha só pó e lança. Estiquei ali no Valão, merma coisa. O amigo deu o papo que maconha tava rolando só na Cachopa, naquela hora. Fiquei boladão, fala tu, mó parada. Aí também não ia voltar, que minha intenção era de resolver logo o bagulho lá no Poupatempo. Nessa que eu lembrei que o Chapolha foi de missão na Cruzada essa semana ainda, falou que a de dez tava o verme. Ele tu sabe qual é a visão, tem que acreditar na palavra dele, que a maconha quando pega ninguém sente nem o cheiro, papo reto. O menó pega um peso e some, desaparece que ninguém vê. Fala tu, é foda. Pior que que nem ele tem vários, só vem a nós, eles acha que passa batido, eles. Mas aí tranquilão também, eu podia até que pegar no Galo mermo, que é do lado, colado ali no Poupatempo, mas vou te falar legal, sinceridade, eu prefiro andar com o sol na cabeça, dando moca, machucano, do que fortalecer aqueles alemão lá. Tudo mandadão. Qualquer neguim que vai de fora lá, eles bate neurose. Tu sabe o que é isso? Os cara não sabe ganhar dinheiro, eles confunde. Têm que aprender e muito é com os menó do Jacaré, Manguim, aqueles lado lá. Ali sim, mano, tu pode falar que é o crime. Bagulho de verdade. Os cara quer saber de nada, quem é tu, de onde veio, eles quer é vender a droga deles, papo de qualidade. Na boca ali já fica geral pesadão pra isso mermo, pro cliente ficar à vontade. Quem vai tentar?

"Peguei a maconha e, vou te falar, bagulho tava bom, mas

não tava bombom, tá ligado? Na minha visão, era mais jogo pegar quatro bengalinha aqui no morro mermo. Ia ficar tranquilão. Mas suave. O caô mermo, de verdade, foi depois. Eu fiz lá o bagulho da identidade e pá, ainda bem que o nome mermo já fala que é Poupatempo, papo reto, menó, nem vinte minutos eu fiquei lá dentro, soubesse tinha feito até esse bagulho antes. Mas tranquilo. Fiquei de encontrar com o amigo ali do Galo, pra gente partir lá pro Arpoador. Ele chegou rapidim, apresentou logo um haxixe que pegou lá na Mangueira. Bagulho bom, sem neurose. Tu abria ele assim, era marrom, mas um marrom clarinho, tipo marroquino mermo. Cheiro gostosão, envolvente. Fiquei com vontade de invadir lá pra resgatar uns pra gente. Foda que é longe e só fui lá uma vez, com o Zeta, nem lembro mais direito onde é que fica a boca. Chegar lá pra ficar de perguntação é foda. Eu bato neurose.

"Suave, a gente se encontrou ali na saída do metrô, eu passei ainda no Zona Sul pra comprar uns biscoito, uma parada pra matar a larica. Aí, na hora de pagar, eu dei a única nota que eu tinha, aquela garoupa guardada desde lá da última festa e que eu fiz de tudo pra não trocar porque senão tu sabe que vai logo embora. Porra, a mulher do caixa fez mó cara de cu pra mim, ficou mó tempão vendo se o bagulho não era falso e aí deu o troco tudo em nota de cinco. Peguei aquelas notas lá, falei pro Luan assim: Caralho, se os cana me pega, vai falar que eu sou vapor da maconha de cinco. Na hora a gente até riu desse bagulho, mas foi isso mermo que aconteceu.

"Minha cara tava murcha quando apertei o baseado, sem neurose. Depois daquele haxixe eu fiquei tonteado. Baqueadão mermo. Te falar que eu nem queria mais fumar naquela hora, mas de qualquer jeito achei melhor botar o baseado pra rolo, senão ia parecer até que era simpatia, que tava enrustindo maconha. Ficamo ali torrano da piscininha natural, ali bem na beira do mar, tomando banho e pá, trocando uma ideia. Nessa que brotou os verme.

"Dois era daqueles de camisa branca, um tava até falando boladão no celular que tava com carro no conserto, uma parada assim, sei lá, parece que não ia dar lá pra buscar. O terceiro outro tava fardado e já chegou jogando a pistola na minha cara. O do celular chegou puto, querendo choquear a gente. Pior que esse nem de peça tava, só tinha um cassetete mermo. Fala tu, mó otário. Menó, quando eles viu o dinheiro comigo, eles ficou doido, eles. Aí um falou que tinha uma denúncia de tráfico não sei o quê, ali na pedra, que os elemento era muito parecido com a gente mermo. Aí um outro perguntou nossa idade e tal, quis saber de documento. Menó... quando Luan falou que tinha dezesseis é que fodeu a porra toda. Já viero eles com papo que além de tráfico eu ia pegar ainda corrupção de menor, aquelas conversa, só tu vendo, mó terrozinho do caralho.

"Tentei ainda argumentar, se ligou? Mostrar pra eles o papel lá do Poupatempo, mas não tinha mais ideia. Era pra delegacia, e pronto. Eu achei até que eles tava com esse papo pra garrar o meu dinheiro, mas ninguém nem comentou nada disso. Eu muito menos, sabia que na delegacia, com os papel ali tudo, sem passagem, sem nada, eles ia ter que me liberar. Só se os cara tivesse com uma carga na viatura e já na intenção de forjar esse flagrante. De qualquer jeito, não tinha outro jeito. Eles algemou a gente antes de descer a pedra. Geral na rua parou pra olhar, mó vacilação. Chegando quase já na viatura já, aparece um repórter d'*O Dia*, do *Extra*, sei lá qual jornal, perguntando pra eles qual era a ocorrência. O cana explicou que era dois traficantes que atuavam ali no Arpoador, e que foi com denúncia anônima que eles conseguiu localizar. O repórter anotou tudo num caderno lá. Depois veio pra bater uma foto. O maluco achou que eu ia tentar esconder a cara que nem o Luan fez, mas não, menó, fiquei bem parado ali olhando pra câmera. Juro pra tu. Eu só quero que esse filho da puta bota minha cara no jornal amanhã, vou meteli um processo logo, tu vai ver, arrebentar um dinheiro.

"Foi só chegar na delegacia ali no Leblon, os cara liberou o Luan pra ralar. Papo deles é que tinha me dado uma moral; sem o menor no caso, eu ia pegar só uns quatro, cinco anos no máximo. Eu nem falava nem mais nada não, papo reto. Gastar saliva à toa? Melhor era falar direto com o delegado, mostrar documento, as parada toda. Foda é que, pra isso, eles antes tinha que voltar lá da perícia, bagulho longe pra caralho, lá na cidade da polícia, perto do Jacaré. Sem neurose, eu fiquei com muito ódio. Os cara vive de acharcar neguim com droga, aí tem que ir lá na puta que pariu pra ver se maconha é a maconha mermo? Se foder, porra. Os cara brinca muito.

"Menó, pra tu ter noção, podia nem sair ali pra fumar um cigarro. Eu tava boladão mermo. Aí brotou do nada três polícia lá, eles vinha de alguma operação, eles. Jogaram foi vários tijolo em cima da mesa mas que tava tampado com papel, dava nem pra ver se era maconha, se era pó, o que é que era. Eles deixou tudo lá, empilhado na mesa do delegado. Depois ainda voltou pra botar mais um radinho, um RioCard, tudo ali junto na mesa. Um outro deles saiu da sala e pá, voltou com um pé de maconha e largou na mesa também. Eles começou contar os tijolo na frente do delegado. Eu que tava ali sem porra nenhuma pra fazer mermo, quis nem fingir que não tava vendo, fiquei bem brechando o trabalho deles, pensando se aquilo era serviço dado, onde é que foi, se teve troca... Deu trinta e seis no todo, os tijolo. Foi só parar de contar, tu não vai acreditar, menó, papo reto, o cana mandou assim pra mim: Fala você aí, viciado. Nunca teve tão perto e tão longe de tanta droga, né não? E começou a rir com os outros. Fala tu, a onda dos caras. Pior que na hora me deu mó vontade de rir também, mas fiquei na moral, pra não dar confiança.

"O que botou o pé de maconha ali parou na frente da planta. Pegou na mão assim uma folha e mandou pro amigo dele: Caralho, neguinho é maluco mermo. Fuma a folha dessa merda. Aí eu não me aguentei não, menó, mandei pra ele: Ninguém fuma folha de maconha não, cara. O que a gente fuma mermo é o camarão, que é o fruto da parada, se ligou? Essa daí que cês pegou mermo, não serve pra nada. Daqui já dá pra ver que é macho, sacudo, só dá semente só, de fumo que é bom nada. O outro PM, que falou a gracinha lá pra mim, começou a rir: Puta que pariu, macho, fêmea, camarão, porra, pra fumar maconha agora tem que ser profissional. Aí depois dessa parada eles se adiantaram.

"O que me deixava cheio de ódio era que a gente tava pertinho ali da boca onde eu comprei a porra da maconha. Papo de uma rua. Tu tá ligado onde é ali a delegacia na frente do shopping, né? Então, é isso. Os cara vendendo normal tudo ali na Cruzada, e eu de bucha esperando a porra da perícia.

"Depois que os cana voltou com o resultado foi rápido. Mostrei as paradas pro delegado, falei onde morava, trabalhava, esses bagulho. Os documento tudo ali, não tinha muito que fazer. Ele ainda me falou pra ficar na atividade com os cana que me garrou, que eles ficou bolado comigo, podia ter guardado minha cara. Mó piada. Até parece que não fico na atividade com qualquer cana que aparece. Aí eu assinei o bagulho lá. Pior que eu tava crente que ia assinar o 16, que nem os coroa tudo fala, mas o bagulho do código mudou. Agora usuário é 28. Traficante também não assina mais o 12, que nem antigamente. No código novo agora é o 32."

— Puta que pariu. Essas merda é só contigo.

Washington olhava curioso pro boletim de ocorrência. Por mais que o jeito de seu irmão contar a história fosse engraçado e que eles tivessem dado várias risadas do caso, Washington não conseguia deixar de sentir um ódio profundo daqueles policiais, toda vez que imaginava a cena de Wesley descendo a Pedra do Arpoador com as duas mãos algemadas.

— Pra tu vê, né, mano, como que a vida é. Meu primeiro baseado tu me deu, mas acabou que o meu diploma veio antes que o teu.

Wesley pegou de volta o boletim. Encarou por mais um tempo o documento.

— Fala tu, eu sou agora maconheiro profissional.

Rio, 19 de agosto de 2011

Depois da semana de chuva, o sol voltou dando moca. Os clientes da farmácia, pessoal ali da Gávea, começou tudo a reclamar que no Rio não existe mais inverno, que é uma semana e olhe lá, não dava nem tempo de usar as roupas de frio. Douglas tava pouco se fodendo pra isso, cada um com seus problemas. Depois de vários dias no perrengue com aquela capa de chuva, com a bicicleta cheia de lama e a roupa toda encharcada, ele queria mais era sentir o sol queimar bonito a sua pele.

De bicicleta, aproveitava o vento na descida da Marquês de São Vicente. Com o trânsito tranquilo, viajava em altos planos de futuro. Até o fim do ano, se conseguir guardar uma grana, pode juntar com o décimo terceiro, comprar de uma vez sua máquina de tatuagem, algumas biqueiras, agulhas e as principais cores de tinta. Depois é garantir os descartáveis: luva, papel-toalha, plástico filme, e daí partir pro abraço. Bagulho é doido, quanto mais pesquisa sobre a profissão, mais aparece coisa pra comprar, pra aprender. É um lance difícil pra começar, mas se parar pra ver legal, vale a pena. No morro mesmo, conhece vários que arrebentam um dinheiro.

Ao pensar lá na frente, Douglas sem querer foi também lá no passado. Lembrou de sua época de moleque, quando todo mundo batia a maior neurose com tatuagem. Falavam que era coisa de bandido, prostituta, viciado. Que depois de tatuada a pessoa não arrumava mais trabalho em lugar nenhum. Hoje em dia é tranquilo, Douglas ficava pensando, até sua coroa já divulgou uma no ombro. Ele acha engraçado lembrar que, quando era menor, nem tatuagem de chiclete podia usar. Toda vez que tentava convencer a família em casa, ouvia do avô a mesma resposta: Você não é boi pra andar marcado.

Uma vez, tava com uns sete de idade, resolveu aplicar o adesivo na bronca, sem falar com ninguém. Escolheu a costela, porque era fácil de esconder com a camisa, e na rua podia exibir pros amigos. Não contava com o inferno que era viver de camisa naquele verão. Em casa, todo mundo falava pra ele tirar a blusa, mas Douglas teimava em continuar com ela. A cara molhada de suor. Não demorou pra ceder ao banho de mangueira. Vendo os primos todos se refrescarem, se entregou à brincadeira. Em dois tempos, se esqueceu da tatuagem e de tudo.

O avô não disse nada quando chegou na laje e viu o foguete que o neto ostentava na costela. Ficou só de olho na brincadeira das crianças. Não precisou muito tempo pra Douglas entender que precisava sair dali, procurar o álcool na cozinha e fazer aquilo sumir de sua pele o mais rápido possível. E foi o que fez. Já voltou pra laje sem camisa e sem culpa. Surpreso pelo avô não falar nada.

Seu Josias, quando percebeu a volta do neto, apagou o cigarro pela metade, chegou perto dele sem alarde e aplicou uma palmada na bunda de Douglas. Uma só, certeira. O homem tinha a mão tão pesada, acostumada a virar lajes e subir paredes, que bastou pro menino se mijar inteiro. O pessoal em casa achou bem feito, pra Douglas deixar de se achar malandro. Família é um bagulho engraçado.

Passeava nessas lembranças quando sentiu a marola. Alguém por ali queimava um da braba. Não sabia se era porque acordou atrasado e não conseguiu fumar de manhã, mas ficou hipnotizado por aquele cheiro. Douglas parou a bike na hora.

A marola vinha lá da padoca. Um tipo de padaria-bar-restaurante que fica em frente a uma das saídas da PUC. É lá que os universitários se reúnem antes, durante e depois das aulas. Douglas não demorou pra localizar de qual grupo vinha o cheiro; por mais que várias outras pessoas também fumassem por ali, aquela era especial. Pensou em ir lá, pedir pra dar um dois, na humilde, falar que no trabalho é foda, só um baseado mermo. Mas não conseguia se mexer. Não era a primeira vez que parava ali e tinha aquela ideia, mas na hora de ir falar com eles, sempre desistia.

Douglas viu de longe um carro de polícia passar pelo shopping da Gávea e subir naquela direção. Achou melhor se adiantar. Depois de ganhar distância, olhou de volta pra ver se deu algum caô lá na padoca, que a marola era forte. Mas o Logan passou batidão, sumindo no caminho pro Parque da Cidade.

Aquela cena fazia lembrar do Renan, parceiro lá da Rua 2, cheio das filosofias. Renan gosta de falar que todo mundo que nasce sem nenhuma deficiência, que vem pro mundo com as duas pernas, os braços, olhos, boca, orelha, tudo funcionando direitinho, já nasce com a bunda virada pra lua, o resto é ter disposição e correr atrás. Outro dia, ele repetia essa parada, e um amigo que tava na roda resolveu interromper:

— Se a gente nasce com a bunda virada pra lua, os playboy nasce como então?

Renan não pensou duas vezes.

— Esses daí nasce com a lua dentro do cu!

* * *

A porrada não chegou a jogar Douglas muito longe, tanto que conseguiu se ajeitar pra não bater a cabeça. Quem se fodeu mesmo foi a bicicleta. A roda da frente parecia um oito. Só depois do susto Douglas sentiu queimar o cotovelo, esfolado pelo asfalto quente. Então chegou o dono do carro.

— Você não olha por onde anda, garoto?

Douglas observou o corpo do homem. Ainda tava conservado, mas não o bastante pra esconder a velhice.

— Se você vem assim, na contramão, quem tem que ficar de olho é você. Como é que eu vou saber que vem gente?

Douglas preferiu não discutir. Quanto menos assunto rendesse, mais rápido resolvia isso e seguia o seu rumo. Em volta, uns curiosos tentavam entender a situação.

— Anda, garoto, levanta aí, vai. O pessoal lá atrás já tá buzinando, daqui a pouco fica uma loucura isso aqui... Levanta aí, vamos. Tá tudo bem contigo?

— Tudo bem o caralho. Meu braço aqui todo fodido, tu tá vendo não? Porra, não fode, tudo bem! E essa bicicleta aqui, essa porra, eu trabalho todo dia com essa merda. Tu vai pagar o prejuízo?

A discussão atraiu mais gente em volta. Na hora, o coroa ficou intimidado, sem saber o que falar. Depois de mais meia dúzia de palavrões de Douglas, disse que era melhor ele tomar cuidado, se desse um ataque desses pra alguém que anda armado, podia muito bem terminar com um tiro no meio da cara. Douglas ficou mais puto ainda. Falou que, se ele tivesse de peça, que aplicasse de uma vez. Mas que, se mostrasse a arma e não tivesse disposição de puxar o gatilho, ia entrar na porrada. A possibilidade de aparecer uma arma atraía e afastava as pessoas, os curiosos. A tensão em volta crescia. Mas, no fim, não tinha arma nenhuma. O velho concordou em pagar o conserto da bike, mas se recusou a deixar qualquer contato. Disse que passava na farmácia no dia seguinte. Douglas não acreditou em nenhuma palavra, mas achou melhor se adiantar. O pessoal no trabalho já devia tá imaginando que deu perdido pra fumar um baseado.

Na farmácia, contou do acidente sem falar nada sobre a discussão. Sabia que o gerente podia ficar bolado, se soubesse que bateu boca por aí com o uniforme da empresa. Depois de aplicado o curativo, deixou a bicicleta numa oficina ali perto e ganhou folga pelo resto da tarde.

Num piscar de olhos, tava na Rocinha. É sempre a maior loucura, atravessar o túnel e chegar em outro mundo. A história com o coroa só reforçava a distância que sentia e queria manter da pista. Estudou a vida toda na Rocinha, os primeiros trabalhos foram todos lá, demorou a sair do morro. Saía mais quando tinha que ir no médico, ou resolver alguma coisa de documento. Fora isso, aquela favela sempre foi seu universo. Cria da Rua 2, cresceu costurando os becos na área, conhece caminhos que muita gente nem imagina, lembra de várias paradas que não existem mais. Os amigos que trabalhavam ou estudavam fora, insistiam sempre pra ele dar um rolé na pista, nos bailes de outras favelas. Douglas chegou a ir em alguns shows em Ipanema, uns blocos no Leblon e até um baile na Vila do João. Mas não tinha jeito, gostava mesmo era de Roça Folia, show na Curva do S, o baile da Rua 1. Esse trabalho na Gávea era a confirmação de que o melhor era abrir o estúdio no morro, achar um barraco maneiro pra comprar no futuro, ficar tranquilo onde sempre teve à vontade.

Douglas passou na boca da Via Ápia antes de ganhar pra casa. A confusão era grande, com todo mundo gritando ao mesmo tempo. Ele procurava o vapor da maconha enquanto tentava pegar a visão do assunto.

— Mermão, se esses maluco tentar, é bala. É bala neles, porra!

— Tá maluco tu! Viu não o que esses cara fez lá no Complexo? Menó, os cara tem tanque, os cara tem helicóptero, os cara tem fuzil pra caralho... Único jeito é o desenrolo do Mestre.

— Visão! Até porque, se vem mermo esse bagulho de UPP, hã, os cara não ia descansar enquanto não garrasse o Mestre.

Tonteado por todo aquele papo de polícia, UPP, invasão, Douglas demorou pra achar o vapor no meio da confusão. Quando encontrou, pegou duas de cinco e, depois de pagar pelo baseado, conseguiu perguntar se a polícia tinha mandado avisar da invasão.

— Eles veio aí esses dia, mano. Falou com os cara quente. Hoje saiu até no jornal, hoje. Bagulho é pra esse ano ainda.

Douglas chegou em casa já caçando a tesourinha. Seu braço doía enquanto cortava a erva sentado no sofá. Sentiu mais raiva ainda de pensar que o velho àquela hora devia tá em casa, sem sentir dor nenhuma, tranquilão. Pra tudo ficar ainda pior, essa notícia de que ia chegar uma Unidade de Polícia Pacificadora no morro, Douglas nunca foi em nenhuma favela com UPP, mas não consegue imaginar qualquer cenário onde isso possa dar certo. Com dificuldade, apertou o primeiro baseado. A fumaça subiu e fez com que aqueles tantos problemas do dia parecessem mais distantes.

Largado no sofá, Douglas sente a onda bater relaxando o corpo, mas não demora pra se incomodar com a bagunça da casa. Várias camisas jogadas, meias, a mesa toda cheia de pratos e restos de comida. Não queria nem olhar a pia. Nessas horas sentia saudade da época em que morava sozinho. Limpar só a própria sujeira é muito mais fácil. De repente, esse problema com o Coroa tenha sido um aviso de que o melhor é continuar sozinho, ficar de olho num quartinho, um pouco maior do que aquele onde morava antes.

Depois de mais alguns tragos, dava pra travar o baseado numa boa, mas ele continuava fumando só pra sentir o gosto da erva, pra soltar a fumaça pela boca. A cara mesmo tava torta. Deu vontade de fazer um desenho, aproveitar que não tinha ninguém em casa. Douglas começou a estudar as tatuagens Old School, aquelas rosas, andorinhas e caveiras. Ele sabe que o estilo já não faz tanto sucesso e que, se quiser ganhar dinheiro mesmo, tem que investir em tribais, maoris, nomes, estrelas e borboletas. É o que mais vê na pele das pessoas que encontra nas ruas. De qualquer forma, gostou tanto daqueles traços grossos, aquelas combinações de cores, que continua praticando por lazer.

Na hora que levantou pra pegar o material, sentiu o baque de fumar sentado, aquela tontura. Mesmo assim, não desistiu, continuou carburando o baseado enquanto pegava os lápis e papéis. Douglas sentou na mesa da cozinha, botou de lado a bagunça dos pratos e copos e enfim encarou o papel. Com o lápis, media a folha de cima a baixo antes de firmar qualquer traço, calculava. Sempre gostou muito desse momento de enfrentar o papel em branco, encarar essa nova viagem. Assim que colocou a ponta do lápis na folha, ouviu um barulho na porta da sala. Alguém tentava girar uma chave, mas não tinha sucesso porque a chave de Douglas tava do lado de dentro. Não podia ser Murilo. Tava ligado que o amigo tirou serviço, só voltava no dia seguinte. Por um momento, pensou que podia ser o Coroa, indo ali no meio da tarde pra palmear as coisas deles. Abriu a porta e viu Biel. Depois de semanas sumido, brotou do nada e, o que era mais impressionante, vinha com as chaves que vivia perdendo.

Foi o maior susto ver Biel ali. Eles ali já tavam convencidos de que, depois do caô que deu na casa do Coroa, o amigo não voltava nunca mais. Isso deixava os dois até que meio bolados, com a molecagem de Biel, mas ao mesmo tempo era também um alívio, de não precisar expulsar o amigo, que apesar de vacilão era um moleque responsa.

Biel entrou ligado no duzentos e vinte. Em dois minutos queria falar tudo que não falou no tempo em que teve sumido. Na tentativa de fazer um resumo dos últimos dias, ele confundia tudo, voltava, emendava outro papo que não tinha nada a ver. Era bem capaz de ter dado uns tecos antes de chegar em casa. Douglas ficou olhando pro amigo um tempo, sem nem prestar atenção em nada que ele falava. Só olhava pra ele, e não sabe se foi a maconha, alguma palavra ou gesto daquela hora, mas teve a sensação de que Biel morreria cedo.

Apertaram mais um baseado. Depois de algumas voltas, Biel parecia mais tranquilo, só não parava de falar, o baseado virava microfone na mão dele. Contou de um corre que fez na praia, de uma novinha do Arpoador que tava desenrolando e de uma briga que teve com os moleques de Ipanema contra os do Jardim Botânico. Esse jeito do Biel, de sempre fingir que nada aconteceu, deixava Douglas bolado. Várias vezes pensou em puxar o fundamento do Coroa, acabar de vez com aquela graça, mas desistiu em todas elas. Não queria levar esse papo sem o Murilo em casa.

Depois de um tempo, ele conseguiu relaxar, foi se envolvendo no papo do amigo, não demorou pra voltarem a dar risada igual umas semanas atrás. No fim, quem puxou o papo do Coroa foi o próprio Biel. Contou tudo como se fosse a coisa mais engraçada do mundo. Dava detalhes, imitava a cara do Coroa. Subiu uma raiva em Douglas, nem bengalinha, nem skunk, nem nada podia segurar a vontade que teve de mandar Biel meter o pé naquela hora. Os dois ali no maior perrengue, tentando desenrolar pra continuar na casa, e ele rindo do bagulho, como se fosse tudo brincadeira nessa vida.

Tava a ponto de explodir de uma vez, quando Biel interrompeu o próprio assunto pra pegar uma parada na mochila. Primeiro puxou uma garrafa de Kovak, e disse que mais tarde ia rolar uma peladinha no Play 2. Douglas ficou de cara com a falta de noção do amigo. Sem se incomodar com o olhar que recebia, Biel continuou fuçando a mochila, até que tirou de lá de dentro uma máquina de tatuagem novinha, com duas biqueiras, fonte e tudo. Depois, com aquele seu jeito de quem não liga pra porra nenhuma, entregou nas mãos de Douglas.

Rio, 26 de agosto de 2011

Pior coisa é esquecer o cigarro em dia que tá de serviço. Sem poder sair, a última forma é pedir pros outros. Foda é que no quartel é assim, você pode fortalecer cigarro direto pra rapaziada, um dia que aparece pedindo, vagabundo já te chama de serrote. Murilo tava bem ligado nessas fofocas. Pelo menos era o Thiago que montava a guarda ali do lado. Moleque bom, que sabe trocar uma ideia. Mora até em área de comando, mas diferente de vários emocionados, não bate neurose com ninguém.

— Qual foi, maluco, salva um cigarro aí com todo respeito.

— Qual é, relíquia, se eu tivesse com o maço aqui, deixava até dois no teu porte. Mas parei de fumar.

— Qual é, TH, logo tu de simpatia?

— O papo é reto, cria. Parei mermo.

— E tá quantos dia sem fumar já?

— Amanhã faz dois dia.

Meio atrapalhados pelos fuzis, os dois apertaram as mãos.

— Tá ligado, mano. A meta é essa aí. Pior parte do cigarro é quando acaba, mó fissura do caralho.

— Mas aí, tô com um fino apertado aqui. Bora tacar fogo?

Murilo sabia que podia dar merda; fazia nem três meses que rodou do mesmo jeito, ficou garrado uma semana. O problema é que a vontade de fazer fumaça era grande, o baseado da bandeira 2 tá sempre o verme e passar a noite careta e sem cigarro lá no posto não ia ser maneiro.

Enquanto queimavam a erva, sempre na atividade pra ver se não brotava ninguém, Murilo contou pro amigo do sonho que teve uns dias atrás. Só podia ser papo de confirmação. Não fazia nem quinze dias que sonhou a parada, saiu a notícia de que a UPP vai ocupar a Rocinha.

— Agora vai ser tudo assim, mané. Com esse bagulho de Copa, Olimpíada. Favela aqui na Zona Sul eles vai tomar é tudo. Tu vai ver. Os cara tem que mostrar serviço, geral de olho na cidade, turista pra caralho, vários gringo, fala tu. Já era, cria. Os cara aqui da Sul vai tudo fechar lá na ZN, na ZO. Escreve o que eu tô te falando, só os milícia que vai ficar tranquilão. Porque eles são tudo fechado com a polícia, com a porra toda mermo. — Thiago tentava ajeitar o baseado, que teimava em jacarear.

— Só falta agora eles me mandar invadir o morro. — Essa parada não saía da cabeça de Murilo.

— Os cara é maluco, mas não é doido não, menó. Eles nunca vai mandar os cria pra invadir, que eles tão ligado que pode dar merda.

— Mas se tu vê legal, mano, mermo em outro lugar já é foda também. Tu acha que ia ser maneiro a gente aqui tudo de fuzil em favela, dando dura nos maluco, invadino casa de morador? — Murilo se lembra das imagens do Exército invadindo o Complexo do Alemão, impossível não pensar que podia ser qualquer um deles ali naquela história.

— Querer, querer esse bagulho, dos que eu conheço aqui, acho que ninguém quer, tá ligado? Até porque geral aqui também curte um negocinho, tô mentindo? Ou fuma um baseado, ou dá um teco, puxa um lança de marola no baile, até cracudo tem aqui nessa porra. Bagulho é de verdade, fi. Sei nem o que passa na cabeça desses cara... Tu tá ligado no Oscar, aquele menó da nossa turma que desertou? Então, o amigo viu ele esses dia lá no Jaca, falou que o menó se derramou de vez, tá morando na cracolândia e os caralho. Vê legal, bagulho doido. Menó era tranquilão, conheci ele, fumava um zetinha só muito de vez em nunca, agora tá aí, fala tu. Crack é foda. — Thiago finalmente fez o baseado queimar direito, só então rolou pro amigo. Depois continuou: — Mas o bagulho que nós tava falando, eu acho que, na real mermo, ninguém vai querer fazer um bagulho desse, mas e aí, qual é a ideia? Nós trabalha pros cara, não tem outro jeito, tem que obedecer. Ou então é arrumar outra meta pra fazer lá fora, tá ligado? Mano, a minha coroa fala um bagulho que é verdade: cada pessoa no mundo tem uma função. O cara que é médico, pra tu ver, o cara é feito pra cuidar dos outro, o gari tem que tirar o lixo, o PM é feito pra acharcar nós, o açougueiro corta carne, o advogado defende o cliente, o Bope mata, o padeiro faz o pão e o traficante vende droga. Vai fazer o quê? O mundo é assim, relíquia, não dá pra mudar assim de uma hora pra outra. E soldado tu já tá ligado qual é da visão.

— Soldado é pra varrer, correr e capinar. Desde que eu cheguei aqui geral fala isso. — Murilo respondia sempre na atividade pra ver se não brotava ninguém. — E tava bom assim...

— Meu relíquia, o papo reto mermo é que soldado é gado, tá ligado? Se eles mandar varrer, nós varre. Se mandar ficar na guarda, nós fica. E se mandar nós trocar tiro, nós vai ter que trocar, infelizmente. Bagulho de hierarquia é foda. Por isso que eu vou meter logo meu pé daqui. Fui feito pra isso não, sem neurose.

Na cabeça do Thiago tudo sempre faz sentido. Ele tem sua própria lógica. Com certeza seria desses coroas que passam várias visões pra nova geração. Murilo sabia que era melhor não abusar e voltar logo pro posto, mas a conversa era boa e a maconha também. Eles falaram sobre várias paradas, até umas que tinham a ver com as suas famílias, umas paradas bem íntimas que Murilo nem chegava a discutir com os amigos em casa. Às vezes, parecia mais fácil falar sobre certas coisas com amigos mais distantes do que com aqueles do dia a dia. Murilo contou da bolação da mãe ter se mudado lá pra Campo Grande, bem na área dos milicianos, falou de como preferia ter continuado morando com ela mais um tempo pra se levantar, mas que nunca ia se mudar praquelas áreas, ainda mais que detestava o padrasto. Um cara esquisito que adorava falar que o Brasil era bom na época dos militares e que agora deve tá feliz da vida com essa história de UPP. Murilo acabou falando da história do Biel. Desde que o amigo voltou pra casa, Douglas e ele não sabem o que fazer. Toda vez que vê um deles pelo prédio, o Coroa pergunta se já tão vendo casa, ajeitando a mudança. Faltava menos de duas semanas até o fim do prazo e ainda não tinham visto lugar nenhum pelo morro.

Com o interesse do amigo, Murilo se empolgou e contou logo tudo de uma vez, do jogo do Flamengo até o momento em que Biel invadiu a casa do Coroa às seis da manhã, com um vidro de lança pela metade. Falou do perrengue de arrumar outra casa maneira, de fazer mudança, essas paradas. Na real, ainda tinham esperança de conseguir desenrolar pra ficar, mas depois da volta do amigo o Coroa não parecia nada disposto a mudar de ideia. Pra terminar, teve que admitir que Biel era um moleque bom, fechamento puro. E era isso que, no fim das contas, deixava tudo mais difícil.

— Mano, te falar um bagulho, que eu passei na rua hoje e

fiquei pensando. Teve um dia, era começo do ano passado isso, eu tava indo pra reú de São Cristóvão com um parceiro meu; o moleque era cria comigo, tá ligado? Nós cresceu junto ali na merma rua. Primeiro baile curtimo junto, primeiro baseado, a porra toda. Aí nesse dia eu tava com umas tinta na mochila, que nós ia tacar uns nome ali na área depois da reú. Tranquilo. Nessa nós passou numa rua, tinha um chapisco ali bem na frente pruma escola. O amigo viu que a rua tava de boa, falou pra nós já mandar um nome ali mermo, pra abrir os trabalhos. Ele tava começando a botar nome ainda, era primeira vez que nós ia pichar junto. Eu falei pra ele que naquela rua nem passava carro direito, não tinha nome de ninguém importante na área, não valia a pena gastar tinta ali. Só que o menó me tonteou legal, papo reto. Falou da escola que tinha um monte de gente, que tinha um bloco de Carnaval que saía dali, fez de tudo pra eu botar fé que o lugar era mídia. Quando vi, nós já tinha até tacado o nome na porra do muro. Suave. Chegamo na reú, aquelas coisa, todo mundo dando dois, trocando ideia, aí no meio do bagulho começou chover pra caralho. Essas chuva de verão sinistra. Era papo do mundo se acabando mermo, aí nós nem saiu mais pra xarpi depois. Meu irmão, papo reto, olha aqui, fico até arrepiado de lembrar. Uma semana depois desse bagulho o amigo morreu. Deu uma parada estranha na barriga dele, a família levou pro hospital que ele não tava aguentando de dor. O médico falou que aquilo ali era reação do uso de droga, que se ele ficasse na moral, descansando e bebendo água, rapidinho ficava bom de novo. O menó voltou pra casa, mas ficou fodido três dias direto. Só piorava. A irmã dele me disse que no último dia a barriga dele tava que parecia que ia explodir. Levaram ele pro hospital e um outro médico lá viu logo que era apendicite, tava no limite já, ia ter que operar na hora. Só que ele morreu antes. Tinha acabado de fazer dezoito anos. Papo reto, menó, hoje passei naquela rua lá, e sem neurose, juro pela felicidade da minha filha, melhor coisa que eu fiz na vida foi ter tacado aquele nome lá com ele.

— É foda, irmão — Murilo respondeu porque sentia que precisava falar qualquer coisa.

— Caralho, relíquia, vou te falar legal: depois do baseado só um cigarro mermo!

Rio, 31 de agosto de 2011

— E por que você quer trabalhar aqui no restaurante? — o gerente perguntou sem parecer muito preocupado com a resposta.

Washington sempre ficou bolado com esse tipo de pergunta. Por que alguém trabalha nesse mundo, caralho? Se não é pra pagar aluguel, comprar comida, bancar o vício? Tudo custa muito caro, e playboy de favela é mendigo, a resposta chegava a coçar na garganta. E o pior é que sabia que pra ter qualquer chance por ali, num lugar daquele naipe, ia ter que jogar o jogo deles. Escolher só as palavras certas, sem gíria ou palavrão, deixar a coluna reta, se lembrar dos plurais. Na real, ser quem não é. Era tudo que precisava.

Ele chegou no restaurante pensando que o jogo já tava ganho. Como vinha com indicação, achou que era papo só de conversar, preencher ficha, entregar documento e começar na segunda. Porra nenhuma. Tinha mais uns dez caras lá no restaurante. Isso porque não sabia quantos não passaram por lá nos outros dias.

Na hora que viu os concorrentes, agradeceu a Deus por

dona Marli ser tão neurótica. Tava tão confiante que ia descer o morro de camisa e bermuda cargo. A mãe não deixou passar batido, chamou logo no esporro. Agora tá ali, de calça jeans e camisa polo. Passou um perrengue pra descer o morro com a roupa, tomando moca do sol, que logo de manhã já desceu castigando, mas valeu a pena: agora ele olha pros outros moleques e não se sente pior do que ninguém.

— Quero trabalhar aqui porque sei que é uma grande oportunidade. Tem um tempo já estudo sobre os drinques, vi até um curso de barman pra fazer. Sempre tive jeito com bebida, então resolvi investir nisso... Começar aqui, mesmo que seja na louça, já é uma oportunidade pra entender como funciona tudo, um restaurante assim, importante, a experiência com certeza vai me ajudar alcançar os meus objetivos.

Na real, Washington nunca pensou em fazer curso de barman, também nunca mandou bem na caipirinha, único drinque de seu repertório, mas o papo pareceu impressionar o gerente. Washington tinha esse talento; mandar muito sério qualquer caô. Era bom também que morava na Rocinha; pelo que ouviu de alguns papos antes de ser chamado pra entrevista, a maior parte dos concorrentes morava lá pra Zona Oeste, alguns na Zona Norte. Como o restaurante fica em São Conrado, é muito mais jogo chamar alguém que mora perto, que pode ir andando. Além de economizar na passagem, tem menos chances do funcionário chegar atrasado.

— Você deve tá muito feliz, não é? Com a UPP a Rocinha agora vai ficar muito melhor agora... Eu sempre me preocupei com meu pessoal que mora lá, tudo trabalhador. Tem o Aloísio, que é garçom, você conhece ele? Pessoal da cozinha. Tem a Rose, da limpeza, mora lá também... Agora vai ficar bom. Assim a gente espera, né? Ninguém merece viver no meio de tiro.

Não dava pra Washington saber o que ia rolar depois da UPP.

A única certeza mesmo é de que fazia muito tempo que ninguém ouvia tiros na Rocinha. Desde que o Mestre assumiu, o morro vivia numa política de paz, e pagava caro por isso.

O resultado era que o baile rolava na maior tranquilidade, o morador ou o viciado não se preocupava com polícia pra achacar na entrada do morro, e ainda tinha os shows promovidos pela firma. Até artista gringo ia cantar lá dentro. Nessas que a boca ia às forras, recuperava o dinheiro do arrego. O cara que entende o que é o crime é assim: prefere perder aqui pra ganhar lá na frente. E o mais importante, sabe que é melhor perder dinheiro do que a vida, ou a liberdade.

— Eu só espero que fique tudo bem pro morador — Washington tentava encerrar o assunto.

— Vai ficar muito melhor. Aqui no bairro também, vai valorizar muito. Esses apartamentos, hotel, vai ser bom pra todo mundo.

Depois da entrevista individual, os candidatos foram conduzidos até o salão principal, pra começar uma entrevista em grupo com a funcionária de RH.

Washington deixou o restaurante na companhia dos moleques que participaram da entrevista coletiva. Mesmo com fome, que já tinha passado bem da hora do almoço, todos eles concordaram em dar um rolé na praia de São Conrado. Eles andaram menos de cinco minutos até baterem de frente com o mar.

O sol na praia ainda queimava forte. Washington ficou bolado de não ter levado uma sunga, uma bermuda, qualquer parada. Fazia mó tempão que não dava um mergulho. Os outros moleques todos foram preparados. Foi só descer ali na areia, eles saíram tirando as calças, partindo pra água, desesperados. Era engraçado olhar pra eles no mar. Sem nenhuma habilidade pra furar as ondas, tomavam caixote de qualquer marola. Muito diferentes dos menorzinhos que brincavam por ali. Tudo cria da Rocinha, aqueles pareciam até que já nasceram sabendo nadar.

Na hora do baseado é que geral se conheceu melhor. E é claro que não tinham nada a ver com o que eram na entrevista.

— A empresa quer me conhecer, aí tem que fazer esse caralho de joguinho aí? Porra, imagina se fosse direto assim, tu apresenta alguém pra tua coroa, pra outro amigo, sei lá, eles têm que dar a mão, sair estourando não sei que porra é essa de balão. Neguim marola... o que veio da Praça Seca chamava Estêvão, mas tem o vulgo de Jamaica.

— Pior ela falando pra não ficar desanimado. Porra, isso porque ela não veio lá de Camará, a filha da puta! — Vinícius tava todo humilde durante todo o processo, mas desde que começaram a andar, ele é o que mais xinga a mulher do RH.

— Maior loucura. Eu achando que o trabalho era pra lavar prato, e ela de joguinho pra ver minhas habilidade, caralho, mais fácil era me dar uma esponja e uma panela, fala tu!

E o mais velho entre eles, que vinha lá da Mangueira, chamava Jorge. Só quando os moleques voltaram da água é que Washington se ligou na tornozeleira eletrônica que ele carregava na perna direita.

Como cada um ali vinha de um canto diferente na cidade, rolou várias qualidades de maconha. Cada morro botava uma carga diferente na pista, e a safra daquele ano era boa. Na Rocinha rolava o bengalinha, já famoso entre os maconheiros, era um fumo quase tão bom quanto o dos playboys. Na Mangueira a erva já teve melhor, mas o haxixe continuava o verme. Camará é conhecido por vender maconha de um real. Às vezes muito boa, às vezes nem tanto, mas sempre muito barata. Na Praça Seca tem o Morro da Barão e mais uma porrada de favela em volta; mesmo com a milícia dominando a Praça, o que não falta é lugar pra comprar droga. O viciado só tem que ficar na atividade, porque os caras não têm pena.

Jamaica tava ali na meta de começar ali, subir até garçom, levantar um dinheiro, meter um curso de gastronomia e começar a trabalhar na cozinha. O sonho dele é abrir um restaurante onde na entrada, no lugar de pão, que é um bagulho que enche, geral tá ligado, os clientes iam receber um baseado apertado.

— Só pra abrir o apetite. — Ele falava e ria.

Vinícius acabou de saber que vai ser pai. Foi por isso que entrou numa de mandar currículo. Aquela era a terceira entrevista que fazia na semana. A coroa ficou toda feliz com a disposição do filho, e nem desconfia da notícia que vai receber assim que pintar uma vaga. Se vai ficar feliz ou não, ele não sabe, mas desempregado é que ele não conta essa parada.

Depois de um tempo trocando ideia, Washington ficou até bolado de pensar que só um deles ia conseguir a vaga no trabalho. Ainda mais depois que Jorge explanou qual era a da tornozeleira eletrônica. Ele contou que rodou sozinho, traficando lá na Mangueira mesmo. Tava com uma carga de maconha e uma pistola automática. Fez questão de falar mais de uma vez que não xisnovou ninguém nos quatro anos que esperou até a Lili cantar.

— Mermão, Comando Vermelho cuidou de mim lá dentro, tá ligado? Podia ter sido muito pior, bagulho de verdade mermo. Mas aí, eu tô falando isso aqui, não é neurose com vocês não, papo reto. Eu sei que tu aí da Roça é fechado com os Adelaide mermo, o amigo ali de Camará com os Terceiro, mas até aí, relíquia, isso não quer dizer porra nenhuma. Se eu mermo tivesse nascido na Rocinha, eu tava fechado com Nenzão também, vai fazer o quê? É tudo A, porra. Não é assim que cês fala? Se tivesse nascido em qualquer favela de Terceiro, ia abraçar do mermo jeito. Porque na real mermo, visão de cria, esse bagulho aí é que nem time de futebol. Depende muito de onde tu nasce, de quem tu conhece, tá ligado?

— Papo reto. Viciado tem que fechar é onde tá a braba — Jamaica concordava.

— De menózim eu já ouvia esse bagulho e o papo reto — Jorge continuou. — É nós, é a gente, só não pode ser eles. Tá ligado? Isso é a visão de quem sabe que o patrão mermo não tá nem aí pra esses bagulho de "tudo 2", "tudo 3". Fala tu, quando o Exército invadiu lá no Complexo, o FB não veio se entocar na Rocinha? Fala vocês, pô, os cara tá preocupado com bagulho de facção? Meu pau que eles tá! Os cara quer é saber de ganhar dinheiro. E é isso mermo, tá maluco, essa que é a meta. Um bagulho que aprendi é que no crime tu tem que ser frio e calculista, emocionado morre cedo.

— É isso. Tem vários emocionado mermo que não ficou pra contar a história. — Vinícius falava enquanto já apertava outro.

— Então foi isso, mano. Os cara me fortaleceu legal lá dentro mermo, até minha coroa eles deram uma moral quando ela precisou, reconheço e pá, certo pelo certo, mas agora, irmão, agora é cada um no seu canto, sem neurose. Já vim nessa entrevista pra botar lá no bagulho da condicional, que os cara pede. E é isso, tamo aí. Eu sei que ninguém vai me chamar nessa porra, mas fazer o quê? Mó bagulho de rico, na Zona Sul, tu acha que eles vai querer alguém que já puxou cadeia? Aqui que eles vão. Mas tem que vim, né. Mostrar pros cara lá que tô correndo atrás. É assim mermo, daqui a pouco caio pra dentro de uma obra aí, fico tranquilão. Pro sistema é que não volto nunca mais, disso eu sei. Tá maluco. Mó calorzão do caralho, o cara quer curtir uma praia, tá lá, fodido, apertado no meio de um monte de homem. Fala tu, é vida um bagulho desse? Qual é, menó, meu coroa morreu eu tava lá dentro... Cês não tá ligado o que é isso não, né. Teu pai morrer um dia, e tu lá, garrado, sem poder fazer porra nenhuma. E se fosse a minha mãe? Fala vocês. Gosto nem de pensar um bagulho desse.

Enquanto ouvia o papo, Washington não conseguia parar de pensar na felicidade da mãe de Jorge, se no fim ele fosse escolhido pra vaga no restaurante.

A sessão de baseados chapou geral.

A larica pegou firme e os moleques acharam melhor se adiantar. A viagem pra casa era longa e ninguém tava na condição de comer na rua. Eles foram juntos até o ponto de ônibus, rindo à vera das histórias que contavam. De lá, Washington ganhou pra casa. Não antes de trocar o Facebook com a rapaziada. Se despediram com o papo de marcar um bailão qualquer dia, geral ali queria ver se a Rocinha era mesmo o fervo.

Rio, 6 de setembro de 2011

Naquela tarde, Wesley chegou cedo na casa de festas. Queria encontrar Talia antes de começar o trabalho, ficar de papo, desenrolando qualquer parada. Mas ela não chegou na hora que combinaram por mensagem. De bobeira no salão, antes da festa começar, Wesley ouviu sem acreditar o convite de Ângela. Um dos funcionários da equipe de animação não parava de vomitar no banheiro, e Alex, que era o chefe da equipe, deu a ideia de que Wesley completasse o grupo.

Logo que começou a trabalhar na casa de festas, Wesley descobriu que a equipe de animação ganhava o dobro do que monitores e garçons. No mesmo dia em que soube disso, ele foi se informar com a gerência como fazia pra aprender o serviço. Descobriu então que lá na própria casa de festas eles ofereciam um curso pra formar os animadores. Durante uma semana, sem receber um centavo e gastando dinheiro de passagem, Wesley teve que brincar com um monte de marmanjo, aprender coreografias de sucessos da Xuxa, fazer teatro com fantoche. Eles chamavam isso de treinamento. De olho no dinheiro que dava pra fazer, ele se esforçou nas atividades. Mesmo assim, até aquele dia, nunca foi chamado.

Não que Wesley tivesse qualquer vocação pro serviço. Na real, várias vezes olhava pro pessoal da animação e sentia tanta vergonha alheia que chegava a agradecer por nunca ter sido escalado na função. O dinheiro é que pesava. Com metade do trabalho, podia ganhar a mesma coisa.

Ele ficou balançado com o convite de Ângela, ainda mais depois de ver Talia chegar na casa. Eles tavam direto na de trocar SMS, com altos papos de marcar qualquer parada, e Wesley não queria se queimar com a novinha. Mas não teve jeito, mesmo com medo de jogar fora todo o investimento que fez com Talia, ele teve que aceitar. Ali na casa de festas é assim, tu pode até recusar alguma coisa que eles pedem, que na hora ninguém fala nada, depois te cortam da escala sem nenhuma explicação. Wesley não queria ficar de pista, ainda mais porque, depois que chegou a UPP no morro, seu plano pra trabalhar no mototáxi ficou muito mais complicado. Agora precisa tirar carteira de motorista, correr atrás de uma moto com documento em dia, várias paradas. A nova meta era começar a pagar pela habilitação com o dinheiro da casa de festas, enquanto corre atrás de assinar carteira, que assim pode tentar um financiamento.

Era aniversário de seis anos de uma tal Valentina. Não deu nem pra entender legal aquilo ali, de tão estranho que foi na hora: foi a menina pisar na casa, pra grudar no Wesley e não largar nunca mais. Acostumado a ser o centro das atenções, Alex ficou com ciúmes. Tanto que se esforçava muito mais que o normal pra mostrar sua animação, contagiar as crianças, organizar as brincadeiras. Não adiantava. A aniversariante só queria saber de Wesley.

Valentina gostava de pintar e quis passar um tempo na oficina de arte. Wesley gostava de ficar ali porque podia comer, entocado no pequeno banheiro reservado pra lavagem dos pincéis. Era um ponto cego na casa, onde algumas vezes as babás também precisavam se esconder pra comer, quando não eram contabilizadas como convidadas.

— Essa daí a mãe fala que vai ser artista... que tem a personalidade forte.

— Ié?

— É nada. Ela tem é falta de educação mesmo. Onde já se viu, uma criança desse tamanho nem cumprimentar os outros... Se fosse minha filha, ganhava logo o dela.

Bastante entediado, Wesley escutava o papo das babás enquanto esperava Valentina terminar sua pintura. Queria mesmo é que a menina fosse pra casinha de bonecas, onde Talia foi escalada. Mas a aniversariante, por mais que quisesse a companhia de Wesley, só fazia o que queria. Não adiantava insistir. Quando ela terminou o desenho, em vez de entregar pro monitor colocar no varal, ela virou a folha em cima da mesa branca e esfregou até a folha rasgar. A mesa ficou toda pintada, com uns pedaços de papel colados. As babás que tavam por ali só balançavam a cabeça, com uma cara de quem conhecia muito bem aquele filme.

Wesley ajudou o amigo da oficina a limpar, enquanto Valentina mexia em todo o resto. Só ele percebeu quando ela achou a pistola de cola quente numa das gavetas. Em vez de ir lá e tomar de volta da mão dela, Wesley torceu pra que a menina encontrasse logo uma tomada. Se ela queimasse a mão com a pistola, era certo de passar tanto tempo chorando que podia até esquecer a paixão pelo animador. A menina rodou mais um pouco até achar a tomada e conectar a pistola. Wesley olhava de canto de olho, disfarçando, até que viu se aproximar uma convidada que passava por ali.

— Cadê a babá dessa criança que não vê isso? Que perigo!

Depois da oficina, os dois passaram um tempão na piscina de bolinhas. Wesley fechava os olhos, enquanto a menina se escondia, depois ele mergulhava na busca, mas nunca conseguia chegar até ela, que saía vitoriosa. Com o tempo secou a garganta, Wesley quis dar um perdido pra poder beber uma água. A menina ficou bolada, mandou ele pular de volta na piscina.

— Agora não. Tô com sede. Depois a gente continua.

— Não. Pula agora.

— Mas eu volto rapidinho.

— O meu pai tá pagando essa festa. Pula!

Wesley olhou em volta, viu Talia distraída com outra menina, e se atirou de corpo inteiro na piscina, rindo e fazendo a menina rir também.

Só parou quando a babá precisou levar a criança no banheiro. Em vez de pegar um copo d'água com qualquer garçom, preferiu ir até a cozinha, dar um tempo lá dentro. Tava quase na hora de cantar parabéns.

Bebeu dois copos d'água, foi no banheiro, voltou, ficou conversando por um tempo com o pessoal da cozinha, pegou até uns salgados na bandeja com as sobras. Ângela entrou bem na hora.

— Muito bem, seu Wesley. A aniversariante tá apaixonada por você! A mãe acabou de me contar; nunca viu ela gostar tanto de alguém assim, de cara.

— Fiz o treinamento lá quando cheguei. Vocês que deu mole de não me chamar antes.

— E Washington, como é que tá?

— Tá tranquilão, pô. Arrumou até um trabalho agora, carteira assinada...

— Aí sim, coisa boa! Tomara que agora tome juízo...

Depois dessa Wesley até voltou pro salão. A criança tava desesperada. Procurava por ele em tudo que é lado. Quando encontrou, correu direto e deu um abraço que parecia até que Wesley era seu parente.

Na hora do parabéns, os pais acharam exagero o pedido pra

que ele fosse junto com eles pra mesa do bolo, mas como ela não parava de chorar, não teve jeito. Wesley queria cavar um buraco no chão e enfiar a cara. Os funcionários todos na lateral pra cantar parabéns, e ele lá, no meio, como se fosse parte da família.

No fim da festa, vários colegas falaram com ele, impressionados com o jeito que conquistou a aniversariante. Alex achou melhor não elogiar. Disse que conquistar o aniversariante é sempre bom, mas importante mesmo é fazer as crianças interagirem entre elas. Fazer todas participarem das brincadeiras, principalmente a dona da festa. Porque depois, quando a família olhar as fotos, se não encontrar a filha ali se divertindo, parece que a animação não funcionou. Wesley, que depois da vergonha vivia seu momento de glória, ficou puto.

— Qual foi, menó. Tu acha mermo que eu ligo pra isso? Quero é meu dinheiro. Aniversariante, família dela, a porra toda, eu quero mais é que se foda.

Talia nunca ficava pro lanche no final, mas naquele dia ficou de papo por ali, depois partiu com um bonde pro ponto de ônibus. Ela e Wesley começaram a andar cada vez mais devagar, deixando os colegas se adiantarem. Até ficar só os dois conversando. Nenhum deles falou nada sobre a festa. Talia contava do relacionamento que ia mal. Dessa vez, tinha certeza de que levou chifre. Wesley ouvia o desabafo, atento. Não sabia o que pensar: por um lado, aquilo parecia uma notícia boa, já que o caminho ficava livre. Mas, por outro lado, Talia contar essas paradas assim podia significar que já considerava Wesley um amigo, com quem só queria desabafar.

— É foda, esses bagulho, Talia. Se eu fosse tu, terminava logo esse caô, e pronto. Depois que acaba a confiança, já era.

— Eu sei... Tô só tomando coragem. É muito tempo junto.

Wesley quase falou que, se o maluco não sabia valorizar uma mina que nem ela, então merecia mesmo ficar de pista, mas desistiu, também não queria render muita homenagem. A confirmação era que o 557 vinha lá do outro lado da rua, era melhor atravessar logo. Até passar o outro, podia botar pelo menos meia hora no relógio.

— Fica mais um pouco. Eu espero contigo — Talia pediu.

Era o momento certo pra chamar num beijo. Wesley sabia. Ele fez que ia, mas não foi. Ficou só olhando bem nos olhos dela. Talia olhava de volta. Naquela hora, ele bateu até neurose porque teve a impressão de que gostava mais daquela menina do que imaginava.

— Então vamo lá pro outro lado. — Wesley apontou os bancos vazios do ponto de ônibus.

Lá no ponto ainda ficaram um tempão sem falar nada. Cada um olhava pra um canto, o assunto não vinha. Wesley se arrependeu de não meter logo o pé. Bateu maior neurose que todo mundo viu que ficou só os dois lá no ponto, que ela pediu pra ele não ir. Só faltava levar fama sem ter feito nada, isso sempre dá problema. Depois vagabundo descobre, faz parecer que é daqueles emocionados, que amam inventar que faz e acontece. A pior espécie de gato mole que existe.

— E você gostou de trabalhar hoje na animação?

— Ah, não sei, mais ou menos. O bom é que dá pra levantar um dinheiro, mas é foda...

Wesley quis contar da aniversariante na piscina de bolinhas. Da vontade que teve de afogar a menina lá dentro, do momento em que torceu pra ela se queimar na oficina. Mas ficou com vergonha, olhou pra rua.

— Ih, caralho, rapidinho já tá vindo outro lá.

O 557 vinha na direção. Wesley levantou o braço muito antes da hora e ficou esperando. Antes do ônibus parar, foi dar um beijo de despedida em Talia, que virou o rosto e ofereceu os lábios. Mais uma vez, o 557 passou direto.

Rio, 10 de setembro de 2011

— Não, bróder. Arpoador tá com uma vala ridícula. Eu fui lá hoje mais cedo. Tá bizarro. Onda boa tá rolando só lá pra Grumari, Prainha, aqueles lado de lá.

Com a maior dor de cabeça desde a hora que acordou, Biel escuta sem a menor paciência o papo dos moleques no Bibi Lanches. Só conversa fiada. Com o prazo da mudança estourado em mais de uma semana, ontem à noite o Coroa bateu lá puto da vida, perguntando se tinha cara de palhaço. Ele mandou sérim que, se não saíssem por bem, ia ter que tomar uma atitude. Não chegou a usar todas as palavras, mas também nem precisava. Geral se ligou que era ameaça de levar o caô na boca.

O pior é que o mês passou voando, e eles não viram quase nada pra alugar. Só uma casa na Rua 2, mas sem ventilação nenhuma e com as paredes todas cobertas de mofo. Uma outra na Vila Verde, bem de frente pra uma vala aberta, um cheiro tenebroso. Na real, tavam todos muito mal-acostumados com a vida na Via Ápia, com tudo mais limpo e mais fácil. Ia ser foda pra gostar de outra casa.

Foi a primeira vez que Biel pegou de verdade a visão da merda que fez. Até ali, achava que o Coroa só tava botando terror, pra ver se eles ficavam na moral de uma vez. Porra nenhuma. Pelo que deu pra ver ontem, botar os três pra fora parecia ser projeto da vida do Coroa. Pior é que nem sabe mais se fica na Roça ou se procura logo outro canto. Com a confirmação de que a UPP chegaria no morro antes de virar o ano, os moradores só falavam dessa parada, sempre como se fosse uma bomba pronta pra estourar. Com o morro ocupado de ponta a ponta, Biel já pensa como vai ser foda de entrar e sair todo dia com a carga que vende na praia. De qualquer jeito, mesmo se for caçar outro canto, Biel precisa logo levantar uma grana pra ajudar na mudança. Não dá pra meter o pé e deixar os amigos de pista.

Nesse tempo todo que vive no meio dos playboys, Biel tá ligado que as únicas amizades de verdade que fez, foi com Douglas e com Murilo. Os dois abraçaram no momento que ele mais precisava. Naquela casa da Via Ápia, podia ser ele mesmo, lembrar das histórias na Cruzada, nos tempos de escola na Santos Anjos.

Ele mais uma vez encara o celular: papo de uma hora no aguarde do contato, e nada. O maluco não atende, não manda uma mensagem de texto pra dar uma satisfação. Enquanto isso, certeza de que tem a maior galera esperando pela erva na praia. Pra perder o dia, não precisa muito. O que não falta é traficante na areia: entre playboys, camelôs e o pessoal do artesanato, a concorrência só aumenta.

Não dá pra ficar de bobeira, não depois do perrengue que foi pra se infiltrar em Ipanema. Nas primeiras tentativas Biel foi completamente ignorado. O fato de ser cria da Cruzada São Sebastião, microfavela que fica entre o Leblon e Ipanema, não ajudava a encurtar a distância entre ele e o grupo que sonhava pertencer. Ele primeiro tentou se enturmar através do surfe, mas nunca foi muito bom. Além de ser um esporte de materiais caros, o clima de competição na água não ajudava a fazer novas amizades. Resolveu investir na altinha. Todo dia ia pra São Conrado jogar com os amigos da escola, a maioria da Rocinha ou do Vidigal. Depois de um tempo, passou a se destacar na brincadeira, sem deixar nunca a bola cair. Foi aí que passou a marcar no Posto 9, a participar de umas rodas. Não demorou pra entender que ia precisar se vestir e falar como eles. Deu trabalho, mas valeu a pena. Com a habilidade no jogo logo fez amizades entre os playboys ali da areia. Morria Andrei e nascia o Biel, ou melhor, Gabriel Moscovici, nome que adotou nas redes sociais.

Não demorou pra cair a ficha de que não era barato ser amigo daquela galera; a entrada nas boates custa sempre uma fortuna, os bares são muito mais caros que na Cruzada, e um salgado com suco no Bibi é o preço de uma quentinha em qualquer favela por aí. Começou a vender droga. Com uma única jogada, resolvia dois problemas. Além do dinheiro, o tráfico fez com que fosse conhecido na areia, requisitado. Tanto que em alguns dias conseguia sentir que era mesmo parte daquele mundo novo.

Cansou de esperar e saiu na direção do amigo. Um sábado desse, não dava pra chegar na praia sem a mercadoria. Depois de uns dias nublados, em que não chovia e nem molhava, o sol inventou de brotar no fim de semana. Tava na hora de fazer dinheiro.

Enquanto passava por outras lanchonetes, nos bares preferidos da rapaziada, pensava que, se quisesse continuar no ramo, ia ter que arrumar outro fornecedor. Esse de agora tem um preço bom, dá pra fazer um lucro maneiro, mas o moleque é muito doido. Vive fritando de doce ou de bala qualquer dia da semana, isso quando não se interna numas paradas mais pesadas. A família às vezes mete numa clínica e manda dizer que foi fazer curso nos Estados Unidos, ou então na Europa. É igualzinho quando alguma patricinha precisa abortar, eles inventam logo uma viagem pro exterior.

Depois de rodar tudo por ali, Biel se convenceu de que não tinha mais o que fazer. O jeito era brotar na praia, explicar pros clientes que o amigo sumiu e tentar voltar pro contato antigo. Mesmo com preço mais alto, pelo menos é mais garantido. O cara é policial civil, tem filho e os caralho. É muito mais responsável.

Biel vinha na Joana Angélica em direção à praia quando viu o pivete correndo. Atrás dele vinha uns seis ou sete caras, alguns conhecidos. Naquela hora, a cabeça tava quase explodindo. O grupo dos linchadores reconheceu Biel e gritaram pra pegar o menor. O moleque passou bem do seu lado na calçada. No susto, ele botou o pé na frente e o menino caiu na hora. Quando viu o pivete com a cara no chão e os playboys chegarem cheios de ódio, Biel chegou a se arrepender. Mas era tarde demais.

Rio, 12 de setembro de 2011

Ela era ainda melhor do que parecia nas fotos, e naquela hora isso fez Washington acreditar de uma vez que sua sorte tinha mesmo virado. Tudo começava a fazer sentido: as suas paradas só começaram a andar depois que teve coragem de recusar o que não queria, de arriscar o pouco que tinha. Com essa ideia na cabeça, Washington era pura confiança em cada gesto. Quando Gleyce se aproximou, ele não demorou pra aplicar um abraço.

— Muito prazer — ele disse devagar, olhando nos olhos.

Gleyce respondeu meio de qualquer jeito e saiu entrando no shopping.

— É amostra grátis do inferno esse calor? Deus me livre! Imagina quando chegar o verão.

A falta de constrangimento na hora de se apresentar deixou Washington um pouco intimidado. Não esperava por nada parecido.

— Pelo menos aqui tem ar condicionado.

Já recuperada, Gleyce olhou pra Washington com atenção pela primeira vez.

— Como você não morreu pra chegar aqui com essa calça?

É claro que Washington pensou em ir de bermuda. Tava com uma Kenner nova, se metesse a bermuda certa ia ficar naquele pique que as novinhas se amarram. Só foi de calça porque desse jeito passa muito mais batido. A experiência prova que em lugares do tipo Fashion Mall, pra não ter dor de cabeça, o melhor é vestir uma calça. Os seguranças sempre vão bater neurose primeiro com os moleques de bermuda.

— Esse ar do cinema é foda. Eu sinto mó frio nas pernas!

Depois do filme, eles deram um rolézim pelos corredores do shopping. Enquanto se conheciam, passavam o olho nas vitrines, mas sem muito interesse. Até o momento em que Gleyce bateu de frente com um top dourado numa loja. Ela ficou um tempão olhando, e já começou a falar de uma porção de roupas que podia usar pra combinar com a peça. De primeira, Washington achou até que o preço tava errado, mas era isso mesmo. O top custava duzentos e noventa e oito reais. Mais que a metade de um salário mínimo.

— Vou experimentar.

Ela foi direto falar com uma vendedora. Washington entrou na loja logo em seguida, quando se viu sem outra opção. Os funcionários pareciam entediados com a loja vazia. A vendedora entregou o top tão de qualquer jeito, num movimento afirmava a sua certeza de que Gleyce nunca ia comprar nada naquela loja. Ela entrou no vestiário. Washington não sabia o que fazer ali, cercado por saias e vestidos. Ele tentou relaxar numa poltrona, de olho na decoração esquisita no teto.

Gleyce saiu do provador com o top. O dourado da roupa realçava sua pele marrom. Ela toda parecia brilhar.

— E aí, acha que ficou bom?

— Ficou perfeito. — Washington não podia ser mais sincero.

— Eu sei. Mas não pago esse preço por ele nunca. — Ela falou isso bem na frente da vendedora, sem o menor constrangimento.

Depois que saíram da loja, Gleyce explicou que gosta de experimentar roupas da vitrine, se não fosse pra isso, pra que estariam expostas?

— O que mais tem é gente com dinheiro que prova, prova e não leva nada. Se eu provar e não levar também, qual é a diferença? Eu gosto de vestir as roupas, sabe? Ver como é que ficam, me imaginar usando elas. Depois se pá levo até na costureira pra fazer uma igual.

Washington ficou de bobeira com o jeito que ela se comportava naquele lugar. A maior parte dos amigos e conhecidos que moram na Rocinha, quando vão no Fashion Mall é sempre a mesma história: ou ficam acuados por todo aquele mármore, pelas roupas de grife e pelos clientes que podem pagar por elas, ou então assumem de vez uma postura de enfrentamento, com andar pesado, fogo nos olhos, como quem diz: eu sei que você não me quer aqui, mas eu tô pouco me fodendo pra isso. Washington mesmo, sempre que passava naqueles corredores, oscilava entre uma postura e outra. Mas Gleyce não. Ela só andava e olhava pra tudo, falava o que achou dos atores no filme, com a tranquilidade de alguém que tinha certeza de que todo aquele espaço foi projetado pra ela passar, que todos aqueles aparelhos de ar condicionado funcionavam pra que ela não sentisse calor.

Então eles foram comer no McDonald's. Fazia anos que Washington não sabia o que era isso. Sem conhecer muito bem as opções, ele se atrapalhou um pouco na hora de pedir. Todas as suas lembranças ali eram do McLanche Feliz, só que ele não tinha mais idade pra isso. Na frente de um caixa sem a menor paciência, ele se lembrou daquele comercial na televisão, com a música dos dois hambúrgueres, alface, queijo, molho especial, cebola, picles e um pão com gergelim.

— Me dá um Big Mac.

Gleyce conhecia melhor as opções, e em dois tempos resolveu seu pedido, o que não foi nenhuma surpresa. Naquela hora, ele meio que já esperava por isso. Não imaginava que ela fosse sacar da bolsa um cartão de crédito. Até pouco tempo atrás aquilo parecia tão distante; coisa de gente mais velha, com filho. Na hora se lembrou da conta que precisou abrir no banco pra começar a trabalhar no restaurante. Daqui a pouco ele é que ia poder tirar essa onda, comprar várias paradas, parcelar no cartão.

O hambúrguer era muito menor do que parecia na televisão. Washington se ligou que com três mordidas bem dadas não sobrava nada pra contar a história. Ele deu a primeira mordida e deixou o hambúrguer de lado, pra trabalhar nas batatas. Washington tava decidido a mandar o papo reto de uma vez. Na hora do filme, ou depois, quando tavam de rolé pelas lojas, ele tentou chegar no talento: jogou uns verdes, botou malícia no olhar, na conversa. Gleyce parecia não ter se ligado em nada disso.

— Agora fala a verdade pra mim, essa história de me confundir é mó caô, né não?

— Tô te falando, cara. Estudei na sexta série com esse moleque. Único Washington que eu conheci na vida. Geral chamava ele de Uóchitô, era engraçadão. Depois ele saiu da escola e nunca mais eu vi. Quando passei lá pelo teu perfil, achei que tu era ele.

— Já é também. Tu finge que me engana, eu finjo que acredito.

— Tu se acha mermo, né, garoto? Deve ser coisa do nome,

não tem jeito. Esse amigo também era assim, se achava o galã da escola, mas não pegava nem gripe.

— Para de história, novinha. Pode falar, vou te gastar não.

— Sério mermo. Falando agora, faz sentido. Vocês com nome de gringo é tudo metido a besta.

— E o teu nome passa batidão, né?

— Tá de bobeira tu, o nome da gringa, a princesa lá, é Grace Kelly, o meu é G-L-E-Y-C-E, com L e Y, fala você, tem coisa mais brasileira do que enfiar um Y no nome da pessoa?

Os dois gastaram uma onda puxando o fundamento de vários nomes engraçados, foram lá nas antigas, nos primeiros tempos de escola. Depois Washington contou a história do próprio nome. Seu pai trabalhava de projecionista ali mesmo no Fashion Mall, a mãe deles vivia no cinema antes e durante a primeira gravidez. Na época, Denzel Washington e Wesley Snipes eram seus atores favoritos.

— E agora que os filme é tudo digital, tudo em HD, essas paradas, teu pai trabalha com o quê?

— Sei lá. Faz mó tempão que eu não vejo ele. — Washington atacou mais um pedaço do hambúrguer, que já começava a esfriar. Depois de mandar pra dentro, continuou: — Eles terminou eu não tinha nem três ano, eu. Wesley tava de peito ainda, dona Marli sempre fala. Depois disso, acho que a gente se viu, sei lá, umas duas ou três vez, eu era menó. Agora ele tá lá pro Caju, Barreira do Vasco, aqueles lado ali, eu nem sei mais direito não.

Washington não entendeu por que começou a contar aquelas paradas. Ele quase nunca falava do pai. Aquela não foi a primeira e, com certeza, não seria a última vez que Gleyce ouvia histórias de pais ausentes. Mesmo assim, ela ouvia com uma atenção tão grande que fez Washington continuar.

— Uma época eu inventei de ir atrás dele. Tinha uns catorze anos, eu, por aí. Tonteei minha coroa mó tempão. Falava que ela não queria que eu tivesse um pai, uma porrada de merda. Adolescente é foda. Aí um dia ela conseguiu o endereço dele, fortaleceu a passagem e eu fui, sozinho mermo, lá no Tuiuti. Wesley nunca quis ir comigo. Eu brotei lá algumas vezes depois. Era sempre a mesma história: a gente ficava doidão junto com uns amigo cachaceiro dele. Os cara era brabo de verdade, bebia Ypióca que nem cerveja, só tu vendo. Aí o coroa ficava doidão, fodeu, entrava na onda de falar pra caralho. Que a gente fez muita falta na vida dele, que minha mãe era foda, não deixava ele ir ver a gente, essas paradas. Um dia ele entrou nessa, chorou e os caralho, eu achei mó graça. Falou que nunca mais ia perder o contato, que eu podia contar sempre com ele, essas paradas. Sem neurose mermo, depois disso eu meti o pé de lá e não voltei nunca mais.

Washington voltou pro hambúrguer, deu a terceira mordida e não sobrou mais nada. Na mesma hora que terminou o lanche, bateu maior vontade de fumar.

— E a tua mãe, ainda gosta de cinema?

— Na real, depois que o Wesley nasceu, acho que ela não foi nunca mais. Vê mais os filme na televisão mermo, quando tá de casa.

Na saída do shopping, Washington não sabia mais o que fazer pra ela se ligar que ele tava querendo. Várias vezes veio na ponta da língua a vontade de mandar: e aí, novinha, qual vai ser? Já é ou já era? Mas alguma coisa sempre travava no meio do caminho. Gleyce era diferente. Com ela, ia ter que deixar acontecer naturalmente.

— E aí, vamo fumar esse baseado?

Parecia até caô, mas logo naquele dia Washington tinha deixado a maconha em casa. Ainda pensou em levar, mas como era a primeira vez que saíam juntos, achou melhor descobrir primeiro se ela curtia ou não a erva. Também não queria ficar com flagrante de bobeira na pista, era só o que faltava, no primeiro rolé tomar uma dura.

— Maconha eu tenho só lá em casa. Acabou que esqueci de trazer.

— Eu tenho aqui, pô. Tá tranquilo. Ainda ia falar pra gente dá esse dois antes do filme, mas já tava muito em cima da hora.

Eles ganharam o caminho da praia. Não dava pra ver nenhuma nuvem no céu. No meio daquelas árvores enormes, com aquela luz de fim de tarde, Washington sentiu mais uma vez que tinha alguma chance.

— Sabe o que mais gosto lá no Fashion Mall? O banheiro. Puta que pariu, aquele banheiro. Dá pra morar ali dentro — Gleyce espantou o silêncio do caminho.

— Quem deve gostar é os pancadão aqui de São Conrado, né? Com aquele mármore todo. Pra quem curte dá um teco, aquilo ali é o céu.

— E você curte? — ela perguntou meio de qualquer jeito, sem parecer muito preocupada com a resposta.

— Cocaína? Não, não, nunca cheirei. Neguim não entende que esse bagulho é droga de rico.

— Pode crer.

— Já fumei um mescladinho umas vez, tá ligada? A onda até que é boa, não vou mentir. Mas o amigo falou que fode com o esmalte do dente, aí eu parei. Tá maluco. Um bagulho que eu odeio é dentista.

Na praia, os dois sentaram na areia. Já era mais noite do que dia e dava pra ver algumas estrelas no céu. Washington levou um susto com o tamanho da Pedra da Gávea. Alguma coisa naquela hora fez com que ele sentisse que era a primeira vez que olhava pra aquela montanha, isso deu a maior onda. Gleyce enfim pegou o baseado na carteira. Ele tava todo amassado, e antes de caçar o isqueiro, ela tentou ajeitar. Washington costumava zoar os amigos que apresentavam os baseados daquele jeito, mas achou melhor ficar no sapato. No fim das contas, era ela que tava salvando.

— Ficou meio pato murcho, mas acho que dá pra fumar.

— Foi tu mermo que apertou? — Washington fingiu que só reparou no baseado depois dela falar.

Com alguma dificuldade, o beque começou a carburar. Ela deu uns puxões com vontade, sempre na atividade se queimava direito, depois passou a bola.

— Apertei mais cedo. Acho que na carteira ele piorou, mas já não tava muito bom. Eu fumo há um tempo já, mas ainda não sei apertar direito. Tô acostumada que apertem pra mim.

Washington ficou pensando com quem ela aprendeu a fumar maconha. Um namorado, se pá? E ele gostava de apertar os baseados. E deixava baseado pra ela fumar com as amigas na praia de vez em quando. Agora Gleyce precisava se virar pra fumar um. Será que ela mesma ia na boca? Várias minas batem neurose.

— Solta o preso, delegado — ela falou quando viu que Washington já marolava demais.

— Caralho, tu falou de delegado, eu lembrei de um bagulho muito engraçado.

— Então aproveita e rola que isso aí não é microfone não.

Washington deu ainda mais dois puxões antes de passar a bola.

— Faz um ano esse bagulho quase. Eu perdi minha identidade, tá ligada? Fiquei mó tempão enrolando pra ir atrás de outra. Dona Marli desesperada, que ela bate mó neurose da gente por aí sem documento. Mas aí tranquilo, não sei quem me passou a visão que, se fazer o BO lá na delegacia, não precisa pagar o DUDA. É claro que eu bati neurose, porque não tenho nunca muita vontade de falar com polícia, mas trinta conto é trinta conto, né, fui na delegacia ali da Gávea. O maluco lá, delegado, no começo ele tava escaldadão comigo, tinha que ver. Eu tive que falar umas três vez como é que foi o roubo; ele tava querendo me jogar na contradição. Mas terror nenhum, eu já tinha imaginado várias vez como foi que aconteceu esse bagulho, antes de ir lá fiquei pensando direto. Juro pra tu que tinha hora que eu tava contando e sei lá, parecia até que eu tava lembrando de um bagulho que aconteceu de verdade. Sinistro. Eu acho que o delegado ficou mais desconfiado porque eu falei que o ladrão era louro. Tem certeza?, ele mandou pra mim. De olho azul, falei pra ele. Aí, eu não sei por quê, ele me perguntou se eu fumava maconha. Cara, eu não sei o que me deu naquela hora, mas eu falei pra ele que fumava mermo. Porra, o cana achou esse bagulho muito engraçado. Ele mandava pro parceiro dele: Aí, Miranda, o maluco falou pro polícia que fuma maconha. Vê legal, Miranda. É cada um que me aparece… Aí ele perguntou se eu tinha levado maconha ali e eu, lógico, falei que não. Ele mandou pra mim: Como é que tu fala isso numa delegacia, cara? Tu é maluco, retardado por acaso? Juro que ele não conseguia mais parar de rir, nem escrever escrevia mais nada no computador. Eu falei assim: O senhor me perguntou, vou fazer o quê? Pensano agora, acho até que naquela hora lá eu falei que fumava só pra ele acreditar que eu tinha sido mermo roubado, se ligou? Porque aí ele via logo que tava falando com um maluco que só trabalha com o papo reto. Aí ele veio: Quando for assim, tu tem que mentir pro polícia, cara. Fala pra ele, Miranda, como é que é. Polícia adora uma mentira bem contada, e que não sei o quê. Só quando ele conseguiu parar de rir é que voltou a escrever as paradas no BO. Aí quis saber onde eu morava. Quando eu falei que na Rocinha, ele já ficou cheio das graça de novo. Mandou assim: Então quer dizer que tu é amigo do Nem? E eu: Amigo de quem? Do Nem, porra, Antônio Bonfim Lopes, é teu amigo ou não é? Nunca ouvi falar, eu mandei sérim. Ele ficou bolado: Como é que tu mora na Rocinha e nunca ouviu falar do Nem, se o cara é o dono da porra toda? O senhor falou que era pra mentir pro polícia… Eu juro que meti essa. Só tu vendo, ele deu mó porradão na mesa e ficou rindo pra caralho. Geral na delegacia olhou pra gente. Até o Miranda ficou rindo lá também. Esses polícia é mó piada.

Um cara apareceu com um cachorro interrompendo o papo. Chegou pros dois: Ô casal, pode fortalecer o isqueiro? Eles ficaram meio sem graça, sem saber o que responder, enquanto ele ficou um tempão na tentativa de carburar uma ponta. Depois devolveu o isqueiro, foi embora e deixou o constrangimento por ali.

— O que você acha que vai acontecer?

— Vai acontecer do quê? — Washington fingiu que não sabia do que ela falava. Por um momento, quis ignorar aquele papo que dominava toda a Rocinha.

— Quando chegar a UPP.

— Sei lá. Acho que vai ser foda.

Eles ainda ficaram mais um tempo na areia, curtindo a onda. Gleyce contou também algumas de suas histórias. De como começou a fumar com uma tia que é só cinco anos mais velha que ela. Contou do trabalho de caixa num mercadinho ali chegando na Curva do S. Da prova do Enem que vai fazer no próximo mês, mas sem a esperança de passar porque não estudou, só quer saber como é que é. No próximo ano, pretende começar um cursinho pré-vestibular. Todos aqueles planos e a certeza com que Gleyce falava sobre a própria vida, fizeram Washington sentir inveja, também um pouco de pena, porque lembrou de um monte de merda que pode acontecer na vida de alguém.

Os dois voltaram juntos pro morro. Qualquer um que visse a animação e intimidade com que conversavam no caminho, podia pensar que já fazia muito tempo que se conheciam.

Washington quis subir com ela até a Paula Brito, mas Gleyce deu uma desculpa que ainda ia passar no mercadinho, uma parada assim, e eles se despediram em frente à ladeira da Cachopa. Washington tava bem confuso sobre as últimas horas que passaram juntos.

— Vamo marcar outra parada. Foi maneiro hoje. — Depois de um abraço apertado, Gleyce mandou essa pra ele.

Rio, 15 de setembro de 2011

Douglas desceu do ônibus na fissura. Depois de passar o dia todo na rua, ele só queria chegar em casa. A pressa era tanta que nem passou na boca. Só quando já subia as escadas do prédio é que se lembrou que não tinha nada pra fumar. Por sorte, foi só botar a cara na porta pra sentir a marola.

— Qual foi, maluco, botou câmera? — Murilo se diverte com isso toda vez que alguém chega bem na hora do baseado.

Douglas não deu a menor atenção e começou a tirar suas paradas da mochila. Tintas, agulhas, luvas, biqueiras, um rolo enorme de plástico filme, além de potinhos e outras peças pequenas. Douglas tava ciente que ia ficar duro pelo resto do mês, mas nunca ficou tão feliz por isso.

— Aí, menó, será que o açougue tá aberto, aquele lá do Boiadeiro?

Ele terminava de colocar as paradas todas na mesa, numa organização que fazia lembrar até outra pessoa. A bagunça da casa em volta fazia um engraçado contraste com o jeito que Douglas ajeitava seus materiais.

— Se não me engano, lá fecha dez hora, mano.

— É isso. Vou dar um pulo logo lá. Quero ver se acho a pele de porco.

Murilo fez uma cara de quem não entendeu nada.

— Eu vi que a boa é treinar com pele de porco, que pra tatuagem parece muito com pele de gente. — Douglas tinha um brilho novo nos olhos, uma energia diferente no corpo. — Na loja que eu comprei essas paradas até tinha uma pele sintética, mas a de porco que é o bicho.

— Qual é, maluco, antes de partir dá um dois no baseado.

Douglas sentou no sofá, mandou a fumaça pra dentro e só então conseguiu relaxar. Contou do rolé que deu no centro pra comprar os materiais; do estúdio na Buenos Aires que vendia as paradas num preço maneiro. O dono do lugar era um dinossauro, já fazia mais de vinte anos que tatuava e passou várias visões. Foi a primeira vez que ele teve uma aula de verdade, sem contar essas de revista e vídeos na internet.

— O maluco era responsa. Ainda falou que eu podia ir lá qualquer dia, assistir uma sessão dele, acompanhar como funciona os bagulho. Caralho, neguim, se esse amigo arruma um trabalho pra mim, eu vou na hora, sem neurose. Quero nem saber.

Murilo foi pra longe. Deixou o baseado apagar e não fez nada pra resolver a situação. Enquanto Douglas falava sem parar, ele nem olhava mais de volta pra balançar a cabeça. Olhava o teto, e parecia muito interessado numa mosca que viu presa numa teia de aranha.

— Qual foi, neguim, tá doidão?

— Te falar legal, mano, tô querendo sair lá do quartel, se ligou? Aquilo lá dá futuro pra ninguém não, papo reto.

Murilo nunca comentou sobre a neurose que tinha de ser mandado pra operação em favela. Queria conversar em casa sobre essa parada, mas toda vez que se preparava pra entrar no assunto, tinha a sensação de que falar com os outros era fazer aquela merda parecer de verdade, e com isso dar mais passo pro bagulho acontecer.

— Tu aí falando das tuas parada... Que quer fazer, que aprendeu e os caralho. Eu fiquei pensando: tranquilo, quero sair lá do trabalho, mas pra fazer o quê? Eu não sei, irmão, papo reto. É isso que me dá uma agonia fodida, um bagulho estranho mermo. Eu não sei o que fazer quando sair de lá, maluco. Tá ligado? É foda... Minha irmã esses dias aí fez prova no Enem, vestibular na Uerj... Tá esperando o resultado agora. Tu daqui a pouco tá levantando um dinheiro com esses bagulho de tatuagem... Eu fico feliz por vocês, menó, papo reto. Pensa que eu tô de olho grande no progresso de ninguém não, mano, tem nada ver esse bagulho. Tá maluco. Às vez só bate uma neurose mermo é só de ficar pra trás, tá ligado? Passar aí dez, vinte ano, e eu aqui, sei lá, fazendo porra nenhuma da minha vida.

Douglas não sabia o que responder.

— Mas vai lá, vai lá, mano. Antes que feche o bagulho. Falei mais porque tava pensando nisso mermo. Queria cortar tua onda não.

Douglas procurava o que dizer, qualquer parada que pudesse animar o amigo, mas não achava nada. Tava difícil de pensar em outra coisa, na real. Passou a semana inteira sonhando com aquele momento. Mal dormiu a última noite, agitadão. E agora, tava tudo ali, era de verdade e tava acontecendo bem na sua frente.

— Vou lá, irmão, antes que feche mermo.

— Valeu, mano, acho que vou deitar ali. Deu mó dor de cabeça esse baseado.

Douglas olhou mais uma vez as paradas na mesa; não conseguia parar de imaginar aquilo tudo funcionando. O barulho da máquina ligada, a bancada com as tintas organizadas nos potes, o momento em que a agulha rompe a pele e deixa sua marca.

— Fala tu, Murilo. Depois que eu já tiver me garantindo na pele de porco, tu vai querer fazer o quê?

— Fica suave, maluco. Tô nessa onda agora não.

— A gente faz um bagulho simples, pô.

— Tô de boa mermo, mano. Melhor forma é deixar pra quando tu tiver neurótico, aí mete logo um porradão de uma vez.

— Qual foi, neguim. Se tu não vai confiar em mim pra começar, quem é que vai?

O Coroa bateu na porta. Depois de tanto que a cena se repetia, eles até já conheciam a batida. Tentaram dar uma de joão sem braço e fingir que não tinha ninguém, mas com as luzes acesas e o barulho que faziam, não deu muito certo. O Coroa ficou ainda mais puto porque a marola da casa foi direto na cara dele quando eles abriram a porta.

Murilo resolveu dar o papo reto de uma vez. Já tinham visto umas casas pelo morro, a maioria muito ruim e as únicas que prestavam tavam na imobiliária, muita burocracia envolvida. Papo de depósito, fiador e os caralho. Falou que iam continuar procurando, só que com essa história de UPP ficou mais difícil ainda. Era como se tudo no morro tivesse suspenso, esperando o bagulho acontecer. Depois vai ser tranquilo e rapidinho metem o pé, garantiu.

O Coroa repetiu a mesma ladainha, até aquele papo de reclamar na boca. Só que isso não assustava mais ninguém: com o dia marcado pra operação, os traficantes não iam ficar resolvendo caozinho de inquilino. Na hora da crise é cada um com seus problemas.

Mesmo sem cair mais no terror do Coroa, eles já tavam conformados que não tinha mais jeito, precisavam mudar. Não adiantava ficar por ali vivendo em guerra com o Coroa. Só queriam mesmo esperar a UPP chegar primeiro. Nas casas ali embaixo é mais difícil da polícia sair entrando, e mesmo quando entram, eles não esculacham tanto quanto nas casas pra dentro dos becos.

— Fica tranquilo, seu Coroa. A gente tá correndo atrás — Murilo falou, antes de fechar a porta.

A sorte foi Biel chegar só depois do Coroa partir. Senão ele ia ficar mais duas horas no mesmo papo. O amigo chegou feliz da vida, pegou duzentas gramas de Colômbia Gold baratinho e ia fazer um dinheiro. Pra comemorar, separou vinte gramas pra consumo próprio. Em menos de dois minutos, apertou um baseado mais grosso que seus próprios dedos. Tacou fogo.

— Qual é, bróder, agora que vamo ter que sair mermo daqui, a gente podia ver um bagulho em outro lugar. Parque da Cidade, Vidigal, Chacrinha, é mó lazer pra lá também. Os polícia aqui vai tontear.

— Qual foi, maluco. Tu acha que se eles tomar aqui, não vai tomar tudo em volta também? Duvido. — Murilo era sempre o mais pessimista quando esse assunto brotava na roda.

— Irmão, faz o que vocês quiser, eu não vou sair do morro por causa desses cu azul. É isso mermo que eles quer. — Douglas parecia ofendido com a ideia de sair da Rocinha.

— Sem neurose, geral tá ligado que esse bagulho aí é só fachada pra Copa do Mundo, Olimpíadas, depois volta tudo pro lugar. — Murilo adorava repetir essa ideia, uma das mais populares em todo o morro.

— Porra, daqui pra Olimpíadas eu quero tá é rico, morando em Ipanema, caralho. — Eles achavam graça desse papo, mas Biel já tinha decidido até qual era o prédio.

— Fala pra caralho aí vocês, neguim, mas o Mestre não falou que vai entregar o bagulho assim de mão beijada não.

— Qual é, DG, tu tá emocionado que nem esse menó aí que acha que vai ter guerra, que os maluco vão botar o lança-míssil pra cantar em cima deles, que vai bancar uma semana de trocação. Se liga, doidão, tu acha que os cara vai fazer o quê? PM, Choque, Bope, tudo aqui dentro, e se for pouco os cara ainda manda chamar o Exército, pô. Tá brincando?

O resto do baseado rodou em silêncio até a ponta. Naqueles dias, a chegada da UPP era o grande assunto de toda a Rocinha. Em qualquer padaria, igreja, boteco, lanchonete ou barraca de camelô, era possível entrar na discussão. Cada morador apoiava uma teoria ou criava a sua própria, desde as mais trágicas até as mais otimistas, mas a real é que ninguém tinha certeza de nada.

Pra falar de outra coisa, Douglas começou a mostrar pra Biel os seus equipamentos. A sombra da UPP foi capaz até de fazer com que esquecesse deles por um tempo. Ele mostrava um a um pro amigo, como se prestasse contas a um patrocinador. No meio da explicação, lembrou que precisava ir no açougue. Queria mais que tudo ligar a máquina ainda naquela noite. Olhou pro relógio, marcava nove e quarenta e cinco.

— Qual é, Biel. Bora ali comigo no açougue rapidão?

— Vai divulgar a janta, mano?

— Vou comprar um bagulho lá, neguim. Quero ligar logo essa porra, e o coroa hoje lá me passou a visão que é bom treinar na pele do porco.

— Que mané pele de porco, bróder, bagulho fede pra caralho dentro de casa. Se tu quer usar a máquina, a gente faz essa porra hoje mermo.

Douglas achou que era brincadeira, mas Biel falou sério quando pediu pra ver os desenhos. Na pasta folheou os maoris, andorinhas, borboletas, âncoras e outros desenhos-padrão de tatuagem. Biel gostou de uma andorinha vermelha que segurava uma fita escrito "paz".

— Vamo mandar essa aqui, então?

Douglas gostava de fazer aqueles passarinhos. Começou copiando na internet, mas já conseguia criar seus próprios desenhos no estilo Old School. O escolhido por Biel mesmo era criação sua. Só que na prática a teoria é outra.

— Pô, neguim, vou te falar legal. Acho melhor a gente começar com um bagulho mais tranquilo.

— Qual é, bróder. É de boa esse aqui, olha esse traço, cara, nem é muito fino.

— Por que a gente não manda um nome? Eu vejo aqui na internet rapidinho a fonte. Acho que é melhor. Depois eu divulgo essa andorinha ni tu.

Apesar de nunca falar nada sobre ela, Biel decidiu homenagear sua coroa. Escolheu uma fonte pra escrever "mãe" no ombro esquerdo. Douglas sugeriu meter uma pequena coroa de rainha por cima. Murilo olhava pros dois e tinha mais certeza do que nunca de que Biel era maluco, tarja preta mesmo.

— Quando tu tiver neurótico, eu vou querer aquela. Nem sei por quê, mas acho que vai ficar maneira em mim.

Douglas copiou a fonte na internet, depois passou a limpo pra outro papel, incluiu a coroa por cima, e só então cobriu o desenho com o papel-carbono. Feito isso, isolou com plástico filme a bancada improvisada, onde espalhou seus materiais, e passou álcool no ombro de Biel antes de colar o desenho em seu corpo. Tentava fazer tudo do jeito que aprendeu nos vídeos, só não tava ligado que seu corpo todo ia tremer junto com a máquina de tatuagem.

Naquele momento antes do primeiro risco foi que Douglas finalmente entendeu o tamanho da responsa; cada trabalho era um caminho sem volta. Ele respirou fundo, esticou o máximo que pôde a pele do amigo, então passou a agulha e viu a carne se rasgar.

Rio, 27 de setembro de 2011

Se for puxar o fundamento, eles nem se lembravam mais da última vez que dona Marli divulgou uma janta. Ela chegava sempre cansada do trabalho e achava muito abuso ainda ter que cozinhar pra dois marmanjos daqueles. Os irmãos, na real, desde cedo aprenderam a se virar na cozinha. No início, eles só esquentavam a comida que a mãe preparava e congelava todo domingo. Com o tempo, foram pegando intimidade com o fogão e as panelas, até começarem a arriscar suas próprias receitas. Estrogonofe, macarrão com salsicha, arroz e feijão com ovo estalado, eram as especialidades da casa.

Desde o começo do mês, dona Marli decidiu mudar essa rotina. Voltou a jantar em casa e faz questão de preparar a comida da melhor forma; às vezes até repete o cardápio que fez na casa dos patrões.

Washington vai bem no serviço: não se atrasou nem um dia, conquistou rápido a simpatia dos colegas e superiores, se esforça pra cumprir a função. A carteira assinada parece agora só uma questão de tempo. Já Wesley, depois que entrou pra equipe de animação, passou a ajudar cada vez mais dentro de casa, ainda conseguiu salvar uma grana pra entrar na autoescola.

Enquanto faz o seu prato na mesa da cozinha, Washington percebe o sorriso de satisfação de sua mãe. Aquela mulher que se virou pra criar sozinha os dois filhos, que muitas vezes precisou trabalhar dez, onze, doze horas por dia, pra não sobrar muito mais do que o dinheiro pra comida e pro aluguel. E que, no meio de toda essa correria, ainda encontrava tempo pra botar aquele terror de que, se virasse bandido, não ia visitar ninguém na cadeia, muito menos chorar em velório. Pra dizer todo santo dia, desde antes mesmo deles conseguirem ejacular com suas punhetas, que não ia criar filho de ninguém. Mas ela conseguiu. Washington termina de colocar a comida no prato e tem vontade de agradecer a dona Marli por tudo que ela fez, por todo o sufoco, todo o esporro, todo o carinho, mas logo enche a boca de comida e não fala nada.

— Cês lembra daquela vez que eu dei uma coça nos dois pelados?

Como se fosse possível esquecer: dona Marli nunca perdia uma oportunidade de contar aquela história, do dia em que mandou os filhos tirarem as roupas e se abraçarem enquanto ela descia a mão com um cinto fivelado.

— Pior que Washington ainda quis dar uma de malandro. Tu lembra, Wesley, ele ficava te virando na hora que ia ganhar o dele? Ah, mas quando eu percebi também, mirava só nele pra deixar de ser otário.

— A gente tava apanhando por que mermo, a senhora lembra? — Podia ouvir aquela história um milhão de vezes, Washington nunca se lembrava do motivo.

— Foi que vocês quebrou a janela da Neném lá com marimba, uma coisa assim. Eu acho.

— Não, mãe. Acho que foi aquela história lá do bob teco, que a gente tava brincando com os menó com a camisa amarrada na cara, né não? A senhora ficou boladona. — Ele se esforçava pra lembrar.

— Essa vez aí foi outra, mano. Nesse dia aí que a gente ficou pelado foi porque caímo na porrada ali na sala. Bagulho de televisão, eu acho. Cada um queria ver uma parada diferente, aí no meio do porradeiro quebrou um porta-retrato, quase caiu a televisão, foi mó caozada. — Wesley nunca esquecia o motivo de nada.

— Foi isso mesmo. Por isso que eu tava lembrando disso agora; eu mandei se abraçar pra mostrar que irmão tem que ficar unido. Brinca junto, faz merda junto, apanha junto.

— Papo reto. — Washington sentia aquele alívio de quem lembrou de uma coisa que tava na ponta da língua.

— Eu só sei que deu certo. Depois disso acabou a briga aqui em casa.

Depois de terminar com a comida em tempo recorde, Washington fez mais um prato. Tava com saudade daquela panqueca de carne. Só que, mais do que a comida, existia naquele jantar um prazer diferente. Novo e velho ao mesmo tempo. Quando eram mais novos, no auge da adolescência, eles ficavam bolados nas poucas vezes que a mãe inventava de arrumar a mesa pra comerem todos juntos. Com o tempo isso ficou cada vez mais raro, e só agora Washington consegue entender o quanto sentia falta daqueles momentos em casa, dividindo a comida, as histórias.

— Na moral, dona Marli. Vendo legal aqui, acho que foi o bagulho do rack que fez a gente fechar juntinho.

— Papo reto, eu até hoje não sei como a senhora demorou tanto tempo pra se ligar naquilo. — Wesley se preparava pra também repetir o prato.

Essa história começou com uma briga dos irmãos, sozinhos em casa. O motivo era a camisa do Flamengo que Wesley pegou sem avisar e deu mole de rasgar na rua. Na hora da perseguição,

Washington jogou uma escova de cabelo no irmão, que no susto desviou. A escova voou direto no vidro do rack recém-comprado pela mãe nas Casas Bahia. Na mesma hora, os dois esqueceram da briga e se abraçaram, só pensando o que fazer pra garantir a sobrevivência. Por mais de duas semanas, eles agiram como se nada tivesse acontecido, e até mesmo fingiam abrir a porta quando iam pegar alguma coisa naquela parte do rack.

— Foi naquele dia mermo que começou nossa amizade de hoje. Sei lá, na hora bateu mó desespero. Acho que a gente entendeu que precisava fechar um com o outro, senão ia dar ruim. — Washington sorri pra mãe, sabe o quanto ela gosta de ouvir essas palavras.

— Pior que dessa vez eu nem bati em vocês.

— Tá ligado. Eu achando que a senhora ia matar a gente. Sonhava e os caralho. — Wesley se divertia com a lembrança.

— A gente fala assim, mas vocês sabe que eu nunca fui de bater em filho meu. Até porque, com o tanto de merda que vocês já fizeram, em outra família tavam lascados. Também nunca gostei de bater depois que já aconteceu o negócio. Se passar aquela raiva que sobe na hora, prefiro não fazer nada.

Terminaram de jantar. Washington levou os pratos na pia, mas dona Marli fez questão de lavar a louça. Os dois irmãos foram até o corredor do prédio pra fumar um cigarro.

— Dona Marli é muito engraçada, cara. Outro dia mermo, me tonteou por causa de louça na pia, agora fica nessa — Washington comentou com o irmão, enquanto rompia o lacre do maço de Hollywood. Desde que entrou no restaurante, cigarro a varejo virou coisa do passado.

— Ela sempre foi assim, menó. Tu tá ligado, bagulho de trabalho é de verdade pra ela, fica felizona.

— É o papo. Eu gosto de ver ela assim, sem neurose. Queria até falar contigo aquela visão, agora que tá fluindo um trabalho maneiro pra mim, tu daqui a pouco fica habilitado, pode pegar uma batalha também mais certa, dinheiro fixo, sei lá, acho que se juntar nós três, dá pra desenrolar aquela meta lá no banco. — Depois que o banco recusou o pedido da mãe, Washington botou na cabeça que precisa ajudar sua coroa a conseguir comprar uma casa.

— Esquece isso, menó. A gente pode pedir lá mil vezes, os cara vai nunca aceitar mermo.

Se antes de anunciarem a chegada da UPP na Rocinha Wesley já achava difícil conseguir comprar uma casa, agora que os preços já começaram a subir, parece quase impossível. Apesar de também querer ajudar a mãe a alcançar esse objetivo, prefere não alimentar ilusão nenhuma.

— Qual é, cara. Escuta o papo antes de falar que não vai dar certo. Eu e tu, num trabalho fixo, ganhando aí seiscentos, setecentos no mês, limpo, se a coroa pega um trabalho também de carteira assinada, como é que eles não vai dar? Dá pra pagar até mil no mês tranquilo. Se eu conseguir logo virar garçom então, agarrar umas comissão, fala…

Fazia alguns dias, Washington esperava pelo momento de dar o papo no irmão. A ideia parecia perfeita, mas só podia funcionar se os três abraçassem da mesma forma.

— Dona Marli não sai mais lá da casa daquela mulher não, papo reto.

— Já vou falar com a mãe também. Aí não tem jeito, ela tem que meter uma pressão ali. Falar que, se não tiver tudo direitinho, no papel, dessa vez ela vai meter o pé.

— Qual é, Washington. Já faz três ano que eles tão cozinhando ela, sempre o mermo papo. Aí paga umas férias, de vez em nunca, dá meia dúzia de roupa, já ganha mais um pouco da paciência da coroa. É foda.

Wesley queria dar uma força pro irmão, tava ligado que a

intenção era boa e tinha vontade de somar. Mas ele não conseguia acreditar em nada daquilo, e quando olhava pra frente, tudo se revelava muito mais confuso e nebuloso do que Washington calculava.

— Mano, a gente só precisa é ter foco no bagulho, se ligou?

Depois do cigarro, eles voltaram em casa pra buscar o baseado. Tava na hora de queimar o verdadeiro digestivo. Com a cozinha já toda arrumada, dona Marli esperava pelos filhos.

— Antes de vocês sair pra rua, eu queria falar uma coisa com os dois. — Cada um dos irmãos se acomodou num canto da cozinha. — Tá todo mundo falando por aí desse negócio de UPP. Que lá no Alemão eles esculachou um monte de morador, aquela coisa toda. Eu fiquei pensando. Vocês eu já desisti, sei que não têm jeito mesmo. Gostam de fumar essa bosta de cavalo que eu nunca vi. E eu... bom, eu sou mãe de vocês. Eu fico preocupada. De alguém pegar vocês aí fumando em beco. Levar tapa na cara de polícia. Sei lá. A gente ouve cada coisa. Eu acho que daqui pra frente, se eles vim aqui mesmo pra Rocinha, eu queria que vocês fumassem só dentro de casa.

Os dois ficaram de bobeira com a notícia. Dona Marli vivia reclamando do cheiro. Quando chegava em casa e sentia a marola, ficava bolada, mandava eles irem fumar na puta que pariu. Na real, ela sempre teve a postura de que, se você tem um vício, precisa bancar todas as consequências. Pra chegar nesse ponto, é porque tava assustada de verdade.

— Mas aí, mãe. Esse bagulho é só depois dos polícia chegar ou já pode começar hoje mermo? — Wesley quis tirar uma onda.

Ela respondeu que sim com a cabeça e com os braços. Foi o suficiente pra Washington correr pra buscar a erva. Os irmãos sentaram no sofá da sala. Na porta entre a sala e a cozinha, dona Marli acompanhava o ritual de apertar.

— Pode acender? — Com o baseado pronto na mão, Washington ainda não conseguia acreditar.

— Eu já não falei?

Washington tacou fogo e a marola do bengalinha tomou conta da casa toda. Dona Marli pegou o controle, sentou numa cadeira perto do sofá e começou a zapear os canais na televisão, tentando fingir a maior naturalidade.

— Olha, eu vou falar pra vocês. Essa aí nem é tão fedida que nem umas outras que eu já senti pela rua não, sabia?

Rio, 7 de outubro de 2011

Washington saiu do banheiro ainda com o gosto de vômito na boca. Meio que trocando as pernas, se ligou que o bar começava a esvaziar. Quando voltou pra mesa da rapaziada, eles tinham acabado de abrir mais uma garrafa de Contini. Só de olhar pra bebida já deu ruim, Washington ficou todo arrepiado e teve que segurar pra não botar tudo pra fora de novo.

Era a primeira vez que ele saía de rolé com os colegas do trabalho. Com o salário na conta, ele ficou emocionado. Misturou caipirinha com tequila, bebeu cerveja, uísque com Red Bull, até que foi parar com a cara enfiada no vaso sanitário. Tudo que não queria era ver mais um destilado quando voltasse pra mesa. O pior é que nem o Adriano, nem o Rubinho, muito menos o Chico, pareciam sentir o efeito do álcool. Pra não explanar que passou mal, Washington precisou aceitar o copo que ofereciam. Brindou com os amigos, fingiu dar um gole e foi lá pra fora fumar um cigarro. Tomou um susto com o movimento na travessa Roma. Aquele monte de gente, conversando, andando, passando de moto.

Foi nessa que achou um baseado todo torto, perdido pelo maço de cigarros. Pensou em tacar fogo ali mesmo, mas bateu neurose. Da última vez que bebeu daquele jeito e inventou de fumar erva, não foi muito maneiro. Deu teto preto no meio do baile do Emoções, com todo mundo olhando. Os amigos tavam tudo na onda também, mas ainda tiveram que levar ele na UPA pra tomar injeção de glicose. Maior parada. A maconha, na real, é melhor pro dia seguinte. Não tem essa de Engov, Sonrisal, pode botar qualquer um. Melhor remédio pra ressaca é fumar um baseado. Todo mundo sabe.

— Aí, tu se ligou naquele cara ali no fim do beco, ali? — Rubinho brotou do nada, apontava pro lado do Boiadeiro.

— Qual foi, irmão. Tá na onda?

— Aquele maluco ali, doido. Ó, se entocou de novo. Fica ligado tu. Fica ligado que ele vai botar a cara.

— Tá de marola, Rubim? Tem ninguém ali não.

— Hã, tá nessa... Tu acha o quê, que os maluco vai entrar sem conhecer o morro? Duvido, neguim. — Rubinho começou a falar mais baixo, como alguém que conta um segredo: — Deve ter infiltrado aí, tá de bobeira? Em várias casa aí no morro, só passano a visão pra eles, tu acha que não? Acorda pra vida, neguim. Os polícia já tá batendo na porta, tu não viu no jornal? É papo de um mês pra eles chegar.

Não era difícil acreditar que a polícia mandou vários P2 se infiltrar na Rocinha, pra fazer o mapa das bocas, catalogar os X9s, descobrir algumas entradas e saídas pelos becos da favela. De qualquer forma, mesmo muito doido, Washington tem certeza de que não tem ninguém entocado ali no fim do beco. Até porque os infiltrados, por uma questão de sobrevivência, tinham sempre que passar batido, sem chamar muita atenção. Pra isso, um bom começo era não ficar entocado na saída de um beco às três da manhã.

— Meu nariz tá branco? — Rubinho levantou a cabeça do nada, exibindo as narinas. — Se o maluco brotar de bicho, eu quero passar batido.

— Tá suave. — Até que enfim pegou a visão: é claro que eles tavam cheirando pó. Ninguém podia beber daquele jeito e ficar tranquilão.

— Bora fumar um? — Washington pegou o baseado no maço, começou a tentar dar um jeito pra não apresentar um pato murcho.

— Fumo isso não, doido. Me deixa muito lesado.

Rubinho acendeu um Gudang Garam. Deu uma tragada tão funda que parecia até que tava fumando Free, ou então Marlboro Light.

— Tô meio esquisito hoje, cara. Se pá foi algum bagulho que eu comi. Maconha sempre ajuda na digestão, papo reto.

— E na ingestão também, né? Ô miséria pra dá fome, doido.

Washington acendeu o baseado.

— Ê, doido, vai fumar esse bagulho pra lá. Se o cara brota aí, vai rodar todo mundo. — Rubinho jogou o cigarro fora ainda pela metade, voltou pra dentro do bar todo escaldado.

Washington tava ligado que não tinha ninguém entocado ali perto, mas pra deixar o amigo mais à vontade, saiu saindo na direção contrária do que seria o tal esconderijo. Foi parar na Via Ápia.

Era muito doido como aquela rua ficava ligada sempre no duzentos e vinte, qualquer hora do dia ou da noite. É lógico que, devido ao horário, tinha vários doidões na pista. Os bêbados de sempre, os pancados atrás da próxima linha, mas não era só isso. Muita gente chegava ou saía pro trabalho, outros faziam um lanche ou só trocavam uma ideia com os amigos. Uma família com duas crianças aguardava por seus cachorros-quentes. Três horas da manhã. Aquilo era a Rocinha, um morro que não parava nunca.

Não que isso fosse alguma novidade pra Washington, mas,

naquele momento, pensar naquilo fazia sentir o maior orgulho do lugar onde nasceu. A maior favela da América Latina. Uma cidade dentro da cidade. Tão grande que nenhum cria é capaz de conhecer todos os becos, nenhuma pesquisa consegue calcular quantos habitantes.

Pela metade do baseado, Washington sentiu passar o enjoo. Travou o beque e decidiu voltar pro bar. Quando chegasse, pedia um refrigerante pra arrematar de vez. Tava curtindo tanto o rolézim pelos acessos que preferiu dar a volta pelo Valão, ganhar a travessa pelo Boiadeiro. Era bom que podia garantir ao Rubinho que o maluco lá no fim do beco já tinha se adiantado.

Já na passarela, vendo os carros passarem na rodovia, Washington ficou de bobeira quando percebeu a barbearia aberta. Padaria vinte e quatro horas, mercadinho, lanchonete, boca de fumo, tudo bem, mas uma barbearia? Por que alguém corta o cabelo àquela hora? Washington ficou viajando nisso, parado em frente à porta de vidro do estabelecimento, enquanto o barbeiro, o cliente na cadeira e mais os dois que aguardavam na fila olhavam de volta, tão confusos quanto ele.

Nessa hora bateu uma tontura que fez Washington sentar nas escadas da loja ao lado, com medo de passar mal. A movimentação era cada vez mais intensa. Músicas de vários estilos diferentes se misturavam por ali. Dos bares vinha forró, pagode, funk, rock brasileiro. O caos daquela hora não parecia perturbar Washington, muito pelo contrário. Aos poucos, foi se acalmando. No fim das contas, tava em casa. Baixou a cabeça e vomitou mais uma vez.

De volta ao bar, apenas Adriano e Rubinho conversavam.

— Tô te falando, minha mulher é braba. Braba, braba mermo. Pra tu ter uma ideia, a gente tem um cachorro, né. Filhote, sabe como é, só faz merda, late o tempo todo, aquela história. Aí o cachorro latia direto, direto mermo. De dia, de noite, queria nem saber. Um belo dia a vizinha bateu lá pra reclamar: Ah, que não sei o quê, mas esse cachorro não para de latir e coisa e tal. Eu tava dando café pra minha filha, só ouvi a mulher mandar assim pra ela: Ah, o cachorro tá latindo muito, é? Engraçado. Tu sabe por que o meu cachorro late, por um acaso? Aí a vizinha falou que não. A minha mulher: Porque ele não sabe te mandar tomar no cu. Porque se ele soubesse... ah, minha filha, eu tenho certeza que ele mandava! E bateu a porta na cara dela. Eu juro pra tu, Rubinho. Essa daí é minha mulher.

— Hã, e tu vai falar o que pra ela hoje, doido? Quando tu chegar com esse cheiro de cachaça do caralho.

— Ih, mermão, eu vou falar, sei lá o que eu vou falar. Se ficar pensando muito nisso, eu não tava nem aqui, pô.

— Aí, o Chico meteu o pé? — Washington estalou uma latinha de coca-cola.

— Não, não. Foi só buscar uma parada ali e já vem. — Adriano encheu mais um copo de cerveja pra brindar a volta do amigo.

Washington queria e não queria ir embora. Ficou bem melhor que botou tudo pra fora na rua. Sentia o cansaço do dia inteiro com a mesma força que sentia vontade de comemorar o primeiro salário. Esperou tanto, não queria sair derrotado naquela noite. Encheu um copo de cerveja e brindou com os dois.

Enquanto esperavam pela volta do amigo, Adriano não calava a boca. Contava histórias do trabalho, falava o quanto a filha era inteligente pra idade, da mãe que tava no Ceará e ele não via fazia mais de sete anos. Washington sentou numa cadeira, se escorou na parede e ficou viajando. Depois de trabalhar o mês inteiro, ele merecia estar ali. Curtir um lazer. Daqui a pouco começava a comprar suas paradas. Um tênis maneiro, que tava precisando. Uma camisa oficial do Flamengo. Precisava também, e isso era muito importante, pagar o dinheiro que pegou com sua mãe emprestado ao longo do mês, sabe que a coroa, de tão feliz com esse trabalho, era bem capaz de nem cobrar, mas Washington tá ligado que mais feliz ainda ela vai ficar quando ver ele honrar o compromisso.

Adriano só parou de falar quando Chico voltou com o pó. Os três discutiram um pouco sobre as condições do banheiro do bar. Todo fedido a mijo, sujo de vômito, sem tampa no vaso. Não dava pra continuar cheirando ali. O jeito era pegar qualquer beco daqueles, mesmo correndo o risco de algum conhecido passar e ver os três na vacilação. Antes de saírem do bar, pediram pra Washington ficar de olho nas coisas de geral.

— Tava na intenção de ir com vocês.

O dono do bar ficou na responsa pelas bolsas, enquanto eles foram atrás de um beco mais vazio. Quando chegaram no beco que todos concordaram ser o ideal, Chico se apressou em começar os trabalhos. Pegou a identidade com Rubinho, o cartão de crédito com Adriano e começou a separar o pó.

— Até que enfim veio mais servido. Aquilo tava uma sacanagem, doido, vou te contar. É muita falta de respeito com o viciado, papo dez. A gente corta um dobrado com família, polícia, a porra toda. O mínimo que eles pode fazer é botar uma droga boa pra gente. — Rubinho tava realmente indignado com a administração local.

— Se tá bolado, mete a boca no pau, Rubinho — Chico falou sem tirar os olhos do serviço, e segurando o riso pro pó não voar.

— Se parar pra ver legal, é muito mais jogo pra eles assim. Vale a pena misturar o bagulho todo, tacar vidro, cimento, a merda que for. Droga boa, droga ruim, eles sabe que a gente vai comprar do mesmo jeito. Tô te falando, se tiver ruim, neguim compra mais ainda, pra ver se bate alguma coisa — comentou Adriano.

— Faz o canudo aí alguém.

Washington pegou uma nota de dois reais e ofereceu pra Rubinho, mas ele disse que a nota de dois é pior pra fazer canudo porque roda na mão de muita gente, tá sempre velha, mole. Boa mesmo é a nota de cem. Mas uma de cinquenta já dá pra fazer tranquilo. Washington sacou um galo na carteira. Já no final da divisão, o Chico mandou pra ele:

— E aí, vai numa com a gente?

— Deixa uma rapinha aí pra mim. — Washington tentava disfarçar a tremedeira que começou a sentir desde o momento em que chegaram naquele beco.

Adriano pegou de volta o cartão de crédito, deu uma lambida e guardou na carteira. Quem puxou o bonde foi o Rubinho, que mandou tudo pra dentro, mas com muito cuidado pra não assoprar as outras carreiras. Depois foi a vez de Adriano, que demorou um tempo, escolhendo a mais servida. Chico foi na terceira. Chegou a vez de Washington. Ele respirou fundo, pegou o canudo na mão do amigo e meteu o nariz.

Rio, 12 de novembro de 2011

A praia de São Conrado tava o fervo, principalmente no Cantão. Parecia até que a Rocinha inteira resolveu descer no mesmo dia, igual geral sempre faz no 31 de dezembro, na intenção do último mergulho do ano.

Douglas saiu da água catando cavaco do caixote que levou. Depois de se recuperar, ele cumprimenta uns conhecidos que fumam uns baseados, jogam altinha, tomam sol na areia. Não dá pra ver uma nuvem no céu, e no meio daquele tudo azul Douglas começa a prestar atenção numa asa-delta. Ele viaja um tempo naquilo, tenta imaginar a sensação de ver tudo de cima. A praia, o morro, aquele monte de gente.

— Qual foi, doidão! — disse Biel enquanto apontava pro lugar que escolheram.

Eles tavam tudo atrapalhado com as cadeiras mais as latinhas de cerveja. Douglas chegou pra ajudar. Os três sentaram de frente pro mar antes de estalar o gelo.

— Qual foi, neguim. Tu já é branco, tem que passar protetor nessa porra.

Douglas tava bolado porque, depois de cicatrizar, a tatuagem no ombro de Biel ficou toda desbotada. E o pior é que nem dava pra saber de quem era a culpa: se era da inexperiência de Douglas que, com medo de passar do ponto, enfiou pouco as agulhas na pele, ou se o culpado era Biel, que comeu gordura pra caralho, chocolate, camarão. Tudo que qualquer tatuador manda evitar nos quinze primeiros dias de cicatrização.

— A gente vai dar outra mão, pô. Vai ficar maneiro, DG. Confia. — Biel sempre falava como quem tem certeza de quem foi a culpa, e lógico que não era dele.

— Aí, Biel, tá ligado aquela novinha ali, jogando alta? — Murilo apontou pra roda sem tentar ser discreto.

— Essa mina pega altas ondas, bróder. Várias vez já vi ela caindo no Arpex. — Biel começava a dixavar um baseado.

— Tá ligado. Tem cara de surfista mermo. Esse bronzeado dela é foda, parece até aquelas gringa lá do Off. As californiana.

— Papo reto, ela é mó gata. — Biel agora olhava pra novinha, concentrada em não deixar a bola cair.

— Tu sabe o nome dela?

— Essas mina só gosta de surfista também, cara. Uns maluco forte, geração saúde. Tu acha que ela vai querer um zé-droguinha que nem tu? — Com muito cuidado, Biel espalhava a maconha pela seda.

— Se tu fosse cria aqui do morro, tu não ia falar essas merda. Geral tá ligado que eu gastava a onda com a minha pranchinha, já fiz miséria nesse pico.

— Tu mete essa direto, mas nunca te vi pegar onda nem de peito! — Com habilidade, Biel terminou de apertar o baseado. Não precisou nem pilar.

— É o trabalho, neguim. Antes do quartel eu vivia na praia.

Biel tacou fogo no beque. A marola subiu na mesma hora.

Por um momento, ele ficou viajando na intenção de fazer argolas com a fumaça.

— Aí, DG, fala a verdade, tu imagina esse moleque em cima de uma prancha?

Douglas olhou pros amigos de um jeito estranho, com a cara de quem não entendia como foi parar ali. Depois olhou tudo em volta do mesmo jeito, deu um gole na cerveja, acendeu um cigarro.

— Tava marolando aqui eu, mané, papo reto. Olhano a Pedra da Gávea fiquei como: caralho, sem neurose, quanto tempo essa porra tá aí? Será que é papo do quê, uns trezentos, quinhentos mil anos? Porra, fala tu, bagulho doido. Fiquei viajando tipo: caralho, neguim, dinossauro andou ali, tá ligado? Tem noção, mano? Uns bicho enorme, maior que uma árvore, porra. Aí se liga que bagulho doido: dinossauro teve lá, os índio teve lá, e agora, mano, é só pegar uma trilha que a gente vai passar por lá também, pegou a visão? Tipo assim, mudou a porra toda, os cara inventou carro, fuzil, avião, mas aquela terra ali, menó, é a merma terra, tá ligado? Isso é muito doido. É que nem a Rocinha. A gente mora lá, né não? Tranquilo. Mas qual é, neguim, se tu parar pra ver legal, a gente não sabe o que já aconteceu lá. Antes, tá ligado? Qual que era a dos bicho, os rio que tinha, se tinha índio, qual que era a tribo. Porra, devia ter índio pra caralho, fala tu. Aí quer dizer, rolou vários bagulho, uns bagulho importante mermo, tipo umas guerra neurótica, e a gente nem tá ligado. E agora é isso, neguim. Tá acontecendo a merma coisa. Vê legal, daqui vários ano, quem vai saber dos perrengue nosso? Do lazer que a gente curtiu? Ninguém, mano. Só que isso não muda, foda-se. A gente tava aqui, se ligou? A gente sabe disso.

Por um tempo, os amigos ficaram por ali só com o barulho do mar, sem saber o que responder. Depois, Biel não resistiu:

— Falei pra tu, bróder. Esse ácido do amigo tá entornando a mente!

E caíram na gargalhada. Depois eles foram pra água e gastaram a maior onda pegando jacaré. A água tava daquele jeito, nem muito quente, nem muito gelada. Murilo ficou de olho na rapaziada pegando onda, reconheceu algumas figuras. A ideia de voltar a pegar onda aparecia como um jeito de se conectar de volta com aquele moleque de uns anos atrás, quando ainda acreditava que podia fazer qualquer parada.

Quando voltaram pra areia, foi sessão de baseado até umas horas. A tarde passou que ninguém viu, cada um com suas viagens. Douglas com os dinossauros, Biel com a areia que subia na sua perna formando desenhos, Murilo que numa hora ficou pedindo pros amigos explicarem qualquer coisa; que ele não tava entendendo mais nada.

— Aí, vamo guardar um baseado pra fumar de casa, ou vamo torrar o último daqui mermo? — Biel perguntou depois do pôr do sol.

— Bora fumar de casa, antes de dormir! — Douglas e Murilo responderam quase ao mesmo tempo.

Uma coisa era certa, iam ter que fumar aquele baseado de qualquer jeito. Até porque todo mundo sabia que não tinha a menor chance de guardar maconha em casa. Não naquela noite que ficou marcada pra invasão da UPP na Rocinha.

*

Dona Marli não ia dormir em casa. A família pra quem trabalha inventou um almoço importante, e como ninguém sabe o dia de amanhã, acharam melhor que ela passasse a noite no serviço. Washington também pensava que a melhor forma era ela ficar longe do morro, mesmo sabendo que sua presença podia aliviar a barra no caso da polícia brotar de bicho. De qualquer maneira, imaginar a mãe naquela situação — ver suas coisas todas reviradas, os filhos sendo tratados que nem bandidos — parecia muito pior.

No mesmo pique de todos os consumidores na Rocinha, os dois irmãos tavam ligados que precisavam acabar com as drogas antes de dormir. O que Wesley não sabia era que o irmão tava com um pó de dez entocado no bolso da bermuda. Foi o que sobrou da primeira vez que Washington comprou cocaína.

Não fazia muito tempo essa parada. Ele curtia o baile da Rua 1 com os amigos do trabalho. Eles divulgaram umas linhas, a noite ficou animada. Era a terceira vez que Washington cheirava com eles sem participar da intera, então pensou que tava na hora de fazer uma presença. Foi na boca e comprou cinco de dez. Foi estranho aquilo, ficava lembrando direto. Na hora chegou a tremer, a voz quase que não sai e aquela sensação de que geral tá ligado na tua. É claro que já tinha feito avião pra vários pancados com neurose de passar na boca. Com esse dinheiro pegava um baseado, interava um cigarro, bagulho normal. Mas pra ele mesmo cheirar foi diferente. Bateu maior neurose que todo mundo que olhava pra ele sabia que não tava fazendo avião, que daquela vez era consumo próprio.

Antes de acabar o último papelote, os amigos se adiantaram. O baile já tava naquela hora que toca Legião Urbana, umas músicas de igreja. Washington levou o que sobrou pra casa, mas não achou a boa pra usar. Agora tá ali, a poucas horas da grande operação, sem saber o que fazer com o flagrante. Ele tem pena de jogar fora, vontade de dar um teco pra sentir uma parada diferente, ao mesmo tempo que tem vergonha de contar pro irmão, medo de usar na encolha e se explanar da pior forma.

— Graças a Deus caiu minha folga amanhã, tá maluco sair de casa.

Batia o maior desespero toda vez que Washington pensava

no dia seguinte. Aquela coisa estranha que assombrou o morro nos últimos meses e que a cada minuto chegava mais perto.

— Se der pra sair, né, menó? — Wesley tacou fogo em mais um, focado na missão de acabar com a erva.

— Tu acha mermo que vai rolar trocação? — Eles já tinham repetido mais de mil vezes essa conversa, mas naquela noite era diferente.

— Os cara aqui tem que ser muito doido pra isso, irmão, papo reto. Mas fala tu, pra ser vagabundo não tem que ser muito doido mermo? Então não sei, menó. Qualquer coisa pode acontecer, eu acho.

Depois de mais uns tapas, Washington sentiu bater nervosa a larica. Na real, o dia todo passou com fome, desde o almoço no trabalho até quando chegou em casa. Comia, comia e nunca ficava satisfeito, era como se tivesse um buraco no estômago. Uma fome que chegava a doer. Por isso, quando sentiu de novo aquela pontada, ele largou o baseado apagado no cinzeiro e foi pra cozinha inventar alguma coisa. Ficou feliz de achar uns pães dormidos; tinha queijo e molho de tomate na geladeira, era tudo que precisava pra fazer uma de suas laricas preferidas.

— Qual foi, Wesley. Tu vai querer sandupizza?

— Bota aí pra mim, menó. Eu como também.

Na sequência Wesley chegou na cozinha com o baseado aceso. Como era de lei, reclamou que o irmão deixou apagar sem falar nada, que ele tava no aguarde da vez. Só depois da palestra é que rolou o beque. Washington terminava de cobrir os pães com muçarela pra meter no forno.

— Mano, agora é papo reto, na sinceridade. Tu já pensou em dar um teco?

Wesley ficou até escaldado com a pergunta assim do nada. Pro irmão ficar desconfiado assim, só podia ter rolado uma fofoca com seu nome.

— Qual é o papo, neguim. Alguém falou pra tu que eu tô cheirando?

— Ninguém falou nada não, cara. Perguntando mermo é na curiosidade só.

Tava esquisito aquele papo. Wesley ainda achava que rolou diz que me disse com seu nome, se pá porque tava na casa do Abelha num dia que tinha vários cheirando. Ele até fortaleceu cinco na intera dos moleques, mas não quis entrar no bolo. Ficou só no baseado.

— Pô, menó, vou te falar, esses bagulho assim, às vez, dá até vontade de saber qual é, tá ligado? Vagabundo gosta muito dessa porra, mano. Mais que lasanha, churrasco, sei lá. Aí tu pensa: tem que ser bom pra caralho, né não? E é com isso mermo que eu bato neurose, bagulho assim muito bom sempre dá ruim. É vários aí que se derrama.

Então Washington mandou o papo da primeira vez que usou. Falou da rapaziada no trabalho, mó bondão que usa já faz tempo e fica de boa, vários têm filho, família e os caralho. Quando se ligou que o irmão tava interessado, explanou do papelote que tinha no bolso, que o Washington disse que o amigo tinha esquecido com ele. No fim, os dois concordaram que o problema é quando o cara começa a comprar, ainda mais pra usar sozinho.

Washington nunca imaginou que um dia fosse cheirar dentro da própria casa, mesmo assim não vacilou pra pegar um prato no armário da cozinha. Wesley suava frio sem entender por quê, enquanto olhava o irmão usar o RioCard pra separar as carreiras.

O sandupizza começou a cheirar. Washington terminou de bater as quatro linhas, passou a língua no cartão e foi dar um bizu na comida. Tava pronto. O pão dourado embaixo, o queijo todo derretido. Ele deixou a fôrma em cima do fogão pra esfriar, pegou na carteira uma nota de dez e fez um canudo.

— Você primeiro.

*

Não dava pra sequelar; mesmo na lombra do ácido, mesmo cansados do sol, não tinha o que fazer, eles precisavam passar no mercado. Até porque não existe missão maior do que o medo de ficar sem comida. Prova disso é que foi só botar o pé no Boiadeiro pra ver que o morro inteiro devia tá na mesma intenção. Era papo de mundo se acabando: todos os mercadinhos lotados, gente se empurrando direto, arrumando caô na fila do caixa.

Douglas quis fumar um cigarro antes de entrar. Parecia coisa pra adiar um pouco mais aquele perrengue inevitável. Enquanto faziam fumaça, brechavam da porta as compras dos outros. Uma coroa fazia estoque de arroz, feijão, macarrão, várias cabeças de alho, e no meio disso, um luxo: dois bolinhos Ana Maria. Outro malucão lá tava levando várias garrafas de óleo, várias. Tipo umas quinze. E tinha o bonde da compra do mês: carne, frango, arroz, biscoito, essas paradas. Nesse meio-tempo, eles ficaram só de olho, cada um na sua. Muito diferente da onda que curtiram na praia. Naquele momento, os três sabiam muito bem disso, a UPP já era uma realidade.

Chegaram com as bolsas cheias de nuggets, Miojo, batata congelada. Essas paradas que são fáceis de fazer e que não estragam nunca. A casa tava a maior zona, muito pior do que eles se lembravam. A louça parecia até que ia engolir a pia, tinha vários copos espalhados, alguns deles cheios de cinza. Roupa jogada pra tudo que é canto. No meio dessa confusão, eles começaram a guardar as compras.

— Esse bagulho do Mestre foi foda mermo, vi os amigo ali na Ápia tão como, triste. Deu mó pena, fala tu. — Murilo entulhava tudo no congelador.

— Qual é, neguim. Os cara tá que nem barata tonta, pô, sem saber pra onde correr. Também fala tu, bagulho do Mestre abalou o psicológico de geral ali, mano. O maluco não era só dono do morro, ele era referência pros cara, se ligou? Aí do nada o cara roda no pinote, é foda.

— Hã, tu acha que os amigo não tava ligado que ele ia pinotar não? Duvido.

Murilo sempre ficava bolado quando achava que alguém tava falando mal do Nem. Cria no bagulho, ele já tinha visto guerra, golpe de Estado, troca de facção, troca de dono. Na opinião de Murilo, ninguém que veio antes fez um trabalho melhor que o Nem no tempo que ficou de frente.

— Eu não sei, neguim. Quem tava ligado, quem não tava. Bagulho que eu tenho certeza é que geral tava contando com o Mestre pra ficar de frente, até vários morador mermo, o papo é reto. — Douglas não conseguia esconder sua decepção.

— Tá ligado. A esperança de vários aí pra não ter guerra era o Mestre mermo — Biel entrou na conversa.

Assim que terminaram de guardar as compras, Douglas pegou uma toalha e partiu pro banheiro. Tava doido pra tirar o sal do corpo. Biel não quis nem saber de nada, se jogou direto no sofá, com a perna ainda cheia de areia. Murilo ficava bolado quando ele metia dessa.

— Caralho, Murilo. Agora fiquei boladão no bagulho. Amigo lá do kunk respondeu aqui, não fosse os filha da puta desses mandadão eu ia pegar meio quilo no precim. — Biel falava sem tirar os olhos do celular.

— Queria mermo falar esse bagulho contigo, mané — Murilo respondeu depois de acender um cigarro na janela. — Agora com os cana aí direto, como é que fica esse bagulho de flagrante pesado dentro de casa?

— Ah, bróder. Só veno mermo. É aquilo, marcar um dez, ver qual vai ser, depois voltar na melhor forma.

— Tu tá ligado que eles vai tontear bonito, né não, maluco?

Tem nem ideia, os cara vai querer mostrar serviço e eu é que não quero ficar de exemplo, tá ligado? Ainda mais por causa de corre que nem é meu.

Biel não entendeu muito legal aquele papo, largou o celular e levantou bolado do sofá.

— Qual foi, Murilo. Tem moleque aqui não, porra. Se der merda um dia, tu sabe que eu assumo a minha bronca.

Murilo deu uma última tragada antes de jogar o cigarro pela janela.

— Papo reto mermo, de sujeito homem, que nem tu fez lá com o bagulho do Coroa, né?

Biel ficou bolado de vez e foi na direção de Murilo.

— Vai tomar no cu, rapá. Papim gostoso agora? Na hora de usar os bagulho, ficar doidão, tu não fala porra nenhuma. — Biel falava apontando o dedo na cara do amigo, que devolveu com um empurrão.

A chapa esquentou legal. Biel empurrou de volta e os dois ficaram cara a cara. Se encaravam sem falar nada, só no aguarde do próximo passo. Murilo já tava com a mão fechada quando Douglas brotou na sala ainda enrolado na toalha. Empurrou um pra cada lado e parou no meio dos dois.

— Qual foi, rapaziada. Bora dar uma limpada no barraco então? Depois é só fumar o durma bem!

*

Wesley nunca mais se esqueceria daquele amargo que entrou pela narina e desceu pela garganta. Tinha um gosto forte que não era bom nem ruim, e que lembrava ferrugem. Depois disso foi tudo muito rápido; o coração ficou acelerado, batendo tão forte que chegava a fazer barulho. Então sentiu correr uma energia estranha pelo corpo, uma disposição que vinha do nada, junto com a vontade de fazer alguma coisa, qualquer coisa.

Na real, tudo parecia muito simples, fácil de resolver. Em ritmo acelerado, Wesley pensava várias paradas ao mesmo tempo e tinha a sensação de que tava ligado na melhor forma pra todas elas. Era como se tivesse recebido o poder de olhar a própria vida mas de outro ângulo, muito mais distante do que tava acostumado.

— Esse bagulho é bom, menó. Dá uma parada assim, eu não sei… — Wesley andava de um lado pro outro na cozinha. — Vou fumar daqui mermo, foda-se. Depois eu jogo um Bom Ar. — Washington aproveitou pra também tacar fogo num careta.

Wesley queria explanar pro irmão tudo aquilo que sentia diferente. Na cabeça, no corpo, no jeito de olhar pras coisas. Mas não conseguia achar as palavras certas, muito menos organizar as frases. Tudo acontecia tão rápido e tão intenso ali dentro, que chegou a sentir medo de explodir a qualquer momento. Wesley queria sair na rua, ver gente, tomar um gelo. Só então lembrou da UPP e de todo o resto que tinham pela frente.

Bateu maior neurose de pensar naquilo. A confiança toda de um minuto atrás rapidinho foi embora, dando lugar pra ansiedade. Wesley correu até a janela da sala. Ficou brechando a rua dali, não passava uma vivalma de rolé no morro. Nove horas da noite. Nunca imaginou que isso fosse possível. Aquele silêncio todo.

Pra ocupar a cabeça, ele foi pro quarto decidido a organizar suas paradas. Começou pelo guarda-roupa. Tirou todas as peças emboladas umas nas outras e jogou em cima da cama. Depois, peça por peça, começou a dobrar. Washington chegou na sequência. Ficou só de olho no trabalho do irmão.

— Esse bagulho é bom também quando tu fica doidão de cachaça. Tá ligado? Dá um levante na hora. — Mesmo tendo o irmão como cúmplice, Washington sentiu bater a maior culpa depois de cheirar. Queria conversar, falar até ele mesmo acreditar que foi uma boa ideia.

Wesley colocava as calças, bermudas e camisas em pilhas separadas. Enquanto fazia o serviço, já planejava deixar os tênis de molho.

— Só não pode se derramar.

— Tá ligado.

— Quantas vezes tu já usou mermo?

— Com essa, quatro.

Wesley voltou a se concentrar no serviço. Era bom não sentir preguiça. Nem sono. Podia adiantar várias paradas que há maior tempão tava pra fazer. As tarefas cresciam no seu pensamento, viravam prioridade. Não demorou pra ele esquecer mais uma vez das merdas que tavam pra acontecer em volta.

— Mas eu tô tranquilão, mané, papo reto. Não sinto vontade nem nada. Só falei pra gente usar hoje que senão ia jogar fora, e aí é foda.

Wesley não prestava mais atenção. Na real, tava pensando em botar uma música, tinha uma na cabeça mas não conseguia se lembrar do nome. Então foi até o computador, mas antes de chegar no YouTube, foi tragado pelo Facebook aberto. Começou a descer a linha do tempo e todas as pessoas que conhecia falavam sobre os mesmos assuntos. Os milhares de policiais escalados na operação Choque de Paz, a prisão do Nem, se vai rolar ou não troca de tiro, se vai ter luz a noite toda ou vão cortar na invasão.

É foda bater de frente com tanta informação. De repente, tudo que pensava não tinha a menor importância, tudo era pequeno, era nada, perto daquilo que podia acontecer. Wesley nem se lembrava mais da roupa pra guardar ou dos tênis pra deixar de molho. No piloto automático, ele só descia a linha do tempo. Descia, descia, até chegar numa publicação de um amigo seu dos tempos de escola. Era uma montagem da Rocinha à noite, toda iluminada. Por trás das casas, no céu, tinha a imagem de Jesus Cristo. Pra completar, dizia a legenda: Olhai por nós.

PARTE II

Rio, 13 de novembro de 2011

O Águia parecia que tava até dentro de casa. Mó barulho sinistro, chegava a tremer o prédio todo. Acordado pelo som que invadia a casa, Biel só teve coragem de botar a cara na janela quando sentiu que o helicóptero já sobrevoava bem longe dali. Nessa hora bateu de frente com a travessa Kátia num silêncio que era até difícil de acreditar. Àquela hora, a feira devia já tá armada no caminho do Boiadeiro e a travessa cheia de gente de um lado pro outro com suas compras, preocupações e expectativas de domingo. Logo depois, deviam subir as portas dos bares, chegar os primeiros clientes. Um pouco mais tarde, a partir das nove, era pra começar o culto na igreja neopentecostal vizinha do prédio ao mesmo tempo que a missa na capela de Nossa Senhora de Aparecida, lá no fim da rua. Mas, dessa vez, Biel olhava pela janela e não via nenhum sinal de vida.

Se tivesse pelo menos maconha, podia fumar até dormir de novo. Mas nem isso. Biel se levantou pra mijar e, na saída do banheiro, aproveitou pra ir no quarto, ver se mais alguém acordou com o barulho do Águia. Tava tudo escuro ainda. Ele ficou de olho nos amigos, mas ninguém se mexia.

Voltou pra sala já na intenção do computador. Queria ver o que falavam no Facebook sobre a operação, mas logo descobriu que a internet não funcionava. Ele atualizou a página, reiniciou o modem, o computador, e nada. O jeito era ligar a televisão. Naquela hora, todos os jornais deviam repetir o mesmo assunto: a invasão da Polícia Militar na Rocinha, a maior favela da América Latina. Pra surpresa de Biel, todos os canais só mostravam a mesma tela azul. Na hora, brechou o relógio da cozinha; ainda faltavam cinco pras oito.

Não adiantava deitar no sofá, fechar os olhos, se a cabeça não parava quieta. Não se lembrava de nenhum tiro durante a noite. O silêncio em que pegaram no sono só foi interrompido pelos helicópteros que chegaram de manhã. A ausência de conflito indicava o sucesso da polícia na operação, mas não contava nem um terço da história. O que aconteceu enquanto não acontecia nada era o que tirava o sono de Biel.

Da janela via o comércio ainda fechado, mas aos poucos um morador ou outro cruzava a travessa. Eles avançavam com cuidado, no sapatinho pra reconhecer o território. Dava pra ver na cara que era tudo trabalhador, desses com carteira assinada, trabalho na pista. Biel bem queria uma correria qualquer pra fazer na rua. Pelo menos assim desceria as escadas do prédio com um destino, e não daquele jeito que ia, sem saber aonde chegar.

Foi botar o pé na Via Ápia pra ser abordado por um vendedor autorizado da NET. O cara oferecia uma promoção especial de TV a cabo, mas Biel não ficou pra escutar até o fim, pediu desculpas e se adiantou. Mal conseguiu se livrar daquele, já brotou do meio do nada uma outra vendedora autorizada, dessa vez pela Oi. Ela oferecia um pacote imperdível com televisão, internet e telefone. Na hora Biel percebeu: o gatonet não voltava tão cedo.

Na principal entrada do morro, quase não dava pra ver o morador no meio daquele monte de polícia, repórter e vendedor autorizado. Ele continuou subindo e assim que chegou na esquina onde a Via Ápia cruza com a estrada da Gávea, acendeu um cigarro. Bem na sua frente, um caveirão subia a rua sem pressa. A vontade que dava era de ver como tava lá em cima, entrar de vez no coração da favela, longe das câmeras e dos vendedores autorizados. Mas Biel não precisou nem pensar demais no assunto; era muito mais seguro descer pro largo das Flores.

Ali na calçada da floricultura, onde ficava o ponto do mototáxi, tava tudo tampado de polícia. Tinha Logan da PM, Blazer do Choque, Caveirão, a porra toda. Tinha até um ônibus da polícia com uma bandeira enorme do Bope estendida. Quando viu aquela imagem da faca na caveira, Biel pegou uma visão importante: desde que começou esse papo de UPP na Rocinha, geral só conseguia pensar no dia da invasão. Ninguém falava no que podia acontecer depois.

A melhor forma era se mudar logo de uma vez. De preferência pra algum lugar na pista, onde não existia o risco de uma pacificação. Biel às vezes fica de bobeira na internet, só de olho nos apartamentos pra alugar. Flamengo, Glória, Catete. A série B da Zona Sul. Os amigos em casa acham a maior viagem, por aquele preço dava pra achar uma mansão em qualquer favela. Biel fica bolado quando ouve esse papo, porque nunca acreditou em ninguém que diz ter orgulho de morar em morro. Na sua visão, todo mundo inventa essa história pra não precisar admitir que não tem condição de viver num lugar melhor. Aí falam de como no morro se tem mais liberdade, que a infância na pista não tem graça porque playboy joga bola de gude no carpete e solta pipa no ventilador, que não dá pra divulgar um churrasco maneiro em apartamento e qualquer barulho dá caô com o síndico. Biel acha graça que nessa hora parece que ninguém se lembra da falta d'água, da vala aberta, da polícia que derruba a porta, do lixo que às vezes espera uma semana pela boa vontade da Comlurb. Queria só ver onde é que iam enfiar esse orgulho, se do nada aparece uma chance de ir morar num condomínio, com porteiro vinte e quatro horas, chuveiro a gás, elevador, coleta seletiva e a certeza de que a polícia só chega ali pra servir e proteger.

Depois de caminhar mais um pouco, Biel viu que nem a Universal do Reino de Deus teve a coragem de abrir as portas. Num domingo qualquer, era certo dali tá cheio de irmãos e irmãs, entregando jornais, pegando nome pra botar no livro de oração. Agora só tem polícia, andando de um lado pro outro. Alguns bem jovens, todos meio perdidos. Biel sentiu que já tinha visto o suficiente, era melhor voltar pra casa.

Só quando se aproximou de volta da travessa foi que ele se ligou no China fechado. Não devia ser nenhuma novidade, já que todas as outras paradas tavam na mesma condição. Mas, de alguma forma, aquela imagem parecia dizer muito mais. Biel nunca tinha visto o China fechar as portas. Uma vez, voltando do Ano-Novo em Copacabana, a lanchonete tava aberta. Carnaval, final de baile, Copa do Mundo, nada impedia que eles vendessem seus pastéis e seus refrescos. Biel imaginou o China e sua mulher em casa, sem saber quando vão poder voltar ao trabalho. Será que da área onde moram, eles também acordaram com o barulho do Águia?

Biel pegou a travessa, mas a imagem da lanchonete fechada não saía da sua cabeça, não parava de gritar nos seus ouvidos aquilo que depois todos seriam obrigados a ver também: a Rocinha como conheceram já não existia mais.

Foi tudo muito rápido. Quando pensou em voltar, já tava com o bico no meio da cara. O policial que apontava o fuzil começou a gritar, queria saber o que Biel tava fazendo ali.

— É minha casa aqui — depois do susto, conseguiu responder.

— Então entra logo, caralho! — Biel teve que obedecer.

Lá dentro, viu os amigos de cabeça baixa num canto da sala, mais dois policiais do Choque, com os fuzis atravessados no peito. As armas pareciam ainda maiores quando tavam dentro de casa.

— Tu foi esconder o quê lá fora? — o cana perguntava sem nunca baixar o fuzil.

— Eu saí pra comprar pão.

Um outro cana que não tinha nada a ver, se doeu com a resposta e foi pra cima, falando com a cara muito próxima de Biel.

— Foi comprar o quê aonde, filho da puta? Tudo fechado!?

Nisso o Coroa veio descendo a escada. Parou de frente pra porta, ficou só observando.

— Virou bagunça essa porra? — o do fuzil se virou pro Coroa. A arma levantada.

— Sou o dono aqui do prédio, sim senhor — o Coroa mandou pra ele. Sem baixar a cabeça, sem nem ter medo da arma na cara. O cana até baixou o fuzil.

O porco falou que o X9 tinha dado tudo. Naquele prédio morava vagabundo e, pela descrição, os três elementos batiam com a informação. Aí começou a botar aquele terrozinho de sempre. Disse que era melhor entregar logo tudo de uma vez; se obrigasse eles a procurar, depois que achassem o flagrante, iam descer a porrada. Polícia adora jogar verde pra colher maduro.

— Os menino aqui é tudo trabalhador... — o Coroa ainda falou pros canas.

Mas não teve jeito, eles começaram a revirar a casa inteira, deixar tudo de cabeça pra baixo. Até cinzeiro olharam pra ver se não achavam ponta. Pegaram as paradas de tatuagem de Douglas, olharam tudo. Sorte não inventarem de pedir nota fiscal, essas paradas.

Biel tentava olhar pros amigos, se comunicar de algum jeito, mas eles evitavam levantar a cabeça. Um dos vermes tava por ali de olho neles. Como se desse pra tentar qualquer coisa contra três malucos de fuzil dentro de uma casa.

Com o ódio que sentiu, Biel conseguiu entender melhor do que antes quem fechava na boca e aplicava pra cima daqueles filhos da puta, quem joga granada embaixo de caveirão. Não dá pra aceitar aquilo. Um cara meter o pé na tua porta, mexer nas tuas paradas, te tratar que nem bandido sendo que nunca te viu. Que X9 era esse? Quanta gente não vive num morro desse tamanho, setenta, cem mil, como faz pra saber? Se numa casa às vezes mora cinco, seis, se todo mês chega gente do Norte, Nordeste? E, dentro disso, quantos é que tão envolvidos? Se parar pra ver legal, não dá nem um por cento. Não dá pra aguentar sem revidar uma porra dessa. Polícia colhe mesmo aquilo que planta.

Uma hora eles cansaram de procurar. Como não tinha flagrante nenhum, ficaram mais putos ainda. Falaram que tão de olho, que agora o bagulho mudou. Se pegassem qualquer um na vacilação, lembrava muito bem da cara do trio ternura.

Depois que os canas saíram, com intenção de bater nas outras casas, o Coroa ainda olhou pros inquilinos na sala. Na mesma hora, os três fizeram um gesto pra agradecer a moral. O Coroa respondeu com a cabeça e depois meteu o pé.

Rio, 18 de novembro de 2011

Naquele dia, ele chegou em cima da hora, botou o uniforme e ficou no sapatinho, só na função de separar talher e dobrar guardanapo. Washington acreditava que ia passar batido, invisível no meio dos outros funcionários. Mas não teve jeito, meia hora antes de abrir o restaurante, o gerente se aproximou.

— Não vai esquecer de passar o ferro nisso aí, hein, Washington. Parece que a roupa saiu agora da boca de um leão. — E deu um sorrisinho pra descontrair.

Num calor daqueles, dava a maior raiva de ter que passar uniforme. Ainda mais que no vestiário não corria um vento, quando ligava o ferro parecia um forno, aquele bafo quente.

Não tinha pra onde correr, até porque se quisesse crescer ali dentro, chegar um dia a garçom, podia nem pensar em vacilar. Depois de três meses na casa, Washington já tava ligado muito bem nas regras do jogo; no salão trabalhavam os cearenses, paraibanos, sempre os mais clarinhos, os galegos, como eles falam. Enquanto isso, quanto mais escuro, mais longe dos clientes; em geral na cozinha, na faxina, essas paradas. Depois de pegar essa visão, ficou claro que não podia dar mole.

Em outro trabalho, Washington ia até gostar de não precisar olhar na cara de cliente, o problema é que ali, no restaurante, com papo de comissão, gorjeta, o dinheiro fica todo no salão. Aquele que é desenrolado, que sabe vender na moral o que tem no cardápio, no fim do mês fica forte.

Já no vestiário, ele passou a roupa na maior dedicação, de cima a baixo, pra não deixar nenhuma fissura. O suor chegava a pingar. Washington tentava ver tudo pelo lado bom: rapidinho ia bater quatro horas, ia passar na boca ainda, pegar um baseado. Gleyce ia lá pra queimar esse, os dois sozinhos em casa. Dava até uma esperança.

Quando Washington voltou, o gerente não perdeu a oportunidade. Deu uma boa olhada de cima a baixo em seu funcionário. No final da inspeção, começou a balançar a cabeça positivamente.

— Agora sim. Padrão.

Washington concordou.

— Me diz uma coisa, você tá com os pratos da casa tudo dominado?

— Tô sim, pego rápido essas coisas — mentiu Washington.

— Hoje vou precisar de você pra suiteiro, o Augusto não vem, acabou de ligar avisando.

Era essa boa que esperava. Se representasse na função, em dois tempos tava promovido. É assim que funciona, o próximo garçom eles chamam sempre o suiteiro, porque o cara tá acostumado a distribuir os pratos pro salão, já domina o cardápio da casa. A meta era abraçar a oportunidade; o Augusto tava mesmo na bola da vez.

— Aí você dobra hoje, certo? Augusto é foda, quando eu mais preciso me deixa na mão.

Era a terceira dobra que pegava no mês, sempre pra cobrir a falta de alguém. Todo fim de semana tem um que se derrama e não vai trabalhar; Washington começou a abraçar as dobras, já na intenção de subir no conceito. Quando precisasse, ia ter moral na casa.

— Eu tô aqui pra trabalhar — foi o que respondeu, mesmo sabendo que babava tudo que planejou pra aquele dia.

O gerente abriu então um sorriso de orelha a orelha, deu um tapinha nas suas costas e saiu saindo. Washington sorriu de volta, cheio de raiva, mas de alguma forma realmente agradecido.

Já tava pra dar onze da noite quando saiu do restaurante, moído. Pegou o celular e viu que Gleyce respondeu sua mensagem com apenas um ok, o que deixou ele confuso se ela ficou bolada ou se tava só com preguiça de escrever. O pessoal do trabalho ainda chamou ele pra tomar uma, que sexta-feira era de lei, mas Washington preferiu ganhar pra casa, noutro dia pegava cedo de novo.

O plano já tava traçado na mente: ia passar na boca ali do Valão, pegar um baseado, ganhar pra casa, fumar e dormir. Queria nem ver internet, saber de porra nenhuma não, do jeito que saiu do trabalho dava até preguiça de pensar.

Chegou no Larguinho onde rolava a boca, mas não viu logo de cara o vapor. Ficou encarando os moleques que marcavam por ali, pra ver se algum respondia com o olhar, dava algum sinal. Nada, nada. Viu três malucos ali sentados na escada de um bar, eles tinham cara de tá no aguarde de alguma parada. Washington sentou do lado deles.

— Qual foi, tá ligado se tá rolando aqui hoje?

Um deles respondeu que o menó tinha saído rapidão, mas que o amigo falou que daqui a pouco ele tava de volta. Washington agradeceu, feliz de não ter que subir mais uma vez lá na Pedrinha. Dava o maior ódio subir aquelas escadas todas, chegar lá e não tá rolando nada.

Desde que a UPP chegou, a firma ainda não tinha se organizado direito. As bocas mudavam toda hora de lugar, várias vezes só tinha pó. O pior é que a maconha também tava diferente. Foi só chegar a polícia no morro, que parou de vender o bengalinha pra começar a vender uma erva seca, toda velha, no lugar. Isso que não dava pra entender. Vender maconha boa ou maconha ruim, não é o mesmo risco de rodar? Então custava o quê dar uma moral pro morador? Washington ficava sempre pensando enquanto dixavava aquele chá de burro.

Outra parada que mudou muito foi que ir buscar qualquer droga virou a maior função. Tinha que ficar ligado o tempo todo se não vinha polícia, porque, se eles vissem um grupinho que nem aquele da escada de bobeira pelo beco, era dura na certa. E os maluco vinha sem pena, se não tivesse ninguém no beco então, aí mesmo é que desciam a mão. O pior é que ninguém ali tava acostumado com esse ritmo. Antes, eles quase nunca viam polícia no morro.

O tempo todo que passou sentado ali, Washington ficou na atividade, de olho nos becos de cima, nos becos de baixo, todos os acessos. Se visse qualquer fuzil, colete, uniforme, já levantava logo e metia o pé. Tava tão preocupado com os canas que nem viu o menó chegar. Era um menino com uns nove anos de idade.

— Vai querer o quê, vocês? — o menó perguntou.

Pra respeitar a fila, Washington deixou os caras pedirem na frente. Eles juntaram a grana e mandaram trazer tudo de pó. Quando chegou sua vez, Washington pegou uma nota de vinte da carteira, pediu duas maconhas de dez.

— Maconha hoje tá seco. Só tem raxa, vai querer? De cinco. — O menó falava rápido, palmeava os becos de ponta a ponta.

— Dá quatro então. — Washington entregou o dinheiro.

— Tá bom esse haxixe?

Antes que o menó desse um pio, tomou logo um pranchadão no pé da orelha. Ninguém entendeu nada; era uma mulher, moradora também, baixinha mas que parecia ter a força de um mestre de obras. Ela deu a porrada e foi pra cima do menó, na maldade pra guindar no mata-leão. O menino, mesmo catando cavaco, conseguiu aplicar um drible de corpo na mulher e saiu voado em direção à Rua 2. A mulher ainda olhou boladona pro Washington e os outros caras, antes de partir na sequência.

— Caralho, essa daí é treinada, ninja, samurai, papo reto. Tu viu?, saiu do nada — um dos pancados comentou na roda.

— Essa aí é mais neurótica que o Bope, chega que neguim nem vê.

— Menó tomou logo um se liga, ficou tonteado. — Os caras riam da cena.

— Essa mulher aí devia ser quem? — Washington perguntou antes de acender um cigarro.

— Sei lá. Se pá é a mãe do menó.

Depois de rir mais um pouco da situação, os pancados começaram a bater neurose. Se o menó não voltasse, iam cobrar de quem? Se gerente, soldado, os cara de frente andavam tudo entocado, que ninguém vê nem tem notícia? Se todo dia naquelas bocas por ali botavam um menó diferente? A noia pegou firme. Um deles até chegou a falar que talvez aquilo fosse papo de teatro, sagacidade da mulher e do menó pra guentar o dinheiro. Washington ficava só ouvindo, guardando opinião.

Aquela parada deixou ele bolado de verdade. Na hora lembrou de dona Marli, que sempre falava pros filhos que, se virasse bandido, não ia na cadeia visitar ninguém, nem chorar pra repórter botar na televisão depois de morrer na troca. Aquilo era o terror de todas as mães.

Passou quase uma hora no relógio e nada do menó voltar. Marcar dali tava tão ruim que várias vezes Washington pensou até em desistir, deixar aqueles vinte pra lá, dormir de cara mesmo. Só que, toda vez que ia levantar, alguma coisa fazia ele continuar no mesmo lugar, esperando.

Os viciados não paravam de reclamar, com a certeza de que tomaram volta. Washington achou melhor se destacar, aquilo não podia atrair nada de bom. Se levantou. Os viciados olharam com ódio. Era como se qualquer um ali que desistisse, confirmasse de uma vez que o menó não voltava nunca mais. Dava pena e dava raiva daqueles caras. Melhor mesmo era cantar pra subir de uma vez.

Foi nessa que o menó piou no Larguinho. Parou na frente dos caras, Washington já em pé de frente pra escada. O menino meteu a mão dentro da bermuda e tirou de lá as drogas. Entregou o pó dos pancados, o haxixe de Washington.

— Aquela mulher é tua mãe, menó? — Tinha que saber.

— Esses bagulho é foda — foi o que respondeu antes de sumir mais uma vez naqueles becos. Os viciados já iam longe, sumiam também. Washington conferiu as bolinhas de haxixe, entocou no sapato, se adiantou na direção do Boiadeiro.

Assim que chegou por lá, conseguiu parar um mototáxi antes de cruzar com os canas que marcavam em frente à farmácia. Subiu na garupa, aliviado.

— É pra Cachopa, bom.

— Aquela ladeira essa daqui não guenta não, relíquia. — O mototáxi mostrava a CG 125, realmente num estado duvidoso.

Washington ainda sentado olhou pro movimento da rua, a polícia ali perto. Já era mais de meia-noite.

— Então me deixa ali mermo na Casa da Paz.

A motinho foi que foi. Mesmo de capacete, que impedia o vento no rosto, aquele rolé no morro dava uma alegria só de ver o movimento. Pena que acaba rápido, mal começou a curtir, o amigo encostou na calçada da Casa da Paz. Washington pagou pela corrida, atravessou a rua, encarou as escadas. Agora só faltavam 78 degraus pra chegar em casa.

Rio, 3 de dezembro de 2011

Não deixava de ser engraçado aquilo. Foi só começar a dar uns tecos que rapidinho Wesley descobriu que nesse mundo o que não falta é incubado. Vários no trabalho, na rua, onde ninguém imagina. Mais velho, pai de família e até pastor evangélico. Depois do baque, Wesley não duvida mais de nada nem bota a mão no fogo por ninguém. O cheirador incubado pode ser qualquer um: o padeiro, sua tia, aquele maluco mais careta do prédio.

Naquela festa mesmo, as linhas que mandou pra dentro quem fortaleceu foi um parceiro ali da casa, o Lucas Mão de Alface, que trabalhava de garçom. Moleque tranquilão, na dele, quem olha assim nunca vai pensar que mexe com droga. Quando ele botou pra rolo aquela farinha amarela, toda empedrada, Wesley bateu até neurose: era muito diferente do pó na Rocinha ou na Chácara do Céu, os únicos que conhecia. O amigo explanou que foi buscar na Vila do João, que invadia direto e que lá era o bicho. Mão de Alface trabalhava o pó no talento enquanto contava essas paradas. Parecia até outra pessoa. Wesley ficou viajando nisso. Em como a gente sempre acha que conhece alguém só porque sabe o nome, mora perto ou trabalha junto.

Depois de usar cocaína algumas vezes, Wesley começava a identificar os efeitos da droga no seu corpo. Era engraçado porque a onda do pó parecia começar antes mesmo de cheirar. Quando via as cápsulas, batia na hora uma ansiedade, uma dificuldade de controlar a respiração, um tremelique nas mãos. Sem falar que direto dava mó vontade de cagar. Lucas terminou de separar as linhas.

Do jeito que bateu o pó, com aquele gosto amargo quase igual ferrugem, que na mesma hora já estalou a bilha e fez tudo em volta parecer pequeno, Wesley se ligou logo que aquela era uma parada diferenciada, bagulho de qualidade. Só dá pra falar que conhece o ruim depois de provar o bom, foi o que pensou naquela hora enquanto afastava a cabeça da carteira de identidade e se encarava no espelho do banheiro. O foda é que, depois de conhecer o bom, ninguém mais quer voltar pro ruim. Wesley ficou bolado. Se parar pra ver legal, comparar as drogas das favelas na Zona Norte com as que vendem na Rocinha era até covardia. Piada. Na época do bengalinha ainda dava pra gastar uma onda com maconha boa, agora nem isso. Tava fácil pra ninguém. Se antes já não era muito maneiro, depois da UPP é que fodeu tudo de uma vez. Ficou tudo pior e mais caro. Wesley ainda se encarava no espelho, dando aquele último confere se não ficou nenhuma sujeira no nariz.

Não tinha muito que fazer, na próxima folga ia partir numa missão fora. Wesley sempre foi o missionário do bonde, várias vezes garantia sua erva só com a comissão que pedia pra buscar pros outros, ia no Maguinho, Jacaré, B2, Primavera, era só alguém falar onde é que tava a braba. Desde que a UPP invadiu o morro, ele nunca mais botou a cara. Atravessar a cidade com droga nunca foi tranquilo, sempre dava aquela neurose no caminho, mas agora Wesley batia de frente com um medo novo: rodar na porta de casa. Isso era a pior coisa. Antes, quando chegava na Rocinha depois da missão, Wesley se sentia protegido. Desentocava logo os flagrantes e apartava logo uma vela pra comemorar. Agora tem que ficar mais na atividade quando chegar no morro do que enquanto atravessa na pista. Foram vários os amigos que rodaram na mão da UPP. Quando eles pegavam com droga tavam magoando, Wesley conhecia um monte que ficou de exemplo.

O foda é que a recompensa valia o risco. Até porque tava com dinheiro, quer dizer, se conseguisse passar batido com a carga podia ficar tranquilo por um tempo. Além da maconha, garantia logo também umas cápsulas da boa, depois já podia até fazer uma presença com o Mão de Alface. Aquele levante salvou legal. Wesley tava cansadão de várias festas na sequência.

Final de ano ali era sempre a mesma coisa: parece até que rico deixa pra foder tudo na mesma época, aí os filhos nascem tudo em novembro ou dezembro, não é possível. Todo fim de semana era dobra; a primeira festa ia das dez às duas, e a segunda quase sempre começava às quatro pra terminar às oito.

Naquele sábado Wesley pegou as duas festas na cama elástica. A primeira foi molezinha, quase não tinha criança com idade pra pular, tudo bebezinho. Quando brotava alguma criança, era sempre com a babá. Pra não ficar mal-acostumado, a segunda era um aniversário de sete anos e os moleques chegaram todos com o capeta no corpo. Se as babás não ficam na atividade, a porrada come direto.

Pior que a briga deles não tem nem emoção. É só um agarra daqui, puxa de lá, que de vez em quando sobra uma mordida ou um puxão de cabelo mas que nunca tem aquela trocação que todo mundo gosta de parar pra ver. Direto Wesley dava uma de maluco e deixava pra ir no banheiro bem na hora dessas brigas.

Aproveitava pra trocar uma ideia, ver se Talia passava por ali, dar aquela morcegada de lei.

Mesmo tendo que aturar a caozada toda lá na cama elástica, Wesley tava tranquilo que pelo menos não fazia mais animação. No começo, quando voltou a pegar festa só de monitor, ficou até meio bolado, porque tava arrebentando uma grana. Sorte que não demorou muito pra perceber que essa era a melhor forma. Naquela festa ali mesmo, se tivesse de animador ia passar mal. Essas crianças ricas quando tá com sete, oito anos, trata animador que nem lixo. Eles acham que bagulho de animação é só pra criança pequena, aí quando chega um marmanjo, com barba na cara e tudo, fazendo voz de criança, eles humilham sem pena. Imagina numa onda daquela, mordendo as orelhas, ter que aturar sem falar nada.

Wesley já ia voltar pro posto quando Talia apareceu. Na frente dos outros, ela falava com ele igual fazia com todo mundo, e ele ficava só lembrando de como era quando ficavam sozinhos. Aquele teatro dava o maior tesão, mas Wesley não conseguia disfarçar tão bem. Vivia atrás de motivo pra ficar perto dela. Quando Talia pisou na cozinha, ele decidiu tomar mais um copo d'água.

— E aí, bora fazer o quê mais tarde? — ele perguntou baixinho pra não explanar. Talia deu um sorriso.

— Não sei... Acho que vou pra casa. Semana tá puxada.

— Uma gelada só não vai fazer diferença. Bora lá, depois eu te deixo no ponto. — Essa confiança era o que Wesley mais gostava quando tava na onda.

— Deixa eu ir lá. Tão demais essas criança hoje.

Quando Wesley voltou, não tinha mais ninguém na cama elástica. Tava mó paz. Pelo barulho, as crianças tinham todas ido brincar no campinho. Sem muito que fazer naquela onda, Wesley começou a prestar atenção na festa, principalmente nos convidados: suas roupas de grife, seus cabelos sempre lisos e aquele jeito natural de mandar em qualquer um que esteja de uniforme. Bateu a maior bolação. Sua mãe trabalha pra gente como eles. Seus tios, avós, todos trabalharam pra eles. Limparam suas casas, trocaram os fios, cuidaram dos filhos. E agora Wesley faz a mesma coisa, cumpre o mesmo destino. Serve. Obedece a eles. Wesley vinha de uma sequência de várias festas nas últimas semanas, onde conseguiu levantar uma grana. Pagar a mensalidade na autoescola, ajudar em casa, ainda salvar uma merreca pra curtir. Antes ele tava feliz com essa parada, mas agora olha pros convidados e sente a maior raiva, porque tá ligado que o dinheiro que suou tanto pra juntar, ali não significa nada. Aquelas pessoas podiam limpar a bunda com aquela quantia que não ia fazer a menor diferença na vida de nenhuma delas. E o pior é que elas sabem disso. Por isso olham sempre de cima pros outros e conseguem mandar com essa voz suave, sem fazer muito esforço. Elas sabem e se aproveitam disso. E todos os dias, sem pular um dia santo ou feriado, elas fazem questão de passar esse conhecimento pros filhos.

— Tava pensando, acho que uma cerveja só não tem problema, né? — A voz de Talia veio tirar Wesley daquele buraco.

Ele olhou tudo em volta, a própria Talia, teve a impressão de que tinha acabado de chegar.

— Outro dia é melhor, mó dor de cabeça agora.

Ela foi embora sem falar nada. Wesley lembrou de amigos que contavam que, na onda do pó, às vezes batia mó depressão, uma tristeza do nada, e que cheirar mais podia ajudar ou piorar tudo de vez. Ele sentiu os olhos se encherem de água. Pelo menos já tinha terminado a parte teórica na autoescola, só faltava mesmo a prática e a prova, depois ia ser tranquilo de alugar uma moto e começar a rodar no morro. Essa ideia deu alguma perspectiva a Wesley. Se conseguir executar o plano todo na moral, muito em breve vai poder trabalhar só dentro do morro, sem precisar aturar ninguém da pista. O problema é que, até lá, o que tava rolando pra financiar era a casa de festas, ia ter que aguentar pianinho os próximos meses.

As crianças voltaram de bonde, daquele jeito. Wesley parou na entrada da cama elástica, os dentes trincados. Eles começaram a se empurrar pra ver quem ia entrar primeiro.

— Quem manda nessa porra aqui sou eu. Se não fizer a fila agora, vai geral meter o pé. — Wesley por um momento esqueceu que precisava daquele trabalho e nem ligou que alguém pudesse ouvir pra depois vir roncar. Os moleques tomaram um susto, e em dois tempos formaram a fila.

Ainda ficou mais uma hora assistindo as crianças pularem. No fim da festa, só queria ir pra casa. Apertar um baseado, pensar em outras paradas. Wesley tava quase chegando no ponto, quando viu chegar o Lucas Mão de Alface, que também vinha destacado do bloco.

— Partiu VJ, curtir um baile? — Wesley tava com cento e vinte reais no bolso. Dava pra brincar legal.

— O baile mermo fica bom só lá pras duas da manhã. Vamo fazer o quê lá agora? — Wesley perguntou, mas já sabia a resposta.

— Vamo ficar no aquecimento — Lucas respondeu enquanto fazia o gesto do caratê, tão conhecido entre os pancados.

Wesley sabia que precisava trabalhar no outro dia, que precisava guardar dinheiro, além de que, se chegasse pernoitado na Rocinha, era quase certo de levar uma dura. Por tudo isso, não fazia o menor sentido partir pra aquele baile; e mesmo assim ele foi amarradão. Era hoje que voltava só amanhã.

Rio, 17 de dezembro de 2011

Não tem desenrolo: se aquele sofá passou na porta pra entrar, então ele também precisava atravessar pra sair. Agarrados nessa certeza, Murilo e Douglas tentavam todos os ângulos possíveis, e nada. A caminhonete do Borracha já tava parada ali na Via Ápia, bem na saída da travessa, e daqui a pouco era certo dele brotar pra tentar apressar o serviço. Como se não bastasse, no meio do perrengue todo, Biel parecia até um daqueles flanelinhas; mandava virar pra um lado, contornar pro outro, mas não metia a mão pra fazer porra nenhuma.

— Desmonta não essa porra, tem certeza? — A testa de Douglas chegava a pingar.

Sem precisar falar mais nada, os dois voltaram o sofá no chão, aliviados por se livrar daquele peso. Murilo começou então a procurar nas costas do móvel por algum encaixe, qualquer coisa. Era a terceira vez que paravam pra isso.

— Caralho maluco, olha aqui. — Murilo exibia um baseado. Todo torto, amassado e cheio de poeira, mas ainda assim, um baseado. Já ia pras dez da manhã e eles não tinham fumado nada ainda.

— Não acredito, mano. Eu perdi esse beque aí faz vários dias já. — Biel pegou o baseado na mão do amigo. — Procurei direto essa porra. Tá haxixado, ele.

— Só tu mermo, Biel. — Murilo fez sinal de voltar pro sofá.

— Bagulho é tacar fogo logo.

— Tá maluco, porra? Acender isso aqui agora, o Coroa vai tontear. — Murilo, em vez de pegar o braço do sofá como antes, deitou de uma vez, derrotado.

— O Coroa que se foda, bróder. A gente tá mudando mermo. Papo reto, hoje deve ser o dia mais feliz da vida dele. Sem neurose, duvido nada que ele comprou foi vários 12 × 1 pra soltar quando a gente acabar com a mudança. Visão mermo, o Coroa hoje deve tá tão feliz, mas tão feliz, que se pá até ele mermo vai querer fumar um baseado!

— Taca fogo logo nessa porra então e foda-se. — Douglas tava doido pra carburar qualquer coisa. Murilo acabou concordando.

Sem pensar duas vezes, Biel foi atrás de um isqueiro. Mas no meio daquele monte de caixa, coisa entulhada, o que devia ser tranquilo virou missão impossível. Não demorou pra todo mundo se juntar na caçada. Abriam mochilas, olhavam no bolso da bermuda, embaixo dos móveis, enquanto o sofá aguardava no mesmo lugar.

— Ê doido! Vamo andar com isso aí, vamo? Tem outro frete mais tarde, desgraça — o Borracha gritou lá de baixo, com aquela voz aguda demais, que fazia qualquer esporro parecer engraçado. Murilo foi até a janela pra avisar que já tavam terminando de organizar as paradas.

— A boa é deixar pra fumar esse na casa nova, pô. A gente

nem sabe se a boca tá rolando lá. — Douglas voltou pra seu posto no carregamento do sofá.

— Vai lá tu agora, Biel. — Murilo sentou escorado na parede. Sentiu o calor maltratando.

Biel pegou no outro braço do sofá e voltou a novela. O pior de tudo era que eles insistiam sempre nas mesmas posições de antes, como se fosse possível vencer um sofá pelo cansaço.

— Já sei, porra! — Murilo se levantou num pulo. — Deita ele aí, com essa parte pra baixo. Não, porra, pra baixo. — A comunicação não fluía, então Murilo foi mostrar na prática.

— Ajuda ele ali, Biel. — Todos juntos, eles conseguiram deitar o sofá no chão. — Agora vamo levantar ele, mas já atravessando pela porta, pegou a visão?

E não é que o sofá começou a passar? Foi, foi, foi, até que travou o braço embaixo antes de passar inteiro pela porta.

Murilo ficou com tanta raiva que não quis saber de mais nada, largou logo um pesadão no sofá. O que ele não imaginava é que era isso mesmo que faltava: o móvel cedeu e passou mais um pouco pela porta. Mais três chutes bem dados e o problema tava resolvido. Faltava agora só descer o móvel pelos três andares do prédio, e então voltar pra buscar todo o resto da mudança.

Depois de entupir a caminhonete, chegou a hora de partir. O Coroa até apareceu na janela, só pra ter certeza de que não era um sonho. Murilo sentou na frente, enquanto os outros dois foram na caçamba, na intenção de não deixar nada tombar pelo caminho. Douglas levava suas paradas de tatuagem no colo, na atividade em qualquer solavanco.

— Vocês aí, se vê polícia, abaixa — o Borracha gritou do volante pra eles na caçamba. — Proibido agora, viu? Gente ali atrás, sabe não?

— Proibido o quê, Borracha? — Murilo perguntou meio que só por perguntar.

Ele já tava na maior viagem, pensando na casa que deixaram pra trás, no que podia acontecer dali pra frente. Mesmo sem sair da Rocinha, era uma grande mudança. Cada parte do morro tem seu próprio ritmo, e a maior parte dos amigos moravam na parte baixa, entre as travessas da Via Ápia, o Boiadeiro e o Valão. Lá pra cima, não conheciam quase ninguém pra passar a visão de como funcionava tudo.

— Polícia, cara. Amigo meu levou multa e o escambau um dia desse. Agora vê, só vinte cinco ano que eu trabalho com isso aqui, nunca deu problema, nunca. Agora fala, vai mudar pra quê? — Murilo só balançava a cabeça. — Tu viu que roubaram um mercadinho ali no Valão?

— Tô ligado. — Quase chegando na Curva do S, Murilo começou a pensar na ladeira da Cachopa. Aquela ladeira que já botou vários pra chorar: moto, carro, caminhão.

— Onde é que tava os polícia quando roubaram lá? É isso que eu queria saber. Só isso só e mais nada. Será que tava canetando os zotro? Garrando moto de trabalho de algum pai de família? Fala.

Murilo agora imaginava os três tendo que descer pra empurrar o carro naquele sol de meio-dia, com móvel, com tudo.

— Eu não tô falando aqui que eu sou a favor de vagabundo, boca de fumo, nada disso. Não sou a favor nem contra, morô? Pra mim tanto faz. Vinte cinco ano disso aqui, sempre foi desse jeito. Eles faz o deles, eu faço o meu, e ninguém se mete no serviço de ninguém, tendeu? É assim que é. Agora uma coisa eu te falo, antigamente, negócio de roubo assim, aqui no morro? Eu nunca vi. Quer dizer, pra que serve esses polícia, essas praga, porra? É só pra canetar o trabalhador, só?

Eles chegaram de frente pra ladeira. Ali de dentro do carro ela parecia ainda mais íngreme, impossível até. O Borracha começou a manobrar pra subir.

— E agora, Borracha?

— E agora o quê?

— Tu acha que sobe tranquilo?

Sem falar nada, o Borracha mudou a marcha e no talento foi com o pé no acelerador. A caminhonete ainda fez que foi mas não foi umas duas vezes, ficou rodando o pneu sem sair do lugar. Murilo olhava pra cima e parecia muito longe. Mas com paciência o Borracha foi se equilibrando nos pedais, mexendo naquela caixa de marcha, até conseguir engatar a subida, devagar e sempre.

— Rapá, eu tenho é vinte cinco ano disso aqui, vinte cinco. Tu acha que tem coisa aí, que tá pesado? Eu já levei foi coisa nessa vida, viu? Muita, muita coisa. De cima pra baixo, de um lado pro outro, esse morro inteiro; a Rocinha é um mundo. Muita viagem, garoto. Muita história.

Até aquele dia, só tinham pisado na casa nova uma vez, quando foram conhecer e acertar tudo na moral. Na lembrança, ela não parecia nem tão longe, mas foi só levantar a geladeira pra sentirem que ela também não era tão perto. Pior foi se ligar que todos os becos ficaram menores desde a última vez. Os fios de energia ficaram mais baixos, postes brotavam do nada e o fluxo de moradores era tão grande que engarrafava tudo atrás deles. Uma coisa não dava pra negar: a pessoa só conhece de verdade um lugar depois de passar algum perrengue nele. No fim da mudança, todos três sentiam que tavam muito bem apresentados ao novo setor.

Já tava escuro lá fora quando Murilo descarregou a última caixa. O corpo de geral moído, doía tudo: costas, braços e pernas. Pior é que ainda faltava botar tudo no lugar, não sem antes marcar um dez pra respirar. Os três amigos sentaram no chão, cada um no seu canto, derrotados e vitoriosos ao mesmo tempo. No fim das contas, tavam felizes com a casa nova. Só tinha um quarto, mas a sala era espaçosa e a cozinha maneira. Sem contar que tinha quase o mesmo tamanho da antiga casa no prédio do Coroa, só que pela metade do preço. Agora só precisavam se acostumar com a área, mapear quem é responsa ou vacilão, descobrir o melhor mercadinho, o bar com a cerveja mais gelada.

— E aquele baseado lá, qual vai ser? — Douglas se lembrou na hora certa.

— Puta que pariu, não compramo isqueiro.

— Como é que tu acendeu aquele cigarro lá no Larguinho, Biel?

— Pedi pro amigo ali fumando. Caixa de fósforo ainda.

— Bagulho é ir na rua, a gente vai precisar mermo dessa merda. Acho mais jogo lá do que tentar achar no meio disso aqui. — Murilo mostrava com as mãos a bagunça.

— Tu vai lá então? Te dou o dinheiro. — A essa altura, Biel já tava deitado no chão.

— Hã, bater um zerinho ou um, sei lá, maluco. Tirar na sorte.

— Qual é, neguim. Tem um amigo fumando ali fora. Vou acender meu cigarro com ele e volto com a brasa. — Douglas olhava pela porta meio aberta.

Não sem muita luta, ele conseguiu levantar e sair. Além do fumante, uma tia estendia roupa num varal de chão. Douglas cumprimenta simpático, já na intenção de ganhar a vizinhança. A tia responde com um sorriso antes de entrar.

— Qual é, bom. Empresta o isqueiro aí?

— Já é — Washington respondeu na mesma hora.

Rio, 30 de dezembro de 2011

Quarenta e cinco graus na sombra aquele dia. Dezembro é foda, o morro sempre parece que vai derreter — ou explodir. Também por isso, na volta da praia, Wesley quis marcar um dez no Larguinho. Tava abafado demais dentro de casa; ali no mínimo tomava um gelo, podia dar sorte de correr um vento. Era sua primeira folga depois de uma sequência pesada no trabalho e ele queria curtir um lazer.

Nessa época do ano é normal a rua cheia, sempre com o povo pra cima e pra baixo na intenção de ganhar ou gastar um dinheiro. É churrasco que rola em várias lajes, o som no talo, aquele pique de embraza. Antes da UPP invadir, o Larguinho era o centro do furdunço ali na Cachopa. Parada obrigatória pra quem tava na meta de fumar um baseado, ouvir e contar as histórias que correm no morro. Agora tá muito visado, e cada dia menos gente marca dali. Ninguém quer virar isca de bobeira.

— Passa a visão vocês. — Wesley estalou a latinha antes de sentar na escada onde tavam o Magrinho e o Da Madruga.

— Bota dois aí na intera. Da Madruga vai na missão, a gente torra esse ali da laje.

— Tô com maconha aqui, neguim. Peguei um pesinho do Colômbia. O amigo aí tem o contato dos playboy, deixou o pai forte! — Wesley puxou um maço de cigarros do bolso. Depois de pegar o seu, ofereceu pros amigos.

— Fala isso não, mano, bora fumar logo esse bagulho então. Tá com seda aí também?

— Qual é, menó. Tá com pressa? Bora tomar primeiro um gelo.

— Melhor forma é nem marcar com flagrante daqui não, neguim. Tá ligado que o setor tá babado. — Da Madruga achou melhor avisar.

— Ih, menó. História. Só uma cerveja só. Tu pega lá, Magrim? — Wesley entregou o dinheiro pro amigo. — Manda vim uma de seiscentos e três copos lá.

Magrinho já tava quase chegando no Bar do Bá, quando virou pra perguntar:

— Brahma ou Antarctica?

— Tu tá ligado que eu só bebo Brahma, né? — Wesley apontava pra latinha na mão.

— Essa lua hoje tá foda, só uma cerveja mermo. — Da Madruga tentava mostrar que tava tranquilo, mas qualquer um ali podia ver que tava na atividade dobrada, só na contenção de quem brotava de um lado ou de outro. Magrinho voltou com a cerveja.

— Qual foi, neguim. Gelada só Itaipava.

— Calor desse qualquer uma vai. Estala aí. — Wesley terminou a latinha num gole, antes de encher o copo.

— Porra, neguim, fala não. Lá em casa esses dia aconteceu um bagulho doidão, mané. O chuveiro queimou ao contrário.

— Tá maluco, Magrinho. Que porra é essa?

— Hã, bagulho quebrou ao contrário, pô. Tá ligado não? Agora só funciona água quente aquela porra. Hã, tá rindo tu? Tô te passando a visão correta. É vários dias já que não dá pra tomar um banho gelado. Eu juro pra tu, três da manhã, tu abre o chuveiro, a água tá como, quente pra caralho. Fala. Esse sol tá machucano a caixa-d'água, neguim. Tá machucano bonito.

— No ruim, no ruim, pelo menos tem água. Eu fiquei três dia direto tomando banho lá na biquinha da Vila Verde!

Meia dúzia de cervejas depois, eles ficaram até mais tranquilos em relação aos vermes. Nessa altura do campeonato, quem tirou plantão devia tá na fissura de levantar uma verba; Natal e Ano-Novo a polícia sempre se emociona. Pra isso, era muito mais jogo eles montar uma blitz na principal e agarrar um qualquer de quem tá no erro, ou então meter a cara pra ganhar uma boca, negociar um arrego. Qualquer esquema era melhor do que correr atrás de viciado, maconheiro na rua. Não tinha mais jeito, naquela noite eles não brotavam no Larguinho. Eles tiveram a certeza. Então podia descer mais, mais dez, que tava mó paz.

Aos poucos chegou mais gente. Biel tava passando de rolé, quando viu Wesley decidiu ficar. Vizinho de porta há duas semanas, os moleques parecem se conhecer de muito mais tempo. A maconha junta as pessoas. Já nos primeiro dia, quando Washington e Douglas se apresentaram, fumaram juntos um baseado. Eles contaram a história do Coroa e o perrengue da mudança. Depois disso, Wesley foi apresentado à rapaziada e o bonde ficou formado. Mesmo com a correria no final de ano, conseguiram gastar uma onda no prédio. Nas sessões de PlayStation 2 e maconha, davam os primeiros passos pra construir o laço. Mais algumas garrafas de cerveja, e foi a vez de Murilo se juntar ao grupo.

— Coé, menó bom, cês não tá ligado mermo não, né? Como é que era o ritmo. Porra, antigamente isso aqui tava como, fala pra eles, Da Madruga, lotado, paizão. Era vários baseado mermo, do nada o menó ia lá, pegava a televisão, outro amigo já vinha com o Play, hã, esquece. Já metia o Bomba Patch aqui da rua mermo, ficava como, gostosim. Isso pra não falar do pagode, toda quarta lá na quadra. Cerveja arregada, música ao vivo, várias novinha. Porra, fala tu. Tempo bom que não volta, pô. Cachopão era o luxo, sem neurose. Área VIP do morrão — Wesley contava pros novos vizinhos, enquanto os amigos iam só na confirmação.

Tava geral já na onda, mas não teve um que se esqueceu daquele baseado. O prometido, aquele Colômbia. O verme, a braba, a forte. Quando Wesley explanou que Biel é que tinha o contato dos playboys, geral quis saber quanto é que tava, o que tava rolando. Ninguém aguentava mais fumar o chá de burro que chamavam de maconha da Rocinha. Biel considerou que ele mesmo podia fazer uma grana passando ali na área, mas batia neurose de ser pego fazendo boca clandestina. Depois de especular tudo o possível sobre a erva, eles subiram de bonde na laje. Lá embaixo tudo brilhava.

— Hã, tinha que ver, menó, mó terrozinho do caralho. Os cana já chegou como, fuzil na cara, mão na parede e pá e tal, a gente ficou, porra, baqueado, fala tu; só naquela de calma, meu senhor, geral aqui é trabalhador e coisa e tal. Tranquilo. Tava eu, mais o Cabelim, o Lesk e o Dodô, se não me engano. Aí, pega visão, tinha nem flagrante mermo, tá ligado? Eu tava crente crente que eles ia botar logo geral pra ralar. Hã, porra nenhuma. Os cara tonteou, mas tonteou bonito. Papo deles era de saber onde é que tava a boca. Fala tu, eles acha que é assim, que X9 nasce em árvore nessa porra. Hã, num fode. Ficou geral como, meu senhor, eu só sei que nada sei, se ligou? Pra quê, neguim. Aí que eles choqueou mermo, falou que, se ninguém desse o bagulho, ia geral pra delegacia e pá, que tinha um quilo de farinha no Logan só no aguarde de qualquer neguim pra assumir a bronca, fala. Eu fiquei bolado, tá ligado como é que é eles. Mas aí, maluco, porra, tinha que ver, aconteceu um bagulho engraçadão, papo reto: os cana queria saber o nome de geral, que ia puxar na ficha, que não sei o quê, tranquilo. Menó, quando falei meu nome, porra, tu tinha que tá aqui pra ver; geral me olhou com mó carão assim, entendendo nada. Depois foi o Cabelim que falou o nome dele: Luciano. Aí o Lesk, que é Alex, tá ligado? E o Dodô, que eu acho que é Jaílson, ou Jeimerson, um bagulho desse. Mas fala tu, mó graça, né não? Desde menó geral se conhece, mas ninguém sabia o nome de ninguém, só o vulgo mermo. — Magrinho começou a rir e a tossir ao mesmo tempo.

— Qual foi, neguim. Tossiu, rolou!

— Ele tá achano que é microfone, ele.

Dona Marli passou lá embaixo. Com seu jeito apressado de andar, cruzava o Larguinho a caminho de casa. No susto, Wesley quase deu um grito pra avisar que tava por ali, mas segurou a tempo. A coroa ficava bolada com os filhos fumando na rua.

— Qual foi, Da Madruga, teu pai tem aquele compensado ainda?

Não tinha como Biel nem Murilo adivinharem o que Wesley queria com a pergunta, mas qualquer um dos crias ali, só de ouvir, já se ligava na intenção.

— Ih, né ele não, é? Tu quer meter o pingue-pongue ali na bronca? — Magrinho ficou animado.

— Pô, mano. Vou te falar legal, eu acho que o meu coroa vai bater neurose. Tá ligado? Ele mermo direto fala que não pra eu marcar ali do Larguinho.

— Qual foi, Da Madruga. Fala pro Joel que é pra mim, pô. — Wesley pegou o copo de cerveja, mas não tinha nem mais um gole. — Pode falar mermo. Tá ligado que o coroa se amarra na minha.

— Hã, eu tô com raquete lá ainda, hein! — Magrinho se levantou na pilha.

Eles partiram na missão. Da Madruga foi resgatar o compensado, Magrinho as raquetes, enquanto Wesley e os outros foram atrás do Cabelinho pra desenrolar os cavaletes. Isso foi papo de meia hora no relógio pra deixar tudo no esquema. Outro amigo somou com uma perna de três e assim já garantiram também a rede.

Como todo mundo ajudou pra fluir a ideia, na hora de começar é lógico que deu caô. Ninguém queria ficar de outra, muito menos na outra da outra. Mas nada que não desse pra ser resolvido na igualdade, zerinho ou um e par ou ímpar.

No final, Wesley e Da Madruga ganharam na sorte o direito de começar o jogo. Foi engraçado; só na hora que se arrumaram frente a frente na mesa, é que geral percebeu que faltava a bolinha.

— Porra, não acredito!

— Vai lá no Venâncio que tem!

Mas o Venâncio tava fechado e mais ninguém ali na área vendia. Na roda ainda surgiu a ideia de pegar em algum desodorante, mas não foi muito pra frente. A bola do roll-on é pesadona e deixa o jogo muito lento.

— Foda-se, eu vou descer pra resolver essa meta.

Wesley saiu carregando Biel de companhia. Desde a primeira cerveja, ele já tava na intenção de dar um belengo, mas não queria se explanar. Nenhum dos moleques ali da área tava ligado que ele aprendeu a curtir dar uns tecos.

Os dois foram até o Valão e rabiscaram algumas linhas. Depois foram atrás de achar uma bola. Quando voltaram, ficaram de bobeira com o tamanho do bloco que aguardava pelo começo do jogo, parecia o milagre da multiplicação. Eles deixaram cinco amigos no aguarde, quando chegaram bateram de frente com mais de vinte. E foi nesse clima de estádio lotado que Wesley e Da Madruga começaram a primeira partida daquela noite.

*

Como já era normal, Washington tava doido pra chegar em casa, pagar um banho, ficar tranquilo. O trabalho tava moendo bonito naquele fim de ano, quase nem sobrava tempo pra gastar o dinheiro. Ele vinha pensando essa parada na garupa da moto, quando avistou o bonde todo no Larguinho. Na hora, só conseguiu pensar em tragédia; que morreu ou que mataram alguém. A sensação não vinha de bobeira; uns dois dias antes, viu uns caras do Bope passeando pelo morro com umas pás nas costas. Pra quem via a cena, não sobrava dúvida: quem rodasse na mão daqueles ali, nem estatística virava.

— Era só tu que faltava mermo, relíquia! — A chegada de Washington animou a roda. Todo mundo ali tava ligado que ele era um dos mais sinistros com a raquete na mão.

Washington pagou o mototáxi e se virou pra rapaziada. Não sabia o que fazer. Parecia natural marcar dali com todo mundo; fumar, beber, jogar. Mas, por outro lado, a vontade de ganhar o beco pra casa era grande. Desde que começou a pegar firme no trabalho, ele marca cada vez menos da rua. Quando pega uma folga, prefere ficar entocado, fumando um baseado de casa, ou então partir num rolézim com Gleyce, com os caras do serviço. Naquela hora, com o Larguinho lotado que nem antigamente, Washington percebeu que se afastava cada vez mais de seus amigos de sempre.

— Último da vez aí é quem? — Ele tomou a decisão.

— Hã, é sempre quem pergunta, neguim!

Washington cumprimentou todo mundo por alto e parou do lado de Wesley. Pegou um copo de cerveja, acendeu um cigarro, ficou de olho no jogo. Ia demorar até chegar sua vez. Quanto mais tem pra jogar a outra, maior o desafio de rodar a mesa, e mais gente pra assistir. Ele começou a sentir a adrenalina da disputa; sempre gostou de competir.

— Qual é, menó. Bora fumar esse ali de cima? — Wesley mostrou o baseado apertado.

Eles ganharam pra laje. Wesley acendeu o beque, enquanto Biel já trabalhava em outro. O ritmo tava acelerado e Washington bateu neurose de perder a linha. Por causa do trabalho, tem fumado muito menos. Se antes o ritmo era de cinco, seis, dez baseados por dia, agora, trabalhando vários dias por semana, com um domingo no mês, ele fuma dois, três baseados no máximo. O resultado é que a cada dia fica mais chapado com menos maconha.

— Quando eu te vi ali, achei até que tu ia subir direto, mano. Tu só quer saber de trabalho agora.

— Tá foda, mano. Acho que minha fase de moleque já passou.

Na realidade, Washington não tava nem um pouco feliz com a falta de tempo pra curtir um lazer. Ele sentia que, aos poucos, o trabalho ia consumindo toda a sua vida, até mesmo quando tava de folga, porque só pensava em descansar pro outro dia. Ao mesmo tempo, não pensa de jeito nenhum em largar o emprego. Além dos benefícios, a carteira assinada garante alguma segurança. Toda vez que é parado pelos canas, Washington sente que eles ficam mais tranquilos quando veem o documento.

— Isso quando não tá com aquela novinha lá, qual é o nome dela mermo?

— Gleyce.

— Isso. Tu tá comendo essa mina, por acaso?

— Caralho, corta logo a cerveja dele que já tá falando merda. — Washington se levantou com o baseado. Ficou de olho no movimento da rua. — E o Douglas, cadê?

— Tá de casa, mané. Vai fazer uma tattoo aí essa semana, tá desenhando direto — Biel respondeu do outro lado da laje.

Wesley se aproximou de Washington, já arrependido das

paradas que falou. Ele às vezes ficava bolado com o irmão, que só porque arrumou um trabalho fixo é o único que tem responsabilidades. Do jeito que Washington falava, parecia que Wesley ficava o dia todo na rua, ou curtindo praia, quando, na real, passou o mês inteiro internado na casa de festas, ouvindo sem parar os CDs da Galinha Pintadinha. Nem nas aulas práticas da autoescola, o momento que mais aguardou depois daquele monte de aula teórica, ele tem conseguido ir por conta das festas. Mas Wesley não tá a fim de discutir nada disso. Era final de ano, tava com dinheiro, com saúde, a melhor forma era ficar tranquilo. Ele acendeu um cigarro ao lado do irmão, e os dois ficaram de olho no jogo lá no Larguinho. Wesley então contou a missão inteira pra montar aquilo. A bolinha no final, o rolé até o Boiadeiro, a loucura de ver o Larguinho tampado de gente de novo.

— Tu lembra quando a gente jogava com azulejo? — Washington puxou o fundamento.

— Porra, lógico.

— Coé, mano, eu lembro até hoje daquele barulho. Da bolinha pegando no azulejo. TAC, TAC, TAC. Tinha dia que eu ouvia tanto aquilo, que chegava sonhar com aquela porra, eu juro pra tu, tô dormindo, do nada vinha TAC, TAC, TAC. Lá dentro da mente!

— Eu tava lembrando da gente lá no Sítio dos Macacos. Porra, aquilo era lazer. Calor assim, já partia o bonde todo, ficar lá da cachoeira e pá, fala tu. Bagulho era muito bom. Bom demais. Pique-esconde no meio da mata! Tu lembra?!

— E aquela vez que a gente roubou as fruta, os biscoito, tudo lá da macumba?

— Mó fome aquele dia, fala! Começando a fumar maconha, larica monstra!

O jogo lá embaixo ficava cada vez mais barulhento, com a torcida reagindo aos lances com gritos e todo mundo zoando todo mundo. Tava na hora de descer. Quando chegaram, deu pra sentir pelo cheiro que a rapaziada já tinha desapegado da ideia de sair do Larguinho pra fumar um baseado. Outra novidade era a caixinha de som, que tocava no último volume:

Firmeza total, mais um ano se passando
Graças a Deus a gente tá com saúde aí, morô?
Muita coletividade na quebrada, dinheiro no bolso
Sem miséria, e é nós
Vamo brindar o dia de hoje
Que o amanhã só pertence a Deus, a vida é loka

E então a maioria da rapaziada começou a cantar junto:

Xô falar pro'cê
Tudo, tudo, tudo vai, tudo é fase, irmão
Logo mais vamo arrebentar no mundão
De cordão de elite, dezoito quilates
Põe no pulso logo um Breitling
Que tal? Tá bom?
De lupa Bausch & Lomb, bombeta branco e vinho
Champanhe para o ar, que é pra abrir nossos caminhos
Pobre é o diabo, eu odeio ostentação
Pode rir, ri, mas não desacredita não...

Washington acompanhava o coro, já no brilho da cerveja, na onda da maconha, sentia o corpo leve e a felicidade de curtir um lazer na rua.

Rio, 8 de janeiro de 2012

Douglas acordou num pulo e quase caiu da cama. Depois de fritar várias horas naquele colchão, rolando de um lado pro outro, ele nem se lembrava mais como foi que pegou no sono. No quarto ainda escuro, Biel dormia na maior paz. Já deviam ser que horas? Murilo se arrumava pro trabalho quando viu o amigo brotar na sala.

— Qual foi, maluco?

— Perdi o sono — Douglas respondeu antes de se jogar no sofá.

Sentia o corpo cansado, resultado de dormir pouco e mal, mas não podia imaginar que fosse tão cedo. Pra ver se ajudava a voltar a dormir, ele pegou uma ponta que tava de bobeira num cinzeiro por ali e tacou fogo.

— Porra, neguim. Se eu pudesse hoje, gosto nem de pensar. Dormia até meio-dia e foda-se! — Murilo mandou com a indignação de quem não podia escolher.

Sem muita disposição pra continuar o papo, Douglas deu os últimos puxões na ponta até quase queimar os dedos. Na sequência deitou de uma vez no sofá. Fechou os olhos, ficou ouvindo o barulho que Murilo fazia pela casa, a cabeça já martelava de novo, sem parar um segundo. O coração acelerava de um jeito que parecia limitar o ar disponível.

— Agora papo reto, neguim. Quando é que eu vou mandar uma tattoo ni tu?

Direto Murilo fugia desse papo. Dava qualquer desculpa que envolvia o quartel, ou então dizia que ainda tava pensando legal no desenho. Dessa vez preferiu adotar a tática do silêncio. Só continuou calçando o tênis.

— Eu tô ligado na tua, mano. Tu acha que eu não tô preparado pra essa responsa ainda. Pode falar, irmão. Eu só queria que tu me desse o papo reto.

Murilo se levantou da cadeira já arrumado, meteu a mochila nas costas, acendeu um cigarro.

— Coé, deixa eu ir lá que já vai dar seis hora, chegar atrasado tô fodido.

Douglas ficou sozinho com as suas neuroses. Ele não podia imaginar que a fama de que mexia com uns bagulhos de tatuagem ia se alastrar tão rápido pela Cachopa. É claro que a amizade com Washington e Wesley ajudou e muito pra que fosse conhecido. É sempre bom chegar num lugar e fechar logo com os crias. Ainda assim, era impressionante a quantidade de gente disposta a entregar a própria pele nas mãos de um iniciante. As cobaias não paravam de chegar.

Era tanta gente, que mesmo sem experiência Douglas foi obrigado a cobrar uma ajuda de custo de trinta reais pra não ficar no prejuízo. Pra cada sessão ia precisar de novas agulhas e biqueiras, além do papel-toalha, do plástico filme, das luvas de material cirúrgico. Deu a lógica; foi só falar em dinheiro que a maioria dos voluntários sumiu pra nunca mais voltar. Mesmo assim, Douglas começava aquele ano com a agenda cheia: até o fim de janeiro marcou quatro trabalhos, um pra cada domingo no mês.

Mas o primeiro domingo chegou rápido demais, e o que antes era só alegria, agora fazia seu corpo todo tremer e o coração bater acelerado. Tudo que planejava começa a acontecer, o problema é que, pra aprender qualquer parada, é impossível escapar do erro.

— Fala tu, DG. Praiana hoje? — Biel brotou na sala, com a maior cara de sono. Já ia dar onze horas da manhã.

Douglas olhou com atenção a tatuagem no ombro do amigo. Depois de retocar, nem dava mais pra ver que algumas letras ficaram tremidas.

— Cabelim vem aí hoje, vou mandar aquela tattoo nele.

Douglas aproveitou pra levantar. Tava pregado naquele sofá já fazia algumas horas. Ele foi direto no quarto, pegou sua pasta, o estojo, voltou e espalhou tudo pela mesa da sala.

— Caralho! Ele vai meter a cruz de Malta mermo? — Biel olhava pros desenhos nas folhas A4 e parecia surpreso demais pra alguém que também torcia pelo Vasco.

— Pra tu ver, neguim. Essa Copa do Brasil deixou vários emocionados. — Douglas organizava as muitas folhas lado a lado, quase não dava pra notar a diferença entre as várias cruzes vermelhas.

— Pelo menos é tranquilão, fala tu. Só umas linhazinha e pá.

Douglas queria explicar como não existe só uma linhazinha quando o assunto é tatuagem. Até porque não dá pra usar régua, e cada corpo é de um jeito, mais duro, mais flácido, mais torto. Qualquer linhazinha é um risco pra vida toda, mas entrar nesse assunto, falar do medo que sentia, da neurose, era alimentar ainda mais a insegurança.

— Vai ser de boa mermo. Bagulho rápido até.

Depois que Biel meteu o pé, Douglas foi atrás de beliscar

alguma coisa antes do amigo chegar. Aquele frio na barriga era um bagulho doido, tirava até a fome. Pra não perder muito tempo, ele divulgou um Miojo de galinha caipira com ovo cozido e comeu sem nem sentir o gosto.

Não demorou muito pro Cabelinho brotar no setor. Já chegou falando pra caralho, dixavando maconha, daquele jeito dele. Douglas ficou até bolado com tanta animação. Como é que esse maluco vai sair hoje daqui?, ele não conseguia parar de pensar.

Cabelinho se chegou na mesa pra palmear os desenhos. Achava um mais brabo que o outro, elogiava o traço de Douglas, os detalhes de cada um. Sem dar muita bola pros elogios, Douglas começou a organizar a bancada: cobriu todo o espaço reservado com plástico filme, depois espalhou por ali as duas biqueiras, uma pra agulha que traça, outra pra agulha que pinta. Tudo descartável, lacrado, pra ser aberto na frente do cliente. Então foi a vez das tintas. Ele separou o preto fosco e o vermelho, colocou dois potinhos do lado. Pra terminar, ajeitou o lugar pra caber um borrifador com água e sabão e um pacote de papel-toalha. Cabelinho acompanhava o processo em silêncio, enquanto terminava de apertar o baseado.

— Tu já raspou a perna?

Cabelinho fez que sim com a cabeça.

Essa foi a primeira vez que Douglas ficou meio bolado quando sentiu o cheiro de maconha empestear a casa inteira. Tava decidido a não fumar até terminar o serviço. Cabelinho deu mais umas tragadas antes de começar a tossir e passar a bola. Era um baseado ignorante, enrolado de uma volta só com a smoking azul. Douglas pegou o beque, não por vontade de fumar mas pelo medo de explanar que tava todo se tremendo por dentro.

— Coé, neguim, tem certeza que tu vai querer esse bagulho mermo? Cruz de Malta? Visão, mano, eu fui puxar o fundamento aí dessa parada, os cara botava isso era na bandeira dos navio, tá ligado? Os português? Então, esses filho da puta aí mermo. Os maluco chega aqui, mata índio pra caralho, faz neguim de escravo, a porra toda, depois fica forte e sai saindo. E a gente como? Fica na merda até hoje. Pra mim, o papo é esse: tu mandar essa parada aí é que nem daqui vários anos um neguim cria aqui no morro inventar de fazer a porra de uma faca na caveira, pegou a visão?

Cabelinho caiu na gargalhada.

— Sai daí, neguim. Tá nessa? Flamengo era mó time de playboy do caralho, agora quer tirar onda de favela. Puxa o fundamento lá então, mano. Vê lá qual foi o time que deixou os preto entrar no jogo. Se liga, rapá. Cruz de Malta é o Gigante da Colina, respeita nossa história.

Sem mais nenhum argumento pra fazer o amigo mudar de ideia, Douglas sentou na mesa e começou a passar o desenho pro papel-carbono. Depois meteu as luvas, grudou a cruz de Malta na batata da perna do Cabelinho, começou a regular a máquina.

— Agora é só passar por cima, fala tu.

Douglas decidiu começar com o vermelho. Primeiro traçava a linha geral, depois pintava tudo. Só no final vinha com preto pra lançar o contorno. Era até difícil acreditar que um sonho pudesse ser tão assustador.

Eles ouviram dois tiros soarem bem perto do prédio. Na hora, Douglas até desligou a máquina, e a casa ficou suspensa naquele silêncio, no aguarde pelos próximos disparos. Depois de algum tempo, como a situação não evoluiu, Douglas voltou ao trabalho.

— Isso foi pistola. — Cabelinho falou cheio de certeza.

— Tá ligado como tá o clima aí na área?

— Quando eu passei na boca ali tava mó paz — Cabelinho comentou com uma cara de sofrimento.

Douglas pegou a visão e começou a pensar se não tava enfiando demais a agulha na pele do amigo. Esse limite era a parte mais complicada de todo o processo.

— E tu já tinha amigo aqui na Roça, antes de se mudar? — continuou Cabelinho.

— Coé, Cabelim, sou cria. O outro neguim aí que é lá da Cruzada, nasceu lá… O Murilo também, mora aqui no morro desde menó, mas nasceu lá na Zona Oeste, agora a mãe dele até voltou praqueles lado. Eu nasci lá no Valão, pô. Mas já morei em várias parte do morro. Raiz, Rua 2, Via Ápia… Sempre de aluguel mermo, é aquele pique. — Douglas fazia umas pausas toda vez que ia falar e via a expressão de alívio no rosto de Cabelinho.

— Papo reto. Também vim novim, lá de Nova Iguaçu, mas me considero cria daqui mano, eu nem lembro de nada como é que era lá.

— Aqui é bom, neguim. Rocinha é o mundo.

Depois de uma hora eles fizeram um intervalo. Faltava só passar o preto. Com a perna inchada e a pele avermelhada, era difícil prever o resultado final. Cabelinho aproveitou a pausa pra divulgar mais um beque, tão grande quanto o anterior. Douglas olhava pro desenho que tomava forma na perna e tentava acreditar que no final ia dar tudo certo.

— Te mandar o papo, bagulho dói mermo. Quem falar que não, tá mentindo. Mas papo reto, prefiro tá aqui do que lá no meu setor. Tá ossada. Te falei esse bagulho? Minha irmã tá grávida, quase parino, pegou a visão? Aí tranquilo, foi passar uns dia lá em casa e pá, pra gente dar uma força, aquelas coisa. Hã, porra, tem que ver, mané. Tudo ela pede pra mim. Se quer um copo d'água, é Luciano, se tá com fome, é Luciano. Qual é, neguim. Às vezes ela me chama pra trocar de canal pra ela na televisão, que o dedo tá inchado, tá ligado? Porra, uma semana já nisso. Aí tranquilo, né, família. Tem que dar essa moral mermo, mas pega visão: outro dia, a gente voltando do exame lá, quando pegamo o beco ali pra subir, ela olha pro chão e fala: Ih, vinte real!, se abaixa e pega. Porra, eu fiquei como, boladão, neguim, porra. Mandei pra ela: qual foi, por que tu não me chamou pra pegar, caralho?

Douglas riu sem muita empolgação, porque na verdade nem prestou atenção em nada. Naquela hora, ele olhava pro desenho, pra perna inchada, imaginava a tinta preta rasgando a pele pra fechar o que faltava. Olhava ainda mais longe, na repercussão da tatuagem na área, com todo mundo reconhecendo que o traço ficou preciso e que as linhas ficaram retas.

— E aí, tá achando maneira a tatuagem?

Cabelinho deu mais uma olhada na perna.

— Eu confio ni tu, neguim.

Rio, 13 de fevereiro de 2012

Biel sempre ficou de bobeira com aqueles armários embutidos. Madeira boa, eterna. Muito diferente daqueles compensados dos armários das Casas Bahia, que na primeira mudança já fica impossível de montar de novo. Enquanto olhava pro quarto, ele viajava nesse bagulho, tanto que nem se ligou que Marcelinho já tinha narigado e agora estendia o prato e o canudo na sua direção.

— Foi isso aí, mano. O contato mandou de avião, tá ligado? Eu fui eu mermo lá pra resgatar. Fala tu, tá o green ou não tá?

Já era a terceira vez que Marcelinho repetia esse papo, mordendo as orelhas. Mas dessa vez pelo menos abriu a mala pra revelar a carga. Na moral, devia ter pelo menos uns oito quilos do solto. O cheiro subiu empesteando todo o quarto.

— E tu não bateu neurose, irmão? Porra, tá maluco, rodar com essa bronca aí é foda.

Biel tava ligado que, quanto mais homenagem rendesse pra aquela história, maior a chance de conseguir um desconto maneiro na erva. Conhece muito bem seus fornecedores, o prazer que eles sentem quando falam dos riscos que correm.

— Coé, leq, tinha polícia pra caralho, os guardinha de aeroporto, tava tudo tampado. Eu só de lembrar fico todo arrepiado, eu. Mas não tem jeito, irmão. Se não botar a cara, o dinheiro não entra.

Nessa hora alguém bateu na porta.

— Que é? — Marcelinho perguntou sem muita paciência.

— É Ivone. Sua mãe pediu pra trazer um lanche. Tá preocupada ela que você hoje não almoçou.

Eles disfarçaram como dava os flagrantes antes de abrir a porta. Uma senhora de cabelos brancos, metida num uniforme de empregada doméstica, entrou com uma bandeja. Bagulho arregado: bolo, pão de fôrma, geleia, queijo e uma jarra com suco de laranja. Biel chegou até ficar bolado que tava na onda do pó, se tivessem fumando um, ia machucar aquela merenda.

— Correria é isso aí, meu parceiro. Só chega no topo quem aposta alto. — Marcelinho se serviu com o suco de laranja.

Antes de Ivone deixar o quarto, Biel percebeu que alguma coisa no jeito que ela prendia o cabelo fazia lembrar sua própria mãe.

— Aí, tu vai passar no quanto pros amigo?

Com aquela iguaria, Biel tava ligado que podia pedir até trinta na grama, que não ia faltar gente pra pagar. Se fechasse na casa dos treze, quinze no máximo, podia se levantar bonito.

— Pra tu que é parceiro, eu consigo fazer no vinte.

Marcelinho devia tá cheio de gente atrás dele, em fevereiro a playboyzada toda quer virar traficante. Arrumar umas histórias pra contar do Carnaval, tirar uma onda com as meninas. Não ia ser tão fácil pra baixar o valor.

— É isso, irmão. Pode crer. Tem muito o que chorar não, ainda mais depois do perrengue que foi pra pegar essa carga. Na moral, tem que ser peitudo mermo.

Pancadão daquele jeito, o comentário de Biel era uma verdadeira massagem. Ele aproveitou pra contar a história toda de novo, detalhe por detalhe. Falou do desenrolo com o matuto lá da Bahia, um cara quente, alta patente da Aeronáutica. Falou da ida, da volta, do táxi, da roupa. Cada momento ele valorizava, falava da coragem que precisou.

— É por isso que os cara aqui não vai pra frente, bróder. Não tem essa visão, não corre atrás, se ligou? Eles, mermo com dinheiro pra investir, fica acomodado sempre nos mermo contato. — Biel seguia dando corda.

— É isso que eu falo, porra. Os moleque não avança. Fica nessa de um metrinho aqui, um metrinho ali. E ainda acha que isso é o crime. Leq, eu fui atrás desse bagulho, sozinho, botei a cara, mas agora vou estourar a boa mermo, quero nem saber. Coé, cara, se eu te falar quanto que eu paguei na G, tu nem acredita.

— Pegou no quanto? Pode falar que eu não explano pra ninguém. — Enfim o papo chegou aonde Biel queria. Sabendo o preço de custo, era mais tranquilo pra desenrolar.

— Seis pila. Fala tu! Porra, isso que é fazer dinheiro. — No embalo, Marcelinho bateu mais quatro linhas no prato.

— Na quantidade maneira tu consegue fazer no precim não? — Biel perguntou depois de cheirar sua parte.

— Coé, leq, isso aqui é manga-rosa original. É relíquia. Até no quarenta tu consegue vender aí na pista. — Pra confirmar, pegou um dos camarões e apontou pra resina. — Porra, sente o cheiro disso aqui.

— Qual foi, Marcelim, melhor que ninguém tu sabe como é que é o corre. Tem muita gente pra vender droga, brou. Se eu pedir mais que o preço da pista, eu fico de bigode.

Biel tava ligado que, depois de explanar o preço, chegava até ser marola pedir vinte conto. Os dois sabiam que o valor ia baixar, e era isso que deixava Biel bolado. Sempre precisava daquele teatro, daquele papinho gostoso do caralho.

— Ó, pra tu que é um moleque bom, dá pra fazer assim: se tu levar meio metro, consigo fazer no quinze.

Era pegar ou largar, Biel sentiu na hora. Com aquela carga ele dobrava o dinheiro, ficava forte. O foda é que não tava na condição de fazer uma compra tão grande; desde que a UPP chegou, ele ficou no sapatinho, evitando o máximo levar muita quantidade pra dentro de casa. Acabou no prejuízo logo na melhor época do ano pra ganhar dinheiro.

— No quinze tá o bicho. Só que eu tava na meta de levar hoje só duzentas mermo.

— Aí tu me quebra, leq. Tu sabe que não falta gente aí pra pagar o preço, né. — Marcelinho chegou a fechar a mala.

— Tô fodido, Marcelim. Vários bagulho aí essa virada de ano. Fiquei devagarzão. Papo reto, tô com três perna aqui. Se for jogo pra tu, me passa então esse meio metro, eu deixo esse dinheiro contigo. Daqui uma semana, no máximo, a gente acerta tudo.

Naquela hora, Biel teve uma ideia estranha: e se tentasse passar aquela erva pros vagabundos? A maioria dos caras quentes na boca tava fumando maconha de fora, várias vezes até de alemão, se conseguisse passar ali no morro, podia levantar de uma vez a parte que faltava.

Marcelinho voltou a abrir a mala. Às vezes ele fazia as paradas como quem pensa que tá na merda de um filme, ou coisa parecida. Depois pegou a balança de precisão embaixo da cama e começou a pesar os camarões.

— Nesse esquema aí vou te fazer no dezessete.

Continuou com os trabalhos. Quando batia cem gramas, ele metia num zip lock. Biel olhava o volume da erva e só conseguia pensar como é que ia entrar na Rocinha com aquilo. Se fica garrado, não tem desenrolo, vai direto pro Bangu 1.

— Valeu, Marcelim. Tu só fortalece.

Biel guardou a erva na mochila. Já sabendo que o aroma tava indo longe. Não precisou nem sair do apartamento pra já começar a se tremer todinho. Mas na fé em Deus ia passar batido, botar pra frente aquela ideia da boca, vender o resto na pista, voltar pras vacas gordas.

— Antes de tu ralar, deixa eu te mostrar uma parada. Brinquedo novo.

Marcelinho foi até o armário embutido, abriu as portas. Chegava dar raiva aquele monte de roupa, tudo de marca, tudo original. Separado por cor, ainda por cima. Biel não conseguiu deixar de imaginar a empregada arrumando todas aquelas roupas. Enquanto isso, Marcelinho se pendurava pra alcançar uma caixa de sapato lá em cima. Nike. Marcelinho tinha um sorriso de criança na hora que abriu a caixa pra revelar seu conteúdo: uma Glock, nove milímetros, prateada. Chegava brilhar.

Rio, 3 de março de 2012

Tudo começou quando Murilo viu no Facebook uma foto da irmã na faculdade. Na publicação, Monique falava sobre a importância daquele momento: a primeira pessoa da família aprovada numa universidade pública. Então contava dos avós, do esforço da mãe em criar dois filhos, no perrengue que foi estudar sem largar o emprego. Na hora, Murilo ficou comovido com o depoimento da irmã, mas quando foi lá pra deixar seu comentário — mais um entre tantos outros —, ficou bolado. Custava mandar uma mensagem pra avisar, dar um toque no celular? Acabou que nem curtiu, nem mandou mensagem, nem nada.

Agora, no caminho do Valão até a Rua 2, Murilo tenta se lembrar qual é o beco que precisa pegar pra dar na casa dela. Desde que a irmã se mudou pra lá, ele só foi visitar uma vez. Os dois se encontraram ainda na Via Ápia e ele subiu sem prestar muita atenção no caminho.

Como é que ficaram tão distantes, tendo saído do mesmo lugar? Essa parada é que não sai da cabeça de Murilo, desde o momento em que descobriu sobre a faculdade. Ele se lembra deles menorzinhos, quando moravam ainda na travessa Roma; do jeito que Monique o defendia de toda a rua.

— Tem que ter dois piru pra bater no meu irmão! — ela gritava pra desespero de Murilo, que já tava ligado na gastação que vinha mais tarde.

Quando Monique chegou na adolescência, brotou um novo problema. Todo mundo começou a chamar Murilo de cunhado. Se fosse só isso tava bom, dava até pra aguentar. Mas o pior é que os moleques gostavam de falar que faziam e aconteciam com a sua irmã. Falar que comeu de quatro, botou pra mamar, essas paradas. E aí não tinha outro jeito: cinco minutinhos na mão é liberado em qualquer comunidade.

Apesar de todo esse caô, dentro de casa sempre foram fechamento. Encobriam as merdas um do outro, se ajudavam a fazer comida, morriam de rir com os mesmos filmes e desenhos na televisão. De repente, Murilo dá de cara com um boteco na saída de um beco e tem a impressão de que a irmã parou ali pra pegar um refri naquele dia que foi visitá-la, mas não tem certeza e continua a caminhada de olho em qualquer pista.

A amizade com Douglas, o caos na casa depois da saída da mãe e o fato de Monique ter saído brigada pra morar com uma amiga indicavam que eles começaram a se afastar nessa época, mas puxando o fundamento na memória, parece que foi antes. Desde a época em que se alistou no Exército. Murilo se lembra que a irmã sempre foi contra. Ao contrário do resto da família, que acreditava mesmo que era uma boa oportunidade pra fazer um dinheiro, aprender a virar homem, quem sabe até seguir uma carreira, Monique tonteava pra ele terminar o ensino médio. Só faltava o terceiro ano. Ela insistia que ele sempre foi bom com esportes; no surfe, no futebol, podia tentar uma faculdade de educação física. Com o diploma podia trabalhar numa escola, numa academia, ter um trabalho onde não ia ser capacho de nenhum sargento, nem precisar mexer com arma.

— Tá procurando o quê, filha da puta? — Murilo tomou o maior susto com aquele fuzil na cara. Viajava tanto naquelas memórias que nem viu chegar os três homens de preto. — Quer saber onde é que tá a boca, é? Pode avisar teus amiguinho lá que já fechou, vagabundo.

— Que isso, meu senhor. Tô procurando aqui a casa da minha irmã, só isso só — foi o que Murilo respondeu depois do baque.

— Alguém aqui tem cara de palhaço, porra? — O cana levantou Murilo pela camisa e jogou no chão. — Como é que tu não sabe onde é que mora tua irmã?

— Tá com flagrante aí? Desentoca logo que senão é pior — o outro verme gritou mais de trás.

Murilo sentiu que eles tavam na maldade. Muito acelerados pra uma dura assim duas da tarde. Será que já tinham passado alguém, ou tavam no caminho da operação?

— Uso droga não, meu senhor. Sou militar, eu. Soldado lá no Forte Duque de Caxias.

Na mesma hora se arrependeu de não pegar os documentos. Geral tá ligado que a meta agora é só andar com identidade, carteira de trabalho, de estudante, qualquer parada pode dar uma ajuda. Mas isso é coisa nova, até acostumar leva tempo. Ainda mais que todo mundo cresceu acostumado a andar à vontade no morro, levando documento mesmo só quando o rolé era na pista.

— Cadê o documento então, soldado?

— Mermão, isso é ganso.

— Zero, um, zero, zero, dois, zero, zero, zero, um, traço, oito.

— Que porra é essa, caralho?

— Tô com a minha carteira aqui, não senhor, mas esse é o número de registro.

Os vermes meio que se olharam antes de falar qualquer

coisa, enquanto Murilo tinha a terrível sensação de ver outras pessoas decidirem o que fazer da sua vida.

— Presta atenção, soldado. Tu vai sumir daqui, entendeu? — finalmente um deles falou. — Mas desaparece, porque se a gente se esbarrar de novo não vai ficar maneiro.

Sem saber pra onde ir, Murilo fez o simples: pegou a direção contrária dos canas. Acabou dando de cara com o beco que tanto procurava. Comprou um varejo no boteco e subiu daquele jeito: a cabeça zonza e o coração cheio de ódio. O corpo tremia tanto que até dificultava pra subir as escadas. Desde que a polícia invadiu a Rocinha, ele já rodou pra PM, pro Choque e agora pro Bope. E o que dá mais raiva, raiva mesmo, que chegava dar vontade de chorar, é ter a noção de que ainda deu sorte. Se cai na mão desses caras no meio da noite, num beco vazio, podia ser muito pior.

Não demorou pra bater de frente com o prédio que procurava. Se lembrou legal daquela pichação na parede: "Saudades Eternas mn Bafo". Era só entrar, já que o portão não tinha nem trinco. Mas ele acendeu o cigarro primeiro, queria ver se dava uma relaxada. Porra nenhuma. A raiva só crescia. O coração batia cada vez mais forte, a respiração se atropelava com a fumaça.

Murilo nem lembrava mais o que foi fazer ali. Ou nem sabia. De todo jeito, a melhor forma era voltar pra casa, fumar um baseado e deixar passar aquele dia. Jogou a guimba no chão e ganhou o caminho de volta. Pelo menos na descida todo santo ajuda. Já tava quase chegando na saída do beco, quando tocou o telefone.

— Oi, dona Vanderleia. Tudo bem com a senhora?

Ela explicou que tava pensando no filho, por isso resolveu ligar. Desde o Natal que Murilo tá devendo uma visita.

— Na próxima folga eu dou um pulo aí, mãe. Também tô com saudade. Mas tá sinistro, trabalhando direto.

Ela agradeceu a Deus porque mente vazia é oficina do Diabo. Depois contou um pouco do trabalho, da cachorra que tá quase parindo e da história de Monique na faculdade. Pelo que parece, ela tava numa lista de espera e acabou sendo chamada de última hora.

— Eu vi no Facebook. Tô querendo até marcar com ela, tomar uma cerveja, sei lá. Uma parada assim tem que comemorar. — Aos poucos Murilo sentia a respiração se ajustar, o coração bater com mais tranquilidade. — Mas por que ela quis fazer esse bagulho de psicologia, mãe?

Do outro lado da linha, dona Vanderleia caiu na gargalhada. Depois, quando conseguiu se recuperar, disse que a filha escolheu esse curso porque só tinha maluco na família, e voltou a gargalhar do mesmo jeito. Murilo começou a rir junto com ela.

— Tava mesmo querendo falar com a senhora, mãe… Tô pensando em dar baixa lá no quartel agora no meio do ano.

O clima mudou na mesma hora. Dona Vanderleia quis saber se o filho já tinha visto outro emprego ou se tava na intenção de viver de brisa. Murilo ia responder pra mãe que vai achar um quebra-galho qualquer, só pra fazer um dinheiro enquanto pensa legal o que vai fazer da vida, mas foi interrompido por um tapa na cara que fez voar longe o celular.

— Tava falando com a minha mãe, porra! — Murilo falou antes de perceber que eram os mesmos policiais de antes.

— Falei pra tu caçar teu rumo, caralho!

Murilo ficou paralisado, sem saber como reagir. Até porque qualquer palavra ou gesto fora do lugar podia custar muito caro. Ele reparou nos vários moradores que passavam de olho, mas ninguém parava pra não arrumar problema; precisava resolver sozinho essa bronca.

— Eu tô voltando pra casa. Peguei esse outro caminho aqui já pra não incomodar vocês.

Um deles apontou a pistola, só pra não perder o costume.

— Ô filho da puta, quem foge de polícia é vagabundo. Sabe não?

— Zé-droguinha aí tá pensando que tem algum otário aqui, não é possível.

O verme que tava com a pistola apontada desceu uma coronhada na cabeça de Murilo. Ele sentiu o baque e caiu no chão. Na mesma hora sentiu o melado escorrer. Com dificuldade, ele se levantou. Limpou como dava o sangue no rosto e encarou os policiais que o cercavam, imaginando a morte mais dolorosa que podia dar a cada um deles.

Rio, 23 de março de 2012

Pela calcinha dela, vermelha, de renda, Wesley sentiu que Talia, naquele dia, saiu de casa já pro crime. É claro que já tinham transado antes, algumas vezes, nas tardes em que ficava vazia a casa da Cachopa, mas aquela cama redonda de motel, os espelhos pra tudo que é lado refletindo seus corpos, a certeza de que nunca seriam incomodados, faziam parecer até com a primeira vez.

Agora, ele pressiona o corpo de Talia contra o seu, as mãos correndo pelas costas e o pau explodindo na cueca. Enquanto beija o pescoço e o ombro da parceira, ele tenta, no sapatinho, se livrar daquele sutiã, mas logo pega visão que é daqueles bem complicados, fecho duplo e os caralho. Wesley começa a ficar nervoso.

Num esforço pra não quebrar o clima, ele vira Talia de bruços, beija sua nuca e na sequência ganha as costas. Com a parceira toda arrepiada, ele consegue, na tranquilidade, soltar aquela maldita presilha. Talia se vira de volta, com os seios à mostra, e Wesley segue a estratégia dos beijos, agora distribuídos por várias partes do corpo. Ele ouve os gemidos cada vez mais intensos, então mete a mão direto na calcinha dela, sente os dedos úmidos; tudo pronto pro começo da festa.

Algumas horas antes, no bar, Wesley não entendeu nada quando Talia foi sentar logo do seu lado. Tava geral do trabalho reunido. Desde que voltou pro antigo namorado, ela vinha fazendo de tudo pra evitar qualquer ideia com Wesley, ainda mais na frente dos outros. Sem esquecer desse gelo, ele ainda tentou meter sua bronca, fingir que dessa vez era ele que não se importava com a presença de Talia, mas não deu certo por muito tempo. Ela começou a jogar na cara de verdade e a carne é fraca. O primeiro beijo da noite trocaram ali mesmo na mesa do bar, entre o aplauso e a gastação da galera.

Diferente das outras vezes, quando na primeira foda da noite Wesley sempre gozava mais rápido do que gostaria, nessa noite ele representou. Os dois rodaram bonito aquela cama. De lado, de quatro, por cima, por baixo. Quando finalmente gozou, eles tavam exaustos. Wesley ficou cismado se não foi o tequinho que deu no banheiro do bar que ajudou no desempenho. Sempre ouviu falar que o pó não deixava o pau subir de jeito nenhum, mas ele sentiu bem o contrário. Na onda, Wesley ficou menos afobado, em pleno controle da situação. Também por isso, assim que Talia pegou no sono, ele correu pro banheiro pra cheirar mais um pouco daquela cápsula. Queria se preparar pro segundo round.

Com a onda renovada, Wesley ficou oprimido com aquele monte de espelho. Mó sensação estranha do caralho, ficar se vendo assim direto, ainda mais pelado. Talia continuava dormindo pesado, e às vezes dava até uma roncadinha de leve. Ele foi até a janela pra fumar um cigarro. Naquela área da Barrinha já não passava mais ninguém, quase duas da manhã no relógio.

Um carro de polícia parou em frente ao motel. Só de ver

aquele vermelho piscar na sirene do Logan já fazia o coração disparar ainda mais. Wesley sentiu uma fisgada no peito. Pior que não foram poucas as vezes que ele gastou a onda nos amigos que cheiravam e depois batiam neurose com tudo, mas agora era sua vez e realmente não tinha graça nenhuma. Ele palmeou os canas saírem do carro, mas em vez de entrarem no motel, foram na direção de uma marquise e começaram a expulsar uns moradores de rua. Um dos sem-teto inventou de resistir e tomou uma coronhada na cabeça. A mulher que tava do lado, foi logo proteger a criança que dormia com eles. Wesley voltou pro banheiro e bateu mais duas linhas.

Na máxima, ele se deitou de volta na cama. Talia agora tinha o sono um pouco mais agitado, se mexendo de um lado pro outro. Bolado com seu reflexo no espelho, Wesley preferiu apagar todas as luzes. Só dava pra ver a sirene piscando lá fora. Depois de alguns minutos, Talia acordou.

— Wesley?

Ele respondeu com um abraço, e eles ficaram um tempo nessa posição sem falar nada.

— Nossa, é sério, eu nem me lembro a última vez que eu fodi tão gostoso — Talia interrompeu o silêncio.

É lógico que Wesley ficou orgulhoso, mas tava com a cabeça tão distante que nem se ligou que esse era o convite pro segundo round. A mensagem só ficou mais explícita quando Talia meteu a mão no seu pau. Como ele não subiu com a velocidade esperada, Wesley virou Talia na cama e caiu de boca.

Com habilidade na língua, Wesley sentia Talia se contorcer cada vez mais. Ele brincava com isso, aumentando e diminuindo a velocidade. Os gemidos ficavam cada vez mais altos. E Wesley gostava da sensação, de provocar o prazer, de ter aquelas pernas se apertando contra sua cabeça.

— Agora vem, me come.

Essa foi a deixa pra Wesley aumentar ainda mais a intensidade do trabalho, apertar as coxas de Talia e sentir a parceira se contorcer até gozar. O problema é que ela quis retribuir aquilo com um boquete logo na sequência. Depois de algum tempo lambendo de um lado pro outro sem resultado, Talia voltou pro travesseiro sem dizer nada.

— Sei nem que onda é essa, nunca aconteceu antes. — Podia até não parecer, mas era verdade.

Talia se chegou pro colo de Wesley, se ajeitando pra ficar bem à vontade.

— É assim mermo. Hoje a gente bebeu e tal, daqui a pouco ele volta.

Wesley reagiu a isso com um beijo na boca, numa tentativa de encaixar o quadril dos dois.

— Fica tranquilo, cara. Pior coisa é ficar nervoso uma hora dessas, a gente aqui tá à vontade.

Talia se levantou pra ir no banheiro. Wesley afundou a cara no travesseiro, imaginando Talia contar a história pra alguma amiga e muito rápido a fofoca se espalhar pela casa de festas. Só quando ouviu a porta bater é que se lembrou do pó que deixou na pia. Na sequência ouviu o som da descarga.

— Então é por isso que teu pau não sobe! — ela gritou saindo do banheiro.

— Tu jogou fora?

— Filha da puta, viciado do caralho.

— Qual foi, Talia. Também precisa dar show não. Fica tranquila, pô.

— Vou ficar tranquila sim… — Talia começou a vestir sua roupa. — Muito tranquila que eu vou ficar. — Atrapalhada, ela tentava calçar as sandálias.

— Calma aí, novinha. Vamo conversar.

Ela encarou Wesley com ódio.

— Tu sabe quantas vezes eu vi minha mãe tomar porrada por causa dessa merda? Meu padrasto brochava aí que nem tu e descia a mão nela. Porra, eu tinha dez anos, cara. — Ela começou a chorar de nervoso.

— Eu não sou o teu padrasto, Talia.

Ela voltou a encará-lo, muito séria.

— E quem batia na tua mãe era ele, não a droga.

— Vai se foder, porra! — Ela saiu batendo a porta.

Derrotado, Wesley voltou pra cama. O rádio-relógio marcava duas e trinta e cinco da manhã. Tudo que mais precisava naquela hora era de um baseado, pra baixar aquela adrenalina, trazer outra perspectiva, mas só tinha erva em casa. Chegou a levantar, pegar sua roupa e se arrumar pra partir, mas desistiu. A melhor forma era passar a noite ali mesmo, que já tava pago. Voltar pro morro naquela hora era perigoso, podia muito bem bater de frente com a polícia. Wesley olhou pras suas coisas em cima da mesinha de cabeceira, pelo menos tinha ainda mais uns quatro cigarros no maço.

Rio, 3 de abril de 2012

Tava tão envolvente o papo que eles nem se ligaram na água do café, fervendo demais lá no fogão. Gleyce ainda correu na intenção de evitar o pior, mas já era tarde demais. Essa mania de Washington, de jogar o pó direto na água, várias vezes dava merda. A água subia demais e se derramava por todo o fogão.

— Mas tu acha que ele vai morrer, então? — ela continuou o papo assim que desligou o fogo.

— Hã, qual é, Gleyce. Bala na cabeça, vai fazer mais o quê? Só milagre mermo, Jesus Cristo, essas paradas.

Washington chegou com um pano molhado pra limpar o fogão, enquanto ela pegou a leiteira pra passar o café. Já conhecia muito bem a casa do amigo, sabia onde ficavam as paradas, tava à vontade. Mesmo com a expectativa de geral, que achava impossível nunca ter rolado nada com todo o tempo que passam sozinhos, Gleyce acredita que Washington olha pra relação dos dois da mesma forma que ela, e se sente segura nessa amizade.

— Vai dar merda essa porra. Vai dar merda e eu não quero nem ver.

— Bagulho é de verdade. Se eles já tava sufocando antes, agora então é papo de vingança.

Assim como boa parte dos moradores da Rocinha, os dois comentavam a operação do dia anterior. A bala comer até que nem era novidade, já que fazia umas duas semanas que os confrontos se repetiam todo dia. Mas aquela operação foi diferente porque teve o primeiro policial gravemente ferido desde a chegada da UPP.

— Filho da puta ainda tinha que ser do Choque, ainda... — Washington terminava de torcer o pano em cima do tanque.

— Agora é isso. Esperar o milagre.

Eles pegaram as canecas com café e voltaram pro sofá, onde um baseado apertado esperava pelos dois. Era estranho o sentimento de torcer pela vida de um policial, mas era o que muita gente sentia naquela manhã; todo mundo sabe que as piores operações sempre vêm depois que morre alguém da polícia.

— Mas também, sustenta, pô. Os cara quer trocar tiro todo dia e acha que não vai morrer ninguém do lado deles? Porra, só nessa brincadeira, vagabundo já morreu uns dez, mais uns três morador. Fala. Se é guerra que eles quer, é isso: qualquer um pode ser o próximo. — Washington acendeu o baseado.

— Que isso, cara. Essa maconha tá fedendo muito. É amônia purinha.

Outro papo comum daqueles era a qualidade da erva. Não tinha um só maconheiro que não reclamasse; do gosto, do cheiro, do preço. Ainda assim, sem coragem ou sem dinheiro pra invadir em outra favela, a maioria continuava comprando do mesmo jeito.

— Hã, dona Marli tá quase mudando de ideia com esse bagulho de fumar aqui em casa. Ela fala que no começo foi mó propaganda enganosa, eu e Wesley começamo com aquela cheirosinha e agora é só essa bosta de cavalo.

O que não faltava era teoria pra explicar a crise da maconha. Muita gente acreditava, por exemplo, que a erva vendida pelas bocas do morro já tava enterrada fazia um tempão na mata, pra garantir que não ia faltar quando chegasse a UPP. Outros acreditavam que era a polícia que tava reabastecendo o movimento, o que não garantia qualidade nenhuma. Certeza mesmo, ninguém tinha. Até quando perguntavam pra alguém da boca, cada um vinha com um papo diferente.

— E a tua coroa, como é que ela tá? — Washington rolou o baseado.

— Tá bolada comigo, ela. Esse bagulho lá do Enem, eu não quis entrar nos curso lá. Tá brabona a coroa.

— Entendi nada também que tu não foi.

— Só curso que eu não queria, biblioteconomia que não sei que lá, geografia, farmácia... Só bagulho que eu nunca quis pra minha vida, pô.

— Hã, é nada não é nada, é um diploma. Se fizer qualquer merda, já tem cela especial.

Washington achava a maior viagem todo aquele papo de faculdade. Antes de Gleyce, aquilo parecia impossível, coisa que só acontece em filme, mas agora ele já entende mais ou menos como funciona a prova, tá ligado em alguns cursos preparatórios, tanto no morro quanto na pista. Às vezes, mesmo que ainda não tenha tido de coragem de comentar com ninguém, Washington acredita que, ele mesmo, se terminar o ensino médio num EJA da vida, pode ter a chance de entrar numa universidade. Ia deixar sua coroa felizona.

— É sério, cara. Eu não posso dar mole, tá ligado? Na moral mermo, quanta gente tu conhece que escolheu a profissão, o que ia fazer pra ganhar a vida? Pô, cara, eu moro com a minha coroa ainda, nossa casa é própria, tô com um trabalhinho que dá pra ficar de boa... É isso, não quero ter pressa. Mas pra botar isso na cabeça de mãe é foda.

Washington várias vezes ficava com a impressão de que Gleyce escolhia demais, e tinha medo de que no futuro ela pagasse um preço muito alto por isso. Ao mesmo tempo, admirava sua coragem e suas certezas pra decidir suas paradas. Ele mesmo já tava mais de seis meses num trabalho que sugava quase toda a sua energia, cheio de dobras e horas extras mal remuneradas. Apesar de conseguir pular rápido da lavagem de prato pra virar comis da casa, a vaga de garçom ainda parecia longe. Mesmo assim, segurava a onda que no ruim, no ruim, tava bom.

De repente alguém bateu na porta. Os dois se olharam na mesma hora, tentando entender quem podia ser. Com todo esse papo de operação, era quase impossível não imaginar os vermes na porta.

— Qual é, neguim. Eu tô sentindo a marola. Tá de simpatia?! — Era a voz de Douglas. Aliviado, Washington se levantou pra abrir a porta.

— Qual foi, cara. Chega assim não.

Douglas entrou e logo tomou um susto de que o amigo não tava sozinho. No impulso, ela pulou do sofá.

— Douglas, essa é a Gleyce.

— Muito prazer. — Ele se apressou pra lançar aqueles dois beijinhos. — Washington direto fala de tu.

Os três sentaram de volta. Washington rolou a ponta pro amigo e eles ficaram naquele silêncio de um encontro inesperado. Douglas com os olhos grudados no chão começou a acompanhar o trabalho de algumas formigas.

— Tá de folga hoje? — Washington já tava incomodado com a situação.

— Porra, tô de folga pra sempre agora. Pedi demissão daquela porra.

— Caô. Vai fazer o quê agora?

— Coé, neguim, vou dar meu jeito. Fazer um corre aqui, outro ali, carregar um material, ajudar numa mudança, sei lá. Mas papo reto, dá mais pra trabalhar ali todo dia não, mano. Preciso de tempo, tá ligado? Pra fazer minhas parada, pra estudar os meus desenho...

A ideia de largar o trabalho já acompanhava Douglas fazia alguns meses, mas depois que Biel começou a vender maconha dos playboys pra rapaziada na boca e a rebentar um dinheiro com isso, a decisão foi tomada. Douglas tava ligado que, se tivesse qualquer problema e não conseguisse levantar a grana toda, o amigo ia sempre fortalecer.

— O que tu quer fazer? — Gleyce se ajeitou no sofá, interessada.

— Eu vou ser tatuador. — Ele sempre sentia uma pontada de orgulho com essa resposta.

— Já mandou umas maneira, ele. Fala DG.

— Tá faltando agora só fazer a tua.

Gleyce se amarrou no papo e emendou um monte de pergunta. Quis saber onde é que ele aprendeu a desenhar, quando decidiu ser tatuador, se ele fica nervoso na hora de rabiscar alguém.

— Mas fala tu, esse bagulho de tatuagem, o cara tem que gostar também de ver os outro sofrer... Tu não acha? Fica furando a pessoa toda, aquele monte de sangue...

Douglas não esperava pela pergunta e na mesma hora se lembrou das duas experiências que teve; as tatuagens de Biel e Cabelinho. O que sentia quando via a carne se abrir?

— Vou te falar; o que eu mais gosto na tatuagem é que a tua arte pode rodar a porra toda. Se ligou? Tipo assim, uma pichação, um grafite... fica parado na mesma parede. Do nada alguém pode quebrar essa parede, pintar o muro. Um quadro também.

Agora a tatuagem, ela vai com a pessoa até onde ela for e dura pra sempre. — Ele nunca tinha pensado em nada disso, mas sabia que falava a verdade. — Isso também é o que mais dá medo.

Sem querer, a saída de Douglas de seu trabalho pressionava Washington contra si mesmo. Quanto mais podia aguentar ali sem subir de posto? Mais três meses, ele decidiu. Sem ganhar comissão, o salário não rendia quase nada. Com a ajuda no aluguel, nas compras, era certo chegar duro na metade do mês, tendo que dar vários pulos pra conseguir comprar os cigarros de todo dia.

— E tu, quer fazer o quê? — Douglas perguntou depois de algum tempo com todos em silêncio.

— Cinema — Gleyce respondeu no susto. — Tem muita história boa no morro... Dá pra fazer uns filmes bolado.

E o papo ficava nessa; às vezes engatava, os três falavam à vera. Depois parava, atrapalhado pela falta de intimidade. Washington tentava trabalhar no meio-campo, ser elo entre os dois amigos. Mas ao mesmo tempo parecia meio bolado quando eles se davam bem demais.

O barulho de uma rajada lá fora invadiu a conversa dos três. No susto, todos fizeram silêncio e ficaram olhando fixo pra frente, à espera da próxima rajada, que não veio. Aos poucos, os sons da rua voltaram ao normal.

— Cês tão ligados no cana, lá no Miguel Couto? — Douglas perguntou no fim da espera.

— Claro, mano. Geral só fala disso; eu e Gleyce tava falando disso agora mermo, antes de tu chegar. De como é estranho tu torcer pra um polícia ficar bem.

— Que isso, neguim. Então vocês tão nem ligado que o maluco já morreu?!

— Caô! — Washington não queria acreditar.

— Tô te falando. Deu no jornal essa porra. Quando eu vim, na rua tava geral comentando essa parada.

Depois de ouvir essa informação, Gleyce pegou o celular e começou a escrever uma mensagem de texto pra sua coroa.

— Bora apertar outro? — disse Washington, como se pudesse ler a mente dos amigos.

Rio, 23 de abril de 2012

Ele chegou na Barreira do Vasco fardado, com o 7,62 atravessado no peito, lado a lado com seus companheiros de batalhão. Era a primeira vez que Murilo invadia uma favela sem tá na condição de visitante ou de cliente. Já na chegada, eles foram recebidos por uma série de fogos 12 × 1, o que sinalizava o fechamento da boca até segunda ordem.

O comboio parou em frente ao DPO, e a fila de soldados desceu na pracinha. Nessa hora, já dava pra ouvir as mães gritando pras crianças correrem pra casa. O futebol que rolava na quadra foi interrompido. Quem tava de bobeira nos bancos levantou e saiu saindo. Em poucos minutos, o lugar ficou deserto. Pelas contas de Murilo, desde que saíram do Leme, já devia ser quase meio-dia.

No começo de seu treinamento, Murilo aprendeu que um fuzil carregado pesava quatro quilos, só que parecia mais. Às vezes ainda sofria pra caminhar com ele, o bico batia no joelho, a bandoleira fugia do ombro. Ele tentava passar batido no meio dos soldados que avançavam em dois grupos pela rua vazia. Aí aconteceu uma parada bem estranha: mesmo sem nunca ter pisado naquela favela, Murilo ficou com a impressão de que já tinha visto tudo aquilo antes; tanto que ele nem se assustou quando o colega de seu grupo tropeçou e caiu no chão. As risadas dos companheiros, o esporro do oficial, ele tava ligado em tudo.

O grupo de soldados parou em frente a uma casa. O sargento se antecipou e bateu na porta. Alguns vizinhos palmeavam da janela. Ninguém apareceu. O sargento bateu de novo, dessa vez com mais força. O som daquela mão na madeira da porta soava estranhamente familiar. Murilo tinha impressão de assistir a um filme repetido, mas sem conseguir se lembrar do final.

— Tô com panela no fogo, caralho!

— É a polícia. — O sargento agora esmurrava a porta.

Em dois tempos apareceu a senhora dona da casa. Vinha com uma criança no colo, que não devia ter muito mais do que um ano de idade.

— É aqui o endereço de Robson dos Santos Pereira?

— É, sim senhor. É meu neto, ele. — A senhora tinha idade pra ser mãe também do sargento.

— Eu tenho aqui um mandado de prisão, emitido pelo Exército brasileiro. Já faz dois meses que o Robson não comparece ao serviço militar.

Nessa hora a bebê começou a chorar. Quanto mais a senhora tentava acalmá-la, mais forte ela chorava. Dava até pra ver uma veia pular de sua cabeça. Murilo tentava não olhar pra cena bem diante dos seus olhos. Queria que tudo acabasse o mais depressa possível.

— Ele não tá em casa, não senhor. — Ela tentava falar mais alto que o choro. Tentava apoiar a cabeça da menina contra o ombro, mas a bebê se jogava pra trás. — A gente também tá querendo saber onde ele se meteu. Essa daqui é filha dele.

O sargento não acreditou na senhora e pediu pra olhar dentro da casa. Antes de qualquer resposta já saiu entrando. A mulher foi atrás com a criança que não calava a boca. Murilo nunca gostou daquele sargento, metido a atleta, geração saúde e cheio de gel no cabelo. Mas o jeito que ele tratou a senhora na porta fez com que sentisse ódio de verdade. Não dava mais. Ele precisava correr atrás de qualquer outra batalha.

O grupo de soldados ficou marcando na rua. Todo a postos. Ninguém falava nada, mas qualquer um podia ver que batiam neurose. De fuzil ali no meio da favela, sem um superior do lado. Se os vagabundos começam a aplicar ali do nada, era pra fazer o quê? Aos poucos, um a um, foram entrando na casa. Murilo foi o último entre todos eles. Quando chegou, encontrou a criança quietinha no sofá e a senhora chorando.

— Faz dois meses, meu senhor. Dois meses que ele não pisa nessa casa!

Os soldados agora ficavam olhando cada um pra um canto, tudo pra não encarar o choro daquela senhora. Murilo prestava atenção nos móveis, na arrumação e limpeza impecáveis. Lembrou da casa de sua avó em Bangu, do quintal, da amendoeira que fazia sombra contra o calor, dos banhos de borracha.

— Ele tá lá pelos lados da Zona Oeste. Favela do Rola, não sei. — O sargento, já convencido da ausência do desertor, tentava se despedir pra finalizar a missão. — O senhor tem que achar esse menino. A gente aqui não sabe se tá vivo ou morto! — a senhora se lamentava, enquanto a criança olhava hipnotizada pra uma televisão desligada.

Era uma quitinete bem apertada. Com a cozinha que invadia a sala, um banheiro no fundo. E apenas um quarto. De lá, Murilo via só as pernas. Umas pernas velhas que não se mexiam, indiferentes à confusão provocada por aqueles dez homens armados espremidos na casa.

No canto desse quarto, dava pra ver um altar. A imagem de

Nossa Senhora de Aparecida se destacava. Do seu lado, são Francisco de Assis carregava o Menino Jesus no colo. Murilo ficou impressionado que não tinha nenhuma poeira, nada fora de lugar. Como aquela senhora, com um marido doente e uma criança pequena, conseguia manter aquela arrumação enquanto Murilo e seus amigos, com toda a disposição da juventude, viviam sempre no meio de tanta sujeira?

— E eu achando que o quartel ia dar jeito nesse menino — a senhora continuava a se lamentar, mas o sargento já fazia sinal para os soldados saírem. — O senhor vai atrás dele?

Na rua, o movimento tinha voltado ao normal. Depois de um tempo com a favela em silêncio, os moradores parecem ter entendido que o grupo de milicos não foi ali pra trocar tiro com ninguém. Murilo se perguntava onde podia ter se enfiado o desertor; será que tava no crack? Será que morreu na pista, sem documento? Ou teria só fugido do quartel e aquele choro da avó não passava de um teatro?

Sem trocar uma palavra, os soldados caminhavam de volta pro caminhão. O sargento ia na frente. Um grupo de crianças teve que parar o golzinho pra deixá-los passar. Um pouco mais pra frente, Murilo ouviu a molecada comentar sobre o preço de cada fuzil daqueles que carregavam.

— Sessenta mil! Se tiver novo, é sessenta mil!

Eles já iam virar no beco pra chegar na pracinha, quando bateram de frente com um moleque sem camisa. No susto, ele largou o chinelo e saiu voado. O sargento então sinalizou pro grupo ir atrás. Os soldados atenderam na hora, mas o maluco devia ser cria, pela facilidade com que corria por aqueles becos.

Murilo corria junto com o bonde, sem entender muito bem o que acontecia. Era pra aplicar no moleque? Levar preso? Por que ele saiu correndo daquele jeito? Ele imaginava o momento de apertar o gatilho e seu corpo todo estremecia, o coração acelerava cada vez mais. Um moleque novo daqueles. Talvez até mais novo que os soldados do batalhão.

Na rataria, ele conseguiu sumir entre os becos, o que deixou o sargento mais bolado ainda. Foi nessa hora que ele teve a ideia de separar o grupo, pra tentar encurralar o alvo. Murilo seguiu o grupo dos soldados que iam mais perto dele. Via a tensão no rosto de cada um dos companheiros. Seria medo de atirar ou vontade de largar o dedo?

Eles iam escorados na parede com a arma apontada pra frente. Às vezes passava um morador desavisado, que tomava um susto e metia a mão na cabeça; como se o gesto pudesse proteger contra um tiro de fuzil. Nenhum deles era o alvo e eram logo liberados com o gesto de algum dos soldados.

Murilo sentia as pernas tremerem, a pressão baixa, com a sensação de que podia cair duro no chão a qualquer momento. O fuzil pesava muito mais que antes. E se o moleque brotasse bem ali na sua frente? O sargento dava suas ordens através de gestos, mas nenhum dos seus comandados prestava atenção, todos ligados em suas próprias miras.

Como se não bastasse a neurose de precisar aplicar em alguém, ainda tinha que lidar com a possibilidade de também levar um tiro. Murilo tentava recuperar o fôlego, pensando que tava protegido não só pelo grupo ali na favela, mas por todas as Forças Armadas Brasileiras. Até porque quem ia ser o maluco de atirar num militar assim de bobeira? Rapidinho vinha tanque, helicóptero, caveirão. Iam revirar aquela favela de cabeça pra baixo. Murilo tentava se agarrar nessa ideia, mas não era suficiente; se tomasse um tiro na cabeça, de que adiantava a vingança no dia seguinte? Não ia nem existir dia seguinte.

Foi aí que a vista pesou de verdade e Murilo sentiu as pernas falharem. Ele se escorou na parede, tentando se comunicar com os outros soldados, mas a voz não saía. O fuzil jogava seu corpo contra o chão. Aqueles becos todos pareciam mais um labirinto. Pra onde ir?, se perguntava bem na hora que ouviu cantar o 12 × 1: PÁ. PÁ PÁ PÁ PÁ. PÁ.

Rio, 5 de maio de 2012

— Desce mais uma aí, meu padrim!

Já fazia papo de uns quatro anos que Washington não comemorava aniversário. Na real mesmo, nessa data ficava sempre meio bolado, sem dar muito assunto pra ninguém. Também, ia comemorar o quê? Se o tempo passava e não mudava porra nenhuma, se todo ano era o mesmo perrengue fodido? Crescer vinha sempre junto com vários problemas; aquele monte de sonhos de moleque ficam cada vez mais impossíveis, enquanto a realidade aparece cada vez mais estreita, até fazer a vida se parecer com uma obrigação. Mas Washington não quer pensar em nada disso agora. Junto com Wesley e Douglas, ele quer mesmo é comemorar; vinte e três anos, carteira assinada, uma farpela no bolso.

Washington marcou com geral às quatro pra eles chegarem às seis, ali naquele bar da Via Ápia. Mas ele mesmo não se aguentou e, na companhia do irmão e do vizinho, desceu mais cedo pra abrir os trabalhos. Só que Wesley não tava no mesmo ritmo.

Na real, desde que saiu da casa de festas com medo de levar a fama de brocha, não conseguiu arrumar nada certo, em canto nenhum. Até faz os bicos de sempre ali na Cachopa, pega um material de construção pra carregar, umas caixas de cerveja, mas a concorrência é grande e tem vários dias que ele acaba sem um puto no bolso. Wesley sempre foi acostumado a ganhar seu próprio dinheiro, pagar suas paradas, sem depender muito de ninguém. Agora, se quer um cigarro, tem que pedir pra alguém, se quer fumar um baseado, qualquer coisa. Por isso tem passado a maior parte do tempo em casa, pra não correr o risco de virar o serrote que sempre detestou.

No meio de tudo isso, ainda teve o caô lá do Detran. Depois de pagar a porra toda, fazer aquelas aulas teóricas uma mais chata que a outra, se despencar lá pra puta que pariu do Flamengo pra fazer as aulas práticas, tudo pra aprender a andar de moto, coisa que já faz desde menor, numas subidas muito mais complicadas do que a pista reta e sem trânsito onde foi avaliado. Direto Wesley revive aquela prova na cabeça, o momento em que botou o pé no chão e foi automaticamente reprovado. Ele queria ver aqueles instrutores andarem na Rocinha sem meter o pé no chão.

Sem clima de festa, Wesley só foi no bar dar uma moral pra seu irmão, que não tinha nada a ver com seus problemas. A chegada de Biel, depois de algumas cervejas na mesa, conseguiu deixá-lo um pouco mais animado. O amigo chegou aceleradão, contando que tava com uma farinha boa no porte, coisa fina, droga de rico, pra eles gastarem uma onda. Washington nem tava muito na intenção de cheirar cocaína, até porque vários amigos tavam pra brotar ali, ele queria dar uma atenção maneira pra todo mundo. Só pra não fazer desfeita com o presente de Biel, acabou dando um tequinho; o primeiro e último daquele dia.

— Porra... cês tão aí cheirando esse bagulho, eu aqui doido pra fumar um baseado! — Douglas nunca experimentou cocaína e nem queria. Na real, sempre ficava bolado só de pensar o tanto de dinheiro que se pode gastar numa noite de caratê; a mesma quantia em maconha virava um estoque.

— Brinca não, os cana aqui embaixo tão magoando bonito. — É claro que Washington também queria fumar um, mas tava ligado que ali nas travessas da Via Ápia, ou até no Valão, tava difícil a missão, polícia pra tudo que é lado, doidos pra arrumar um problema.

— Hã, tu acha que eu não sei? Ninguém me contou não, neguim. Porra, esses maluco não pode me ver: já tomei papo de umas dez, onze dura, desde que esses filha da puta chegou aí no morro. — Douglas cuspiu no chão, com ódio.

— Visão. Eles também me para direto. Mas essa última vez que foi foda. Eu desci ali no Venâncio pra pegar um varejo, né, tranquilão, isso era umas nove e pouca ainda, bato de cara com o Choque. Eu tentei fingir que nem vi porra nenhuma, mas o cara já me chamou lá pra falar com eles. Tranquilo. Deveno nada, fui lá mermo. Os cara mandou assim: É teu esse chinelo aqui, porra? E eu vi a Kenner ali no chão. Aí eu: Com todo respeito, meu senhor, eu tô com meu chinelo aqui. E apontei pra minha Havaiana. Aí ele ficou puto: Responde, caralho, é teu ou não é? Aí eu: É isso, meu senhor, o meu chinelo é esse aqui. Pra quê? Filha da puta daquele verme me deu foi uma chinelada no meio da cara. Porra, que ódio maluco. Tu já tomou uma porrada mermo, bem dada, de Kenner?

Wesley já tinha contado essa história várias vezes, mas como tava na onda, aproveitou pra contar de novo. Cada dia que passava, sentia mais raiva de lembrar dessa parada, já tinha até sonhado algumas vezes com a cena. A Kenner vermelha e preta, o estalo da sandália no rosto.

— Eu tenho mó sorte com essa porra. Os cana ainda não me parou! — Biel comentou com os amigos.

Com o tempo, foi piando mais gente. Primeiro Murilo chegou meio calado, já fazia umas duas semanas que a galera vinha até um pouco preocupada com ele. Alguns minutos depois vieram Chico, Rubinho, a rapaziada do trabalho. A mesa ficava cada vez mais cheia e os cascos de cerveja se multiplicavam, mandaram descer porção, batata, clima de fartura com tudo arregado. Quando Gleyce brotou, toda arrumadona e até de maquiagem, Washington já tava embrazado.

— Deixa eu te apresentar; essa daqui é Joyce, e essa é Aline, aquela amiga que eu te falei — Gleyce explicou depois de um abraço apertado de aniversário.

A mesa toda se animou com a chegada das meninas. Até então só tinha cueca no bagulho. Gleyce aproveitou uma cadeira vazia próxima a Douglas e se ajeitou por lá, suas amigas também ficaram por ali. Já Washington não tinha lugar fixo, ele ficava trocando toda hora de cadeira, na intenção de conversar com todo mundo.

— Você tá fazendo quantos anos? — Aline perguntou assim que Washington sentou perto delas.

— Vinte três — ele respondeu devagar, ainda se acostumando com a idade. — E tu?

— Hoje não é meu aniversário. — A gargalhada de Washington soou alta e embriagada demais, ainda mais pra Aline, que tava abrindo os trabalhos na cerveja. — Vinte. Eu fiz vinte no final do ano passado.

— Entendi.

Depois disso, os dois ficaram um tempo sem falar nada, só pescando os assuntos que rolavam na mesa. Que era basicamente um papo sobre a Ambev não ter concorrente. Brahma, Skol, Antarctica, é tudo deles. Aí, por isso tem época que a boa é Antarctica, depois é a Brahma; eles ficam nessa brincadeira, pro cliente achar que ainda pode escolher.

— Mas a Skol é sempre uma merda! — E com isso todo mundo concordou. — E a Itaipava, é deles também?

— Mermão, isso não é nem cerveja.

E voltaram pro início da discussão. Com todo mundo falando ao mesmo tempo e cada vez mais alto.

— Tá ligada o que é foda de ficar mais velho? — ele ressuscitou o papo com Aline. — É que, sei lá, tu tem que tomar muito cuidado pra não parecer que tá dando tudo errado, pegou a visão? Papo dez, não é conversa de bêbado não; eu juro. Vários dias já esse bagulho não sai da minha cabeça. Tipo assim, eu fico pensando quando era menó, tá ligada? Porra, eu achava que nessa idade agora, adulto, eu ia tá tranquilão, cheio de dinheiro, viajando pra caralho. Estados Unidos, Japão, a porra toda. Mas aí eu paro pra ver, e qual é, cara? Eu nunca saí do Rio de Janeiro, pegou a visão?! Aí eu não sei, às vez eu fico até bolado, tipo pensando, o que aquele menó, eu mermo, criança, ia achar da minha vida hoje?

Washington terminou de falar e na mesma hora entendeu que tava mais chapado do que imaginava. Aline, que olhava muito séria de volta pra ele, pegou o copo de cerveja pela metade e virou numa golada só. Desde que chegou, bebia rápido, talvez pra ficar logo na mesma onda dos que chegaram antes.

— Só foi uma vez que eu saí do Rio. — Pra surpresa de Washington, ela continuou a conversa. — Fui lá pra Vitória, no Espírito Santo, que a família da minha mãe é tudo de lá.

— E foi maneiro?

— Cara, vou te falar, eu achei a cidade meio feia, sei lá. Sem graça. Mas também… só fiquei três dias, então nem dá pra conhecer direito. Era casamento do meu tio.

— Tá ligado.

— O casamento foi maneiro até, eu conheci várias prima, primo, tudo na minha idade, família grande da porra, tem que ver. Mas um negócio engraçado nesse casamento é que foi a primeira vez que bebi na frente da minha mãe. Eu tinha o quê, uns quinze pra dezesseis anos. É lógico que eu já tinha embrazado várias vezes, matando aula e tal, no baile, mas nunca na frente dela. Aí tranquilo, tamo lá e aquela coisa toda, quando o garçom parou ali na nossa mesa, eu fiz uma graça que em vez de coca-cola eu preferia uma cerveja, só de onda mesmo, tinha umas tias ali, um pessoal, eu só queria implicar com ela, mas aí, cara, eu quase não acreditei. Ela mandou assim pro garçom: Pode servir. Essa daí não é mais criança. Eu fiquei como? Emocionadona mermo. Bebi cerveja, fui no bar, pedi drinque, caipirinha, fiquei na chapadona lá com as minhas prima. Mas tipo assim, foi muito mermo; eu nunca tinha visto tanta bebida de graça, não sei como é que eu não passei mal. Aí tranquilo, final de festa, eu derrotada lá na pista de dança, chega minha coroa e me chama num canto. Eu pensei: Pronto, tô fodida. Bebi pra caralho, agora ela vai me comer no esporro. Cara, tu não acredita. Quando a gente se destacou, ela desentocou uma garrafa de uísque do casaco, mandou assim pra mim: Corre lá, bota na tua bolsa. Eu sei que a tua bolsa é grande! Eu fiquei como? Sem nem saber o que fazer. Mas aí fui lá e botei a porra da garrafa na bolsa, morrendo de medo que alguém tivesse de olho. E pior de tudo, cara, é que minha mãe nem gosta de uísque. Até hoje a garrafa tá lá na estante da sala, que nem um troféu. Eu direto olho pra ela e me lembro desse dia. Hoje mermo, tava lembrando...

Os dois começaram a rir, sem nem querer saber do resto da mesa, que agora discutia o aumento no preço do cigarro.

— E tu foi de avião?

— Fui nada. De ônibus mermo. Quase o dia todo viajando.

— Ossada.

— Mas foi maneiro. Tem uns lugar bonitão, no meio da

estrada. É muito mato, tem que ver. Várias montanha, vaca, tudo. Esse mundo é muito grande.

Por um momento, Washington tentou imaginar esse mato todo; as montanhas sem casa, sem gente, sem fios de energia elétrica. Pensou em pegar um dinheiro nas férias e viajar pra um lugar desses; Minas, Vitória, qualquer lugar. Queria ver como era o caminho.

— Parece que a Joyce gostou do teu irmão — Aline disse. Ele deu uma olhada pros dois, e realmente a novinha parecia tá cheia de maldade.

— E tu gostou de alguém?

— Isso depende.

— Como assim? — Washington se inclinou na cadeira, aproximando seu rosto ao de Aline.

— Depende se esse alguém já não tá a fim de outra pessoa. — Ela então mirou bem na direção de Gleyce Kelly, sem nem tentar disfarçar.

Realmente, em vários momentos da conversa Washington olhava pra aquela parte da mesa, percebia que sua amiga e Douglas ficavam cada vez mais perto, se encostando por qualquer motivo. O mais estranho é que, naquela hora, Washington não sentia nenhum ciúme em relação a Gleyce, só ficava bolado de imaginar o que seus amigos iam pensar, que Douglas tava furando seu olho, ou que ficou só temperando a carne pra outro chegar e comer. Ele pensou em explicar isso na conversa com Aline, mas só de imaginar em voz alta já dava a noção de como aquele pensamento soaria estúpido. Ele pediu licença pra fumar.

Wesley alcançou o irmão logo na sequência e filou também um cigarro no maço. Não que fosse proibido fumar lá dentro, mas às vezes Washington gostava de sair pra fumar. Pra ver o movimento da rua, respirar.

— Acho que vou com Biel na missão.

— Que missão? — Washington preferiu fingir que não entendeu.

— Na missão, pô. O que Biel trouxe já foi tudo, teus amigo do trabalho também tão na pilha de dar um tequinho.

— E tu virou avião agora? — A pergunta saiu num volume mais alto do que Washington esperava.

— Qual foi, mano. Tô nem te entendendo...

— Coé, Wesley. Tá geral curtindo aqui, na moral. Pra que tu vai sair atrás dessa porra?

— Porque eu quero. — E saiu saindo até ouvir o irmão.

— Tu lembra do que me falou? "Só não pode se derramar..."

Wesley se virou, boladão.

— E eu tô me derramano, eu?

— Porra, cara, tu tá sem dinheiro pra porra nenhuma, ainda quer cheirar pó uma hora dessa... Se isso não é derrame, é o quê? — Eles falavam cada vez mais alto, e Washington bateu neurose que os amigos pudessem tá ouvindo o papo.

— Vai tomar no cu, porra! Não tô te pedindo nada.

Wesley voltou no bar pra buscar o Biel e os dois sumiram na direção da boca. Dando sorte, era capaz de conseguir achar ali no Valão. Mas se tivesse lombrado, iam ter que subir até o Terreirão ou lá na Pedrinha. De qualquer jeito, naquela hora o risco de rodar era grande. Os PMs de noite tão sempre na maldade.

Washington continuou lá fora, mesmo depois de terminar o cigarro. Ele se lembrava da noite em que a UPP invadiu o morro; deles cheirando dentro de casa, da adrenalina por saber que tudo ali tava pra mudar, da sensação de que não existia nada que pudessem fazer pra impedir.

— Tudo bem aí? — Gleyce vinha do bar ao encontro do amigo.

— Tranquilão. — Ele acendeu outro cigarro, meio que pra

justificar o motivo de continuar lá fora. Na primeira tragada, sentiu um aperto forte no peito.

Uma rajada de fuzil estourou bem longe dali. Logo na sequência, várias outras pipocaram também, numa grande variedade de calibres. Foi quase um minuto direto com poucos intervalos. O barulho era intenso, mas distante. Tanto que o movimento na Via Ápia quase não foi abalado. Com exceção do susto no início, a maior parte das pessoas continuou fazendo suas paradas.

— E aí, curtiu a salva de tiro? Encomendei hoje com o Nemzão! Teu níver, não dava pra passar batido — Gleyce falou depois que os tiros pararam de vez. Ela falava de um jeito divertido, visivelmente alterada pelo álcool.

Washington mais uma vez reparou na produção de Gleyce, e ela parecia mais bonita do que nunca antes. Mais do que os traços, as curvas, as roupas, ele sentia vir dela uma energia única, que dava vontade de tá sempre perto, junto, era difícil explicar...

— Qual foi, cara?! — Gleyce num instante conseguiu fugir do beijo roubado.

Na mesma hora, Washington tentou explicar que tava na onda, não queria confundir nada, não tinha nem nada pra confundir, e que ele nem sabia direito como é que aconteceu, mas os dois foram surpreendidos pela chegada de dona Marli. Ela chegou toda animada, com uma torta de chocolate, dessas de padaria que chegam a brilhar na geladeira. Gleyce deu um abraço rápido na mãe do amigo e voltou pro seu lugar na mesa.

Se de alguma forma a chegada de dona Marli parecia livrar Washington do constrangimento, a presença de sua mãe reacendia uma outra angústia, até porque seria impossível escapar daquela pergunta.

— Cadê o teu irmão?

— Ih, mãe. Tá muito doido ele, cerveja é foda. Acabou de

sair pra comprar cigarro de baile. Acho que foi lá no Juarima — foi a melhor história que conseguiu pensar naquela hora.

Dona Marli não demorou pra se enturmar. Ela brincava com todos e ria, de um jeito que não se via já fazia algum tempo. Não demorou pra tomar conta da conversa. Puxou o fundamento de várias histórias bem constrangedoras dos filhos, o que arrancava risadas de todos na mesa.

— Feliz aniversário, meu filho. Você merece — depois de virar mais um copo de cerveja, ela quase sussurrou pra Washington, no meio da gritaria que eram aquelas conversas.

— Obrigado, mãe.

Ele não conseguia parar de pensar em Wesley. Será que ainda voltava? Se não voltasse, como podia explicar pra coroa?

A resposta não demorou muito pra chegar. Com um olho sempre na rua, Washington viu antes de todos o momento em que Biel voltou com seu irmão.

Depois de pegar o pó no Terreirão e cheirar as primeiras linhas, bateu a maior neurose em Wesley. Não dava pra brigar com seu irmão, bem no dia do aniversário dele. Então a melhor forma era voltar e pedir desculpas, só não imaginava bater de frente com a sua coroa ali no meio da galera.

— Até que enfim! — dona Marli disparou assim que viu o filho chegar.

— Aí, mano, tu conseguiu comprar o de baile? — Washington se apressou em perguntar, pra não correr o risco deles caírem na contradição. Wesley concordou balançando a cabeça, os olhos pulando pra fora da cara.

De repente, bateu o maior medo de ter ficado com alguma sujeira no nariz. Imagina se dona Marli se liga bem na frente de todo mundo? Em vez de sentar de volta na mesa, Wesley se adiantou na direção do banheiro.

— Wesley?! — Era sua mãe. Ele parou no meio do caminho.

— Vem cantar parabéns pro seu irmão.

Dona Marli então tirou a tampa de plástico que protegia a torta, meteu duas velas no meio do bolo e acendeu. A galera aproveitou que tava na onda e cantou o mais alto que puderam.

Parabéns pra você
Nessa data querida
Muitas felicidades
Muitos anos de vida.

Rio, 27 de maio de 2012

Aquela notícia pegou Biel de surpresa. Até então tava tudo certo: sábado de sol, ia curtir uma praia, levantar um dinheiro. Pra que tinha que olhar a internet antes de sair? Agora, na roda de altinha com seus amigos da pista, ele mal consegue se concentrar no jogo; responde as jogadas no automático, enquanto a cabeça vai longe.

Biel não consegue parar de pensar em Marlon, amigo de infância, vizinho de porta com ele na Cruzada São Sebastião. Se lembra deles dois, menorzinhos, atravessando o canal do Jardim de Alah naquele cano verde, das aulas de jiu-jítsu na escola Santos Anjos, deles escorregando com um papelão pelas dunas de areia no Posto 11, formadas graças à eterna manutenção do canal. Tudo lembranças de uma vida que Biel acreditava ter deixado pra trás mas que voltaram com força depois que ele recebeu a notícia.

— Aí, dá uma hidratada, né não? — Eles pararam o jogo e voltaram pras suas cadeiras na praia. Não demorou nada pra encostar um vendedor de mate.

— Calma aí, calma aí. — Se apressou pra beber um deles. — Deixa aquele chorinho.

O vendedor encheu o copo mais uma vez e meteu o pé.

Eles ficaram de olho no jogo de futevôlei que rolava numa rede ali perto. A partida tava muito disputada, e a rapaziada em volta gritava mais alto a cada ponto marcado.

— Tão jogando alto ali hoje. Papo de uns vinte mil por partida.

— Tá pouco ainda. Semana passada, que aquele Alecsandro tava aí, fiquei sabendo que chegaram apostar cem mil. — O público do jogo era formado na maioria por ex-atletas que viraram empresários, ou por empresários que sempre quiseram ser atletas.

Fazia tempo que Biel não marcava na praia. Depois que começou a fornecer suas flores pros vagabundos na Cachopa, viu a clientela no morro aumentar muito rápido. A notícia corria pelo rádio. De uma hora pra outra, em várias bocas, era possível sentir o cheiro da erva fresca, ou pelo menos do Colômbia que Biel sempre garantia. Isso devia dar a maior bolação nos viciados, que sentiam aquela marola na boca enquanto compravam uma erva que só cheirava a amônia. Mas cada um com seus problemas, o fato é que a venda já era suficiente pra Biel ficar tranquilo, sem precisar se expor muito na pista. Agora, de volta ao seu antigo escritório, acha aqueles papos todos cada vez mais estranhos.

Ele volta a se lembrar do amigo. Marlon sempre foi sinistro jogando bola, em vários esportes, na real. Mandava bem na luta, chegou a pegar onda um tempo, numa época que trabalhou de boleiro começou a representar também no tênis, chegou até a virar rebatedor lá no Jockey Club. "A chance de voltar a andar é bem pequena", Biel mais uma vez olha a mensagem no celular.

— Quem perdeu os cem mil foi aquele dali ó, Fernandes, eu acho. Perdeu e ainda pagou uma rodada pra todo mundo.

— Também, o cara tá milionário. Tá rindo à toa. O maluco chegou dos Estados Unidos, já comprou aí uns cinco, seis apartamento.

Depois de três anos sem falar com ninguém da antiga, como é que a irmã de Marlon foi achar Biel no Facebook? Ainda mais pra falar um bagulho assim? Na mensagem ela deixou também o número do quarto, disse que o irmão tá precisando ver os amigos porque tá muito triste naquela cama.

— Porra, mas o cara é muito safo. Desviou não sei quantos milhões lá fora. Agora nem pode voltar lá nos States, mas aqui vai viver que nem um rei.

— Desviou de quem? — Biel perguntou meio sem pensar.

— Sei lá, só sei que é muito dinheiro. Muito mermo.

Biel olhou pro cara, muito à vontade sentado acompanhando o jogo. Quanto será que apostou naquela partida? De qualquer jeito, parece gritar muito mais por diversão do que preocupação. Ali é tudo festa.

Os playboys acenderam um baseado, e pela primeira vez o jeito que faziam isso chegou a incomodar Biel. Eles nunca olhavam em volta pra ver se vinha polícia, nem antes nem enquanto fumavam. Eles só tacavam fogo e subia aquele cheiro de erva fresca pra se misturar com a maresia.

— Aí, qual vai ser daquela 00 hoje?

— Tu ainda pergunta?

— Mariana e as amiguinha vai tá lá hoje também, hein.

— Mariana Weber?

— Não, pô. Bianco.

— Ela é muito gatinha.

— E o Michael Douglas?

— Bora pegar, né.

— Vini tá fazendo promoção. A partir de cinco tá saindo a cento e cinquenta a grama.

— Preço bom.

— E tá o bicho, tá? Eu peguei semana passada.

— Então é isso.

— É isso.

Biel continuava sem falar nada, mesmo sabendo que a intera daquele MD contava com a sua participação. Só de imaginar aquela boate lotada, as luzes piscando, a mesma música e as mesmas Marianas de sempre, Biel já sabe que não vai. Faz quase três anos que anda com essa galera, e o que mudou, na real? Do plano que tinha lá no início? Qual é a chance de ganhar dinheiro suficiente pra alugar um apartamento maneiro, mudar o patamar de verdade? Se precisa gastar a maior nota toda semana, só pra mostrar que não precisa de dinheiro? Não, a partir daquele dia, só ia tratar ali questões profissionais. Podia muito bem viver só com a distribuição no morro, apesar do risco constante de rodar na volta pra casa, com a UPP cada vez mais neurótica, sufocando o morador.

Os moleques começaram a se arrumar pra sair, Biel não se levantou. Via eles pegarem as camisas e carteiras, baterem o chinelo um contra o outro, mas era como se não tivesse ali, não ouvia o que eles falavam e nem entendia muito bem aqueles movimentos.

— Bora lá comer, Biel. Tá surdo, porra?

— Tô suave. Acho que vou no hospital visitar um amigo.

Eles foram embora e Biel ficou sozinho na praia. Olhava pro mar e quase se irritava dele ser tão azul. O Morro Dois Irmãos, aquele sol, aquele pedaço de cidade que chamam de Rio de Janeiro, tudo parecia uma ofensa.

Ele se lembra dos amigos que fez na Cachopa nos últimos meses. Várias histórias, uns moleques muito engraçados, umas novinhas muito gatas. Mesmo com a chegada da polícia, e toda a confusão que isso causava no morro, Biel começou a gostar de morar na Rocinha. Na época em que viviam na Via Ápia, ele praticamente só dormia em casa, muito concentrado em sua vida na pista. Ali na Cachopa passou a viver o cotidiano da área e sentiu que foi melhor acolhido do que em qualquer outro lugar.

Ainda distraído, Biel ouviu aquela voz. Nem precisava olhar pra saber que era o menino que, meses atrás, ele botou o pé na frente, ajudando que fosse linchado pela galera da praia. Depois desse episódio, Biel viu aquele menor várias vezes na praia; vendendo bananada, paçoca, agora vende pele. A cena sempre se repete quando ouve aquela voz.

— Ô da pele, chega aí! — O menino se aproximou. — Tá quanto isso aí?

— É um real, só.

Biel entregou a moeda e recebeu o saquinho com a pele frita. Um sachê de ketchup preso no plástico, como era normal.

— Coé, menó, eu sei que tu não lembra de mim, mas... — O menino pela primeira vez olhou de verdade na cara de Biel, e se transformou na mesma hora.

— Porra, como é que não lembro?! Tu me chamou aqui pra quê, vai juntar ni mim de novo?! — o menor gritou pra ele.

— Não, cara, eu... Naquele dia, eu sei lá. Eu não sou que nem eles não, menó. Eu sou que nem tu!

— Que nem eu é meu pau! Tomar no cu, mandadão do caralho!

Rio, 6 de junho de 2012

Vacilão de morro. Wesley pensa no que se tornou, enquanto aspira mais uma carreira na linha do trem. É lógico que todo mundo vai acreditar na história de que rodou pros canas; várias vezes já partiu de missão e nunca deu mole com o dinheiro de ninguém. Mas o problema não é o que os outros vão acreditar ou não, o problema é que ele sempre vai saber. Da mesma forma que tá ligado como o dinheiro de geral tá escasso, que a maconha na Rocinha tá uma merda e que os amigos tavam tudo contando com aquela erva pra ficar tranquilo na semana.

Por tudo isso, ele não consegue entender o que aconteceu na hora que parou em frente àquela boca da Fazenda, a boca mais famosa da semana lá no Jacaré. Wesley só precisava comprar os baseados da rapaziada, depois ia sobrar ainda trinta reais pra pegar suas paradas, dinheiro que ganhou pra partir de missão, mas, no fim, tudo virou pó.

Na intenção de se concentrar em qualquer outra parada, Wesley começa a olhar em volta, procurar qualquer distração possível. A linha do trem cheia de gente de um lado pro outro.

Uns fumando no copo, outros tomando banho num cano de água furado, uns moleques com uniforme da escola fritando de loló.

No meio de tanta coisa, uma cena chamou a atenção de Wesley: um casal discutia por um cigarro. A mulher gritava que desenrolou aquele Derby, que tinha o direito de acender, enquanto o cara afastava ela com um braço e protegia o cigarro com a outra mão. A mulher xingava cada vez mais alto, corno, brocha, gigolô, cracudo, mas até aí tava tudo certo, ninguém por ali, além de Wesley, tava prestando muita atenção. O grande público só apareceu quando ela arrumou um pedregulho e ameaçou partir em duas a cabeça do parceiro.

Quando se ligou na formação da plateia, o maluco ficou puto pra caralho e gritou pra todo mundo ouvir que era melhor ela acertar pra matar, senão a porrada ia comer ali mesmo. Foi a deixa pra quem tava em volta começar a gritar também, incentivando a pedrada. Então o cara acendeu de uma vez o cigarro, como que pra mostrar que não se abalou com a pressão da torcida. A mulher ficou ainda mais bolada, e a galera aproveitou pra botar uma pilha de que, se ela não jogasse logo a pedra, o cara ia fumar o cigarro todo sozinho.

A mulher começou a balançar a pedra, pra frente e pra trás. Muito concentrada, parou até de gritar; sabia que só tinha uma chance. O cara continuou fumando o cigarro com a mão esquerda e passou a usar a direita pra proteger a cabeça. Ela ainda ameaçou duas vezes jogar a pedra, mas voltou atrás, enquanto o cigarro já chegava na metade. Só quando nem seu parceiro nem ninguém em volta acreditava mais foi que ela finalmente tacou aquela pedra.

O pedregulho foi voando, parecia até em câmera lenta, o cara ainda tentou desviar, mas foi preciso meter o braço na frente pra não pegar na cabeça. Na mesma hora já começou a sangrar o machucado. Nessa hora, tudo parou: o público em volta fez silêncio, todos no aguarde da reação. O maluco então achou um pedaço de madeira no chão e saiu correndo atrás da mulher, que a essa hora já tinha canelado pro outro lado da estação. Ele ainda correu atrás, com mais velocidade e muita raiva, mas antes de conseguir alcançá-la, foi parado por uns moleques da boca, que mandaram ele largar aquele pedaço de madeira, que não queriam confusão ali na linha do trem. Revoltado, o cara mostrava o machucado no braço e cobrava o direito de fazer justiça.

— Aí, tu quer comprar um guarda-chuva? — Wesley tomou um susto, distraído que tava com o desenrolo dos moleques com o cara do cigarro.

— Tá bonzinho ele — continuou, antes de abrir o guarda--chuva pra mostrar que funcionava perfeitamente. — Qualquer dois reais tu leva.

Wesley olhou pela primeira vez pro maluco. Um cara bem alto, com uma calça jeans que parecia não ser trocada já fazia algumas semanas.

— Tá nem chovendo, cara.

— Por isso mermo eu tô vendendo a esse preço. Senão eu tava usando, ou pelo menos vendia mais caro.

O homem fechou o guarda-chuva pra meter o pé. Nessa hora, Wesley percebeu como foi boa a sensação de falar com outra pessoa. Ao ver o maluco se afastar, sentiu mais uma vez a angústia que era ficar ali sozinho, e convidou:

— Aí, tu curte dar um teco?

O homem pegou um pedaço de tijolo e sentou ali do lado. Sem falar mais nenhuma palavra, ficou só no aguarde. Wesley então pegou uma das cápsulas no bolso, despejou em cima da identidade e começou a separar com o RioCard.

— Meu nome é Marco, mas o pessoal aqui tudo me chama de Professor. Eu dava aula de bateria, antes...

Depois de cada um cheirar sua linha, Wesley começou a

falar sem parar. Contou que tinha acabado de sair de um trabalho onde passou mais de três anos, com carteira assinada e tudo, e que por isso tava forte com o dinheiro da rescisão. Aquela missão foi pra curtir no fim de semana, e só começou a dar uns tecos pra testar a qualidade do produto. Wesley inventava essa história sem entender muito bem o porquê; se era ele que tava fortalecendo, não precisava explicar coisa nenhuma, tanto que o Professor não questionava nada. Só ouvia e balançava a cabeça.

— Eu nem sou muito do pó, não, tá ligado? É só ocasião especial mermo, tipo, semana que vem é meu aniversário. — As mentiras todas saíam da boca de Wesley com tanta convicção, que ele próprio chegava a acreditar nas histórias.

— Cocaína é bom ficar ligado mesmo. É um negócio complicado. Eu mermo comecei a cheirar tinha o quê? Quinze pra dezesseis anos, no máximo. Hoje tô com quarenta e oito. Porra, aconteceu cada história doida, se eu te conto tu nem acredita. Mas o que é foda no pó, eu fui me ligando nisso com o tempo, é que ela é uma droga falsa, duas caras mermo, tu me entende? No começo, ah, meu irmão, isso é a melhor coisa do mundo, você cheira só um pouquinho e já fica legal, cheio da disposição pra curtir a noite toda; sério, eu lembro até hoje das primeiras vez que eu usei esse negócio. Da sensação, morô? Uma parada correndo no meu corpo, e coração: tum tum tum. Nessa hora, desse começo aí, tu quase não acredita que pode existir uma parada assim, tão perfeita mermo. Mas rapidinho ela já mostra a outra face, e quando tu vê, ela já te levou pra lugares que tu não queria ir, às vezes uns lugar que é muito difícil mermo de voltar... Aí já era, ela sai dessa coisa da festa pra entrar na tua casa e vira tudo de cabeça pra baixo. Família é foda. Tu já tem filho? Eu tenho dois...

— Eu falo isso direto pros menó, curtir é curtir. Um baile, um aniversário. Se ficar nessa de usar no meio da semana, daqui a pouco se derrama. Quando vai ver, tá que nem esses maluco aí, tudo esculachado... Eu tava aqui só palmeando eles, fiquei pensando: todo mundo começou de algum lugar, tá ligado? Ninguém nasce já zumbi. — No final da frase, Wesley chegou a pensar se aquelas palavras não podiam ofender o Professor, mas já tava dito.

— Não, cara, isso aqui não tem nada a ver com o que eu tava te falando. — O Professor apontava pros muitos drogados em volta, pro monte de lixo espalhado. — Isso aqui, cracolândia? Isso aqui não tem nada a ver com droga. Até porque, se tu parar pra ver legal, droga tem em qualquer lugar, na Zona Sul, qualquer cidade do mundo. Eu te falei que era músico, né? Eu era não, eu sou, mas no momento eu tô parado... Só que escuta; meu irmão, eu já toquei em muito lugar de rico. Hotel, cruzeiro, a porra toda. O que esse povo usa de droga não tá no gibi. Esse negócio aí de coca rolando na bandeja de festa, com garçom levando canudo e os caralho? Meu irmão, eu vi. Ninguém me contou essa porra. Várias vezes. Vagabundo perdendo a linha, nariz sangrando já. Aplicando na veia, do pé, do braço, do pescoço. Tudo isso eu já vi. Gente rica. Aí tu me fala, cadê a cracolândia no Leblon, lá no Jardim Botânico? Isso aqui não tem nada a ver com a droga. Um lugar desse aqui, quem faz é a pobreza, morô? É a miséria mesmo. É o desespero pra conseguir sobreviver, sabendo que tu vai ter que trabalhar que nem um filho da puta pra encher o cu dos outros de dinheiro, ônibus lotado todo dia, essas porra toda. Isso pra não falar em quem perdeu família de bobeira aí com bala perdida, várias merdas, todo dia é uma diferente.

Wesley acendeu um cigarro e ofereceu outro ao Professor. Aquele maluco chegava a dar um nó em sua cabeça; se tava ligado em tanta coisa, como é que chegou naquele ponto? Com a roupa toda rasgada, vários dentes faltando na boca. Wesley queria muito perguntar, mas, na real, tinha medo da resposta.

— Tá vendo, Professor. Bagulho é ficar só no baseado mermo.

— Baseadim é bom. — O Professor deu um trago fundo no cigarro, como se lembrasse naquele momento de todos os baseados que já curtiu na vida. — Acalma, bom pra dar aquela dormida de tarde, aquela namorada... É bom, é bom. Mas aí já é um outro problema, morô? Neguinho começa fumar um, nem imagina o tamanho da merda. Mas tu já parou pra pensar por que é que a polícia vai que nem bicho atrás de maconheiro? — Ele fez uma pausa, talvez esperando uma resposta, mas como Wesley continuou parado sem dizer nada, continuou o papo: — Isso é ordem lá de cima, morô? De senador, de empresário... O problema da maconha, pra esses caras, é que a maconha só dá vontade de não fazer nada, tô mentindo? E se nós aqui não fazer nada, meu irmão, não limpar o chão, não proteger o cofre do banco, não fazer a comida, eles tá fodido, morô? Porque para tudo, não tem condição. Os cara não sabe fazer nada sozinho, só mandar. Por isso eles precisa de nós trabalhando pra eles, o tempo todo, tu me entende? É por isso que eles prefere ver um preto na cadeia do que fumando maconha, morô? Porque aí fica pelo menos de exemplo.

Nessa mesma hora, ouviram três tiros, mais ou menos ali perto. Wesley tomou um susto, como alguém que desperta no meio de um pesadelo. O medo fez com que endireitasse a coluna, se mantendo em posição de alerta. Em toda a cidade do Rio de Janeiro, todo mundo sabe como são as operações ali no Jacarezinho, mesmo aqueles que nunca pisaram na favela sabem de ler nos jornais, de ver na televisão. Apesar da fama, os disparos não foram suficientes pra assustar as pessoas na linha do trem, que seguiram fazendo suas paradas na maior tranquilidade.

— Ouviu isso? Eles quer botar uma UPP aqui agora.

— Tô ligado — Wesley respondeu, tomado pelo medo.

Queria se levantar e pegar logo o trem, mas tinha a impressão de ver os policiais se aproximarem do outro lado da estação. Agora não sabia mais o que era verdade, o que era neurose, sabia que tava na onda, da mesma forma que sabia estar com flagrante, sabia que tava no meio da Faixa de Gaza e sabia que vários naquela mesma posição não ficaram pra contar a história. Ouviram mais rajadas de metralhadora.

— Eles vão pacificar nós! Vão pacificar! — o Professor começou a gritar cada vez mais alto, como se tivesse numa competição com os tiros e fogos que se ouviam em volta. Ele gritava contra o barulho da guerra e ria forte uma gargalhada que reforçava ainda mais os dentes que tinha faltando na boca.

Rio, 13 de junho de 2012

Depois de arrumar a casa toda, varrer e passar pano, encarar a louça de uma semana e expulsar Biel, Douglas olhou pro relógio e ficou preocupado de levar um bolo. Na casa impecável, andava de um lado pro outro, sem saber mais o que podia fazer. Duas horas e algumas mensagens de texto depois, Gleyce finalmente chegou.

— Não repara a bagunça — Douglas mandou essa, mas não segurou o sorriso no final da frase, na real ele queria mesmo que ela entendesse que toda a limpeza era pra recebê-la da melhor forma.

Gleyce não deu muita confiança e sentou no sofá pra trabalhar no baseado. Tava ligada que toda aquela arrumação era por sua causa e que o fato de não ter mais ninguém em casa era muito mais que uma coincidência. Douglas sentou na outra ponta do sofá e ficou esperando ela terminar o serviço.

— E o filme? — ela perguntou de repente.

— O quê?

— O filme, ué. Tu não me chamou pra ver um filme? —

Gleyce não conseguiu segurar o riso; quem escrevia esse roteiro? Ela saiu de casa sabendo bem o que queria fazer, a arrumação da casa também deixava claras as intenções de Douglas, mas mesmo assim eles precisavam passar por todas as etapas de sempre.

— Ah, tem umas paradas maneirinha aí. — Ele apontava as capas empilhadas em cima do aparelho DVD. — *Duro de matar*, *Velozes e furiosos*, tem aquele bolado com o maluco do *Titanic*... — Nessa hora, Douglas sentiu que tava mais nervoso do que imaginava; o estômago começava a embrulhar e o corpo esquentou de repente, apesar do frio que fazia lá fora. Tinha chegado o momento que tanto esperou, mas agora precisava fazer acontecer.

— E esse videogame aí, tá pegando? — Gleyce apontou pro PlayStation antes de acender o baseado.

— Tu joga?

— Só de luta.

Sem muita empolgação, Douglas botou pra rolar um Mortal Kombat. Mas já na primeira luta precisou ficar ligado; Gleyce começou a machucar com a Kitana. Ela não saía apertando tudo ao mesmo tempo igual vários fazem em jogo de luta. Sabia os golpes, especiais, emendava os combos.

— Quando eu era menó, gostava de jogar com a Sonya Blade, mas aí descobri que ela era polícia, fiquei bolada.

Douglas nem conseguia prestar atenção, porque tentava se defender. Mas não teve jeito, levou bola nos dois rounds e ainda tomou um fatality.

— Agora vou jogar sério!

Gleyce já tava acostumada a ouvir isso sempre que jogava com alguém pela primeira vez. Douglas escolheu o Sub-Zero, que sabia apelar se fosse preciso, mas não arrumou nada, ela amassou do mesmo jeito.

— Se tu quiser ganhar alguma, é melhor botar outro jogo. —

Gleyce aproveitou a pausa pra se dedicar à ponta, que já tava quase queimando o dedo. — Minha tia tem um bar lá na Paula Brito, aí lá no flíper dela, eu cresci jogando essa parada.

Douglas quis continuar. Ia passando o controle por todos os personagens, como se a vitória fosse questão de escolher o lutador certo. A disputa no videogame era boa porque aliviava a tensão daquele momento. Enquanto jogavam, conversavam sobre várias paradas, Gleyce contou que tinha desistido de estudar cinema pra fazer jornalismo. Cada dia ficava mais bolada com a forma que via o morro nas notícias. Ela falou sobre a importância de ter gente de dentro contando aquelas histórias, com o ponto de vista do morador pro que vinha acontecendo. Ele não tinha a menor ideia de onde Gleyce tirava aquelas ideias, mas concordava com tudo. Mais do que isso, admirava. Gleyce parecia ter a mesma paixão pelo morro que ele sempre teve, mas com algo a mais. Uma vontade de participar da mudança, de agir pra melhorar. Com o avanço da conversa, Douglas entendia cada vez mais o fascínio de Washington.

Esbarrava aí num terreno perigoso: a lembrança do amigo. Em todo o tempo que ficou no aguarde, arrumando a casa, mandando mensagem, Douglas se perguntava se aquilo não era furação de olho. Na prática, tava ligado que não. Ainda mais depois do episódio no bar. Ele sabia que Gleyce tava bolada com Washington. Mas o que tava em questão não era isso. Era a relação entre os dois amigos.

Washington era um moleque bom, que mesmo com pouco tempo de amizade ganhou a confiança e a consideração de Douglas. O problema todo é que, desde o dia em que conheceu Gleyce Kelly, não consegue mais parar de pensar nela, e pra piorar, tudo indicava que ela correspondia a essa vontade. Douglas começa a se lembrar das vezes que se encontraram desde que se conheceram. Da atenção que ela sempre dá pra ele, independente de quantas pessoas tenha na roda. Dos sorrisos, olhares. Os toques desnecessários, na mão, na perna…

— Bora, cara. Escolhe aí qualquer um.

Ele passava por todos os personagens sem ver nada na tela. Enfim, voltou a prestar atenção e escolheu o Liu Kang, personagem inspirado em Bruce Lee e um dos principais do jogo.

— Eu era sinistro com ele no Super Nintendo.

A luta começou mais devagar, com Gleyce muito menos agressiva. Douglas ficou sem entender se ela tava dando uma trégua ou se ele realmente jogava melhor com aquele Liu Kang, mas o fato é que venceu o primeiro round.

— Posso pegar uma água? — Ela pausou o jogo.

— Fica à vontade.

Sozinho no sofá, Douglas começou a imaginar se não tinha entendido tudo errado. Se, do mesmo jeito que aconteceu com Washington, ela tava só interessada em ficar por ali na boa, fumando uns baseados.

— Tu tinha Super Nintendo? — Indiferente a tudo que passava na cabeça de Douglas, ela voltou pro sofá.

— Não, meu primeiro videogame foi esse Play. Peguei ele num rolo com um amigo do trabalho.

Eles começaram o segundo round. Gleyce voltou a dominar o jogo com sua sequência de golpes e combos. A luta acabou rapidinho. Douglas largou o controle de lado. Eles se encaravam, sentados cada vez mais perto.

— Aí, bagulho de Super Nintendo é engraçado. Tu falou, até lembrei; eu nunca tive essa porra, mas joguei muito, tipo assim, pra caralho mermo. Isso porque o meu melhor amigo nessa época, de menó, ele tinha um. Na real mermo, eu acabei de lembrar o dia que ele ganhou esse videogame. Era Natal, tava chovendo fraquinho assim que nem hoje. Aí fui lá e tal na casa dele, isso era pouco depois da meia-noite, fui só de rolé, que a gente era fechamento mermo e a coroa dele se amarrava na minha. Coé, Gleyce, eu cheguei lá bem na hora que eles ia abrir o presente de Natal, pegou a visão? Porque era ele e mais dois irmão, tudo mais novo. Na moral, eu lembro como se fosse hoje, mó caixão assim, naqueles papel de presente. Agora eu consigo ver, eu juro pra tu, eu consigo ver a nossa cara olhando aquela caixa preta, tá ligada? Com uns desenhos da Nintendo. O Mario, Donkey Kong, essa galera. A gente ficou como, OOOOOOHHH! E o mais engraçado é que papo reto mermo, falando agora pra tu, na minha memória parece que a caixa chegava brilhar e os caralho, um bagulho assim até meio sagrado, sei lá. Também, isso era o quê?, 98, 99, no máximo... Porra, um Super Nintendo era muita coisa, o sonho de geral ali na rua. Eu fiquei como, porra, fiquei felizão. Eu era o melhor amigo do cara, pô, eu ia jogar pra caralho. Quando eu vi aquele videogame, sei lá, parecia até que eu tinha ganhado ele também, tá ligado? Porque eu só vivia lá na casa dele, Gleyce, papo reto, eu ia lá todo santo dia. A gente assistia *Um maluco no pedaço*, *Eu, a patroa e as crianças*, os desenho tudo, *X-Men*, *Super Choque*, a porra toda, eu só vivia lá. Quer dizer, eu sabia que eu ia jogar pra caralho, direto mermo, e ninguém ali na rua ia me chamar de interesseiro. Porque nessa época tinha essa parada, neguinho ficava forçando amizade só em quem já tinha videogame, essas parada. Os abeiros, a gente chamava. Mas eu não, a gente era fechamento mermo e joguei pra caralho aquele videogame... Era muito boa aquela época, muito boa mermo...

— E ele é teu amigo até hoje?

— Te falar, quando a gente se vê aí no morro, até se cumprimenta e pá e tal, mas não é a mesma coisa... A gente já se afastou na adolescência já. Porque a mãe dele, ele, a família toda, virou crente, tá ligada? Mas crente crente, pegou a visão? Tipo eu vi no Face que ele casou agora; sem neurose, eu acho que ele casou virgem! Pra tu ver, Igreja é um bagulho muito louco.

— Então quer dizer que tu não é religioso? — Gleyce largou o controle no sofá e se inclinou de um jeito que deixava bem claro: dali pra frente não tinha mais volta.

— Eu acredito só em Deus. — Essa foi a deixa pros dois avançarem ao mesmo tempo, em direção ao primeiro beijo.

Rio, 16 de junho de 2012

Tava o maior breu quando o bloco chegou na mata. Depois da última rua e do último poste aceso, não dava mais pra ver quase nada, tudo era sombra. Eles começaram então a ouvir melhor o que rolava em volta, o barulho do vento nas folhas, dos bichos. Tudo aconteceu tão de repente e de maneira tão estranha, que o cenário às vezes fazia lembrar um sonho qualquer. Aconteceu que, depois de uma semana tentando marcar de subir a pedra, a decisão acabou sendo tomada de uma hora pra outra, naquela noite de sábado pra domingo, enquanto fumavam de bobeira uns baseados.

Equipados com as lanternas dos celulares, meia dúzia de pão de cachorro-quente, três garrafas d'água e maconha suficiente, eles começaram a trilha da Pedra da Gávea, a maior de toda a cidade. Uma pena não ter dado tempo de fazer uma missão fora pra buscar uma erva melhor; desde que Biel parou de frequentar a praia de Ipanema e perdeu praticamente todos os contatos, os amigos precisaram voltar a se virar com a maconha da Rocinha. Mas já era melhor do que nada.

Eles começaram de verdade a trilha quase uma da manhã. Pelas contas de Murilo, o único entre os cinco amigos que conhecia o caminho, eles deviam chegar lá em cima bem na hora do amanhecer. Bem a tempo de ver o sol subir do mar.

Já na primeira subida mais forte, Biel começou a se perguntar por que é que botou tanta pilha pra subirem naquela noite, talvez por acreditar que ninguém ali ia ter coragem de sair do sofá àquela hora pra encarar uma montanha. Também sofrendo com o caminho, Wesley volta e meia pensava como dar um teco podia ajudar naquela missão. Ele só não comenta nada porque Washington não perdia uma oportunidade de falar que o irmão tava prestes a se derramar.

— Qual foi, soldado. Ninguém aqui tem o teu pique não! — Douglas gritou lá do fim da fila.

— Ih, maluco, ficar pra trás é contigo mermo! — Murilo continuou no mesmo ritmo. — Qualquer coisa, pega essa visão aqui, ó. — Ele apontou a lanterna do celular pra seta amarela pintada numa árvore que mostrava o caminho.

Entre os amigos, Washington era o que subia mais empolgado. Na correria do trabalho, ele quase não curtia mais nada nos fins de semana, e na folga de segunda-feira dormia o dia quase todo. Isso deixava dona Marli toda orgulhosa e dava moral com os vizinhos, com os coroas na rua, virando até exemplo na boca dos outros pros moleques que não queriam nada com nada; Washington gostava da maneira como era tratado, da garantia de um salário, mas, na real, no dia a dia sentia o corpo cada vez mais cansado e com menos vontade de fazer qualquer coisa.

— Qual foi, menó. Já passamo aqui antes! — Wesley mostrava uma árvore pros amigos.

— Viaja não, cara, eu conheço isso aqui. Já subi duas vezes.

— Não, menó, eu já vi essa árvore, tô te falando.

— Enquanto vocês decide aí, bagulho é fumar um baseado. — Biel puxou o maço de cigarros com uns baseados já apertados.

— É isso, aproveita e rola essa água aí também. — Douglas sentou numa pedra, tentando se recuperar da subida.

— Aqui, Murilo, eu sei por esse galho aqui, como é que vai ter dois igual?

— Porra, assim vamo chegar só de manhã, fica dando volta no bagulho.

— Dando volta o quê, Biel? Tu vai acreditar nesse moleque? Tem mais de mil árvore nessa porra, isso aí é conversa pra poder descansar. Tudo gato mole. — Murilo reclamou, mas também aproveitou pra sentar por ali. — Washington trabalhou hoje, vai pegar amanhã de novo no trabalho, eu na segunda acordo cedo e vocês tá nessa, nem parece que vão dormir a tarde toda!

— Esse neguim é maluco; vários bagulho de boa ele não vai pra trabalhar no outro dia, aí hoje, cinco hora de trilha, ele inventa de partir também. — Depois de falar o tempo da trilha, Douglas se arrependeu mais uma vez de ter saído de casa, ainda mais por saber que, depois de subir, todo mundo é obrigado a descer.

— Coé, mano, nem eu acredito que tô subindo essa porra. Mas é isso, tem que fazer essas doideira, senão tu só serve pra trabalhar e pagar conta. — Washington também sentou numa pedra. Sentiu as pernas pesadas do dia no serviço.

— Tá vendo, ainda mais hoje. Depois que o tempo abriu legal, tinha que vim mermo. Tu merece curtir um lazer, neguim. — Além de querer esticar a conversa pra descansar o máximo possível, Douglas também tava já fazia vários dias meio que sondando se o amigo tava mesmo na boa com ele. Em várias oportunidades, pensou em contar o que rolou com Gleyce na última semana, mas sempre desistia antes de começar o assunto.

— Hoje eu fiquei bolado com esse bagulho; na hora que

vocês tava nesse vai não vai, falando das trilha, de vários lugar, eu fiquei como; caralho, eu sou carioca, tá ligado? Nascido e criado no bagulho. Se puxar o fundamento, eu nunca fui no Cristo, Vista Chinesa, Pão de Açúcar, porra nenhuma. Nem no Dois Irmãos eu nunca fui. — Washington sempre quis subir a Pedra da Gávea, mas toda vez alguma coisa dava errado.

— Hã, já te falei esse bagulho várias vez, Rio de Janeiro só é cidade maravilhosa pros outro mermo. O gringo vem aí, ou até o cara que vem de Minas, do Sul, eles curte mó lazer, só festa maneira e pá, fica só em hotel bolado na Zona Sul, sobe trilha, conhece as praia tudo... O carioca só se fode.

— O carioca não, o favelado. Porque os cara aí na pista curte também. — Wesley ficava puto toda vez que Biel falava do carioca como se fosse tudo uma coisa só, talvez ainda apegado aos seus colegas de Ipanema. — Tu não vê o Makita, parceiro lá do Vidigal? O menó é cria, família toda é de lá, tu acha que ele queria sair do morro? Mas fazer o quê, gringo pra caralho no bagulho; aluguel tudo ficando carão, o mercadinho aproveitando pra meter a faca, eles teve que sair saindo. E vou te falar: eles ainda deu foi sorte, eles. De arrumar uma caxanga ali na Roça, vários teve que meter o pé pra Santa Cruz, Sepetiba, lá pra puta que pariu.

— Visão, neguim. É que nem essas porra de Copa, Olimpíadas. — Depois da pausa, Douglas já parecia recuperado. — Eu fico bolado só de pensar nessa parada, porque eu me lembro, eu me lembro, mano, eu menozinho, vendo na televisão essa porra. O Brasil escolhido pra fazer a Copa, mó festa lá em casa, meus amigo, meus primo, geral felizão, imaginando que a gente ia curtir jogo da Seleção, ia no Maracanã e tal. Agora fala tu, a realidade é outra, neguim. Maior perrengue pra pagar o aluguel, comprar as paradas pra dentro de casa, vai gastar dinheiro com ingresso como? Vagabundo tá falando aí que qualquer ingresso tá seiscentos, setecentos conto, fala tu. Isso na fase de grupo.

— Chega dar raiva. Vontade de nem torcer pelo Brasil, papo reto.

— Que isso, Wesley. Brasil é Brasil, tem que torcer. — Murilo apagou a ponta e se levantou pra continuar a trilha.

— Vamo comer logo um pão desse aqui, fumar um cigarro, pra subir tranquilo.

— Qual é, Biel, tamo nem na metade ainda...

— Sem neurose, Brasil tem só que tomar cuidado com a França. Devolver a porradinha que eles deu na gente lá na casa deles. Se a gente passar da França, já era. — Washington tinha na cabeça a final de 98, a imagem dele e de todos os amigos chorando à vera de frente pra televisão.

— Tem que tomar cuidado com os alemão. Tem uns cara brabo nessa seleção. — Douglas desde moleque sempre gostou de jogar com a Alemanha no videogame.

— Tá maluco, com a Copa aqui pode vim qualquer um, França, Alemanha, o Brasil vai amassar. Neymar tá deitando! — Já ligado que, se desse mole, ia acabar rolando outro baseado, Murilo terminou de falar e saiu andando. — Esperar vocês lá em cima.

O grupo voltou pra trilha, mas dessa vez, na onda da erva, iam gastando a maior onda. Eles falavam dos bichos, se perguntavam se ali tinha onça, cobra, macaco. Murilo falava de um amigo que já bateu de frente ali com um bicho-preguiça. Douglas e Washington ficaram pra trás, mas sem perder os amigos de vista. A subida parecia eterna.

— Tu tem falado com a Gleyce? — Douglas perguntou no impulso, sem pensar como faria pra continuar aquela conversa.

— Eu falo direto com ela, irmão. — Douglas percebeu um tom meio duro na resposta do amigo. E se Gleyce já tivesse falado com ele? Washington podia ficar ainda mais bolado, com a sensação de que o amigo é maior duas caras.

— Um dia desses aí ela foi lá em casa. — A subida de uma trilha tava longe de ser o melhor lugar pra esse tipo de conversa, mas Douglas não queria mais pensar nessa parada. Washington continuou seu caminho normalmente.

— Ela me contou no mermo dia, mano. Tá tranquilo.

— Eu já ia te falar esse bagulho, neguim, mas tá ligado, a gente quase não se viu essa semana. Também depois do bagulho lá no teu aniversário... — Douglas não conseguia parar de tentar se explicar.

Na onda, Washington ficou até com vontade de rir, das confissões e explicações do amigo. Mas percebendo que a angústia de Douglas era real, achou melhor liquidar de uma vez aquela fofoca; contou que já tava muito bem resolvido com Gleyce, que no dia seguinte mesmo, cheio de vergonha, pediu desculpas pelo vacilo no seu aniversário, mas que foi bom pra entender de uma vez por todas o que rolava em relação a ela. Eram amigos. Parceiros. Não tinha nada a ver cair na pilha da expectativa dos outros; das muitas coisas que Gleyce ensinou a ele, uma delas era a possibilidade de existir amizade verdadeira entre homens e mulheres. Por fim, contou que ela tava amarradona em Douglas, e esperava que o amigo não caísse na vacilação.

Resolvida a questão, os dois apertaram o passo, com intenção de se aproximarem do resto do grupo. Os três que iam lá na frente já não falavam mais nada, Washington e Douglas embarcaram no mesmo silêncio. O barulho da mata era cada vez mais intenso e familiar.

Apesar do cansaço, a trilha parecia ficar mais fácil à medida que avançavam. Os olhos se habituavam cada vez mais com a pouca luz, e as pernas decidiam sozinhas os melhores caminhos entre as pedras e raízes da subida. A respiração se ajustava ao ritmo da passada. Nesse ritmo, eles caminharam por um bom tempo sem trocar nenhuma palavra. Mesmo assim, não pararam de se comunicar: aumentavam e diminuíam a velocidade, escolhiam os caminhos e estratégias só com a ajuda de alguns gestos e assobios, como se já tivessem feito aquela trilha muitas vezes antes.

— E o baseado?! — Quando avistou aquela pedra, que era um banco perfeito com vista pro mar, Washington fez a pergunta que tava na cabeça de todos naquele momento.

Depois de se ajeitar pra fumar, todos sentiram o peso do caminho. Eles já subiam fazia mais de duas horas sem parar pra descansar. Aproveitaram pra também comer os pães e dar uns goles na água que traziam.

— Melhor forma esses baseado apertado. Senão perde muito tempo. — Murilo tava focado em chegar no topo antes do sol, ciente que, depois que o maçarico esquenta lá em cima, não dá pra aguentar muito tempo.

— Mas agora tá chegano, tá não? Perna tá pesada já.

— Tá mermo! — Murilo apontou lá pra cima, como se o gesto confirmasse a informação. — Depois também é mais tranquilo pra descer. Só tem que ficar na atividade pra não se perder, papo dez. Tô lembrando aqui da primeira vez que subi a pedra, foi foda. Eu era menozão, eu tinha o quê? Uns catorze anos acho, fumava nem maconha ainda, pega a visão. Vim com uns menó lá da rua e pá e tal. Foi tranquilão subir, né, pai, novinho, surfista, mó disposição, gastamo maior onda lá na pedra. Mas na hora de descer, não sei qual foi do bagulho, eu mais um parceiro se perdemo de geral. Mó parada, nem eu nem ele conhecia isso aqui. E aí fomo andando, andando, tava já na mata fechada e os caralho. Começou bater mó desespero, tipo assim, caralho, como é que vamo sair dessa porra? Mas aí continuamo descendo, uma hora ia ter que chegar em algum canto. E pior que chegamo mermo. Sei lá, parecia um condomínio, só caxangão bolado, tinha que ver, papo reto, bagulho de outro mundo. Aí tranquilo, a gente não sabia como sair dali, né, várias rua e pá. Na real, a gente nem tava ligado se era na Barra, se era em São Conrado, onde é que era aquela porra. E tipo assim, a gente tava perdido já fazia várias horas. Mano, pra chegar ali? Porra, andamo muito, muito. Tava morto, cheio de fome, só queria chegar em casa. Aí do nada eu avisto um coroa vindo. Porra, eu fiquei felizão, maluco, fui direto nele lá pedir informação. Sem neurose, eu não me esqueço nunca a cara daquele velho, papo reto, a cara de medo, de terror mermo, quando ele viu a gente. Eu juro pra tu, ele saiu correndo na hora. Hã, tá rindo? O papo é reto, o filho da puta saiu voado. Entendi foi nada, a gente tranquilão. Mas aí fomo andando pra ver se achava a saída daquela porra. Passou assim alguns minutos, chega tipo o carro da segurança, voado. Parou assim na nossa frente, os maluco já desceu metendo a pistola na cara mermo, olhando se tinha pó no meu nariz, e eu só queria chegar em casa. Aí depois de guetar a gente um tempão, perguntar vários bagulho, eles levou a gente lá na porta do condomínio e saímo saindo.

Pouco mais de uma hora depois da última parada, eles finalmente chegaram na Carrasqueira. O céu começava a mudar de cor, com um laranja que subia tomando conta daquele azul-escuro da noite. O relógio marcava cinco e vinte da manhã.

— Essa daí que é o terror.

— Como é que faz pra subir essa porra, Murilo? Tá maluco?

— É só não olhar pra baixo.

Murilo puxou o bonde, subindo as pedras. Os amigos foram atrás, cada um no seu tempo e com suas neuroses. Biel se concentrava em não lembrar das tantas histórias que já ouviu de gente caindo naquela parte do caminho. Wesley ia tranquilo, com habilidade, logo ficou na cola de Murilo. Washington também ia sem medo, mas, por um instante, sem querer pensou no que aconteceria no trabalho se não aparecesse, se caísse daquela pedra, por exemplo. Enquanto isso, Douglas era o que mais demorava pra tomar as decisões, se ia pra esquerda ou direita, qual perna subir primeiro. Naturalmente ficava pra trás. Quando percebeu a distância pro resto do grupo, ficou um pouco nervoso, mas preferiu continuar no seu ritmo. Tava ligado que não podia errar.

Numa parada pra descansar, ele não resistiu e olhou pra baixo. Daquela altura, era impossível não pensar na morte. Não de um jeito que metesse medo e impedisse de continuar a escalada. Tava mais pra um pensamento na morte como essa coisa estranha, sempre escondida no meio de tanto pra sentir e pra fazer mas que pode aparecer a qualquer momento. Um passo em falso, um tiro, um carro, as pessoas morrem. Aquilo que todo mundo sabe chegava naquele momento como uma grande revelação. Ele voltou a olhar pra cima e continuou a escalada.

O resto dos amigos esperou Douglas antes de superar a última etapa da Carrasqueira e, desse jeito, eles chegaram todos juntos no topo da Pedra da Gávea. O sol terminava de sair do mar, e o azul-escuro do céu dava lugar a um azul mais claro e mais azul do que qualquer um deles podia imaginar.

— Olha isso!!! — Ao mesmo tempo, eles gritavam todos os palavrões que conheciam, emocionados pela sensação de finalmente ter a cidade do Rio de Janeiro a seus pés.

PARTE III

Rio, 29 de julho de 2012

No auge do inverno, parecia que tinha um sol pra cada um. Naquela área, ele chegava a queimar diferente, Murilo pensou assim que saltaram do ônibus. A viagem da Rocinha até Campo Grande levou papo de duas horas, isso porque não tinha trânsito na avenida Brasil. Pelo menos Monique foi junto; deu tempo de conversar várias paradas no caminho.

— Tu já vai chegar logo contando? — ela perguntou assim que os dois pararam em frente ao portão da casa.

— Aniversário da coroa hoje. Acho melhor deixar pra outro dia.

Dona Vanderleia abriu o portão já no brilho. Meio atrapalhada pela caneca de cerveja, ela abraçou os filhos, antes de reclamar das poucas visitas. Falava alto numa competição com Arlindo Cruz, que cantava — "Ainda é tempo pra ser feliz" — no último volume.

— Tá quase todo mundo aí.

Já no quintal, Murilo viu alguns parentes que não encontrava fazia muito tempo. A família de sua mãe vive espalhada por toda a cidade; uma parte no Centro, outra na Zona Oeste, alguns em favelas da Zona Sul, uns gatos-pingados na Zona Norte. Reunir todo mundo era sempre a maior missão.

— É cinquenta e quantos mermo, mãe?

— Cinquenta!

Murilo e a irmã sentaram na mesa mais afastada das pessoas e da caixa de som. Roni chegou com uma lata de cerveja e dois copos. Entregou aos irmãos.

— Uma lua dessa, não dá pra ficar de bico seco!

Murilo detestava a simpatia exagerada do padrasto, porque tinha certeza de que era falsa.

Com os copos cheios, eles brindaram à saúde de dona Vanderleia. No meio dos convidados, Murilo palmeava os amigos de Roni. Naquela área não tem jeito; todo coroa meio barrigudo, cheio de cordão ou anel, tem cara de miliciano. Murilo contou pelo menos uns três ali na festa.

Depois do brinde, os dois irmãos voltaram pros seus lugares. Dona Vanderleia já tinha sumido de perto deles e, toda feliz, rodava e sambava pelo quintal com sua caneca enorme de cerveja. É claro que Murilo gostava de ver a felicidade da mãe, mas aquele clima de festa fazia aumentar ainda mais a angústia que trazia no peito.

— Na moral, hoje eu vou machucar esse churrasco. — Murilo puxou um cigarro e viu que sobravam só mais dois sambando dentro do maço. — Mó tempão sem comer carne. Lá em casa tá foda, é Miojo todo dia — ele contou pra Monique, tentando parecer engraçado, mas era impossível não se lembrar do aluguel vencido, do dia em que os três foram tentar vender os celulares e mais qualquer coisa de valor no camelódromo e todo mundo só oferecia merreca, achando que eles tavam na fissura do pó pra aceitar qualquer vinte reais nos aparelhos.

— Tu ainda gosta daquele de galinha caipira? Eu agora me amarro no de tomate.

— Na moral, quero nem pensar nisso hoje não!

Ele se levantou e foi até a mesa da comida. O arroz, a farofa, o molho à campanha e a maionese chegavam a brilhar. O pano limpo, os talheres impecáveis e as travessas de vidro davam até saudade da época em que vivia na casa da mãe. Não demorou também pra se lembrar da roupa sempre lavada, cheirosa, no armário.

— Eu juro pra tu! Ele mandou sérim!

— Mermão, essas paradas só no Rio de Janeiro mermo! — Em volta da mesa, dois tios de Murilo conversavam às gargalhadas. Na certa escolheram o lugar de forma estratégica: perto do isopor da cerveja e colado com a churrasqueira.

Murilo começou a montar seu prato no sapatinho, sem fazer muito contato visual pra não precisar entrar na conversa. Não que tivesse alguma bolação com os tios, os dois eram tranquilos, engraçados até, o problema é que, nesses papos de família que não se vê há muito tempo, é de lei perguntarem coisas sobre o trabalho, a casa, sobre como anda a vida nos últimos tempos. Perguntas simples que Murilo não sabia nem por onde começar a responder.

— Aí, sobrinho, escuta essa. — Eles se aproximaram de Murilo.

— Não, tava contando pra ele aqui, eu um dia tava no táxi, rodando e tal, isso já de madrugada que eu não tenho paciência pra pegar trânsito, prefiro rodar de noite. Até aí, normal, tudo bem, tudo tranquilo. Tô eu passando em São Cristóvão, entra o passageiro. E boa noite, que não sei o quê, tava indo pra Copa. Eu fiquei até feliz que já tava mermo querendo voltar pra Zona Sul, peguei ali pra chegar na Leopoldina. Aí começamo a conversar e coisa e tal, cara maneiro, tranquilão, papo vai, papo vem, falamo não sei o quê de seguro. Aí que ele mandou pra mim: Mermão, é o que eu falo pra todo mundo que tem carro; é caidinho?, tá velho?, não interessa, bota no seguro. Aí eu falei pra ele: Não, que isso, tem carro que não vale a pena, e coisa e tal. Aí ele: Tô te falando, cara. Eu trabalho com isso. Aí eu achando, né, que o maluco era corretor de seguro e coisa e tal. Ele: Eu roubo carro, tá ligado? Todo dia uns cinco pelo menos.

— Caô! Tá de sacanagem, tio?! — Murilo deixou o prato feito em cima da mesa, depois aproveitou pra pegar um copo descartável por ali, pra encher de cerveja.

— Tô te falando, ainda mandou assim: E outro conselho que eu te dou, meu chapa: não reage, que nós quando vai meter o carro tá tudo na adrenalina, pode achar que o motorista tá de peça e aí que morre de bobeira. Por isso que eu falo pra botar no seguro, fica de cabeça como, tranquilinha. Se não tiver, sustenta então. Eu só sei que carro nenhum vale a pessoa arriscar a vida. Aí nessa hora eu já tava achando que a próxima vítima era eu mermo, no meu cu, eu juro pra tu, sobrinho, não passava nem agulha. Mas eu não me aguentei e falei pra ele: Mas, ué, tu, quando vai roubar um carro, também tá no risco de perder a vida. Qual é a diferença então pro motorista? Eu, na hora que falei, já me arrependi, porque podia parecer que eu tava ameaçando ele, sei lá; mas ele mandou assim: Não, mas isso aí é meu trabalho, é o que eu faço, entendeu? Tem risco, tem recompensa, igual qualquer trabalho. Então, eu não tô em risco por causa de UM carro, entendeu? Vou fazer o quê, é meu trabalho. Mas um dia, se vim alguém me roubar, hã, perdi, mano, tem nem o que falar. É bola pra frente. Aí que eu volto praquela história do seguro...

— E o maluco tentou te roubar ou não? — Murilo ria com vontade.

— Porra nenhuma! — O tio fez uma pausa pra também

encher seu copo. — Desceu em Copa, pagou na moral, boa noite, boa noite, e já era. Já devia ter fechado o expediente!

Murilo ficou mais um tempo com os tios, rindo à vera do que eles tinham pra contar. Mas quando chegou na sua hora de falar alguma coisa, preferiu voltar pra mesa, com a desculpa de não deixar a irmã esperando muito tempo. Antes de ir, pegou mais duas latinhas. O calor e a vontade de meter o pé faziam Murilo beber rápido demais.

— É a melhor coisa mesmo. — Quando voltou, encontrou a irmã conversando com Angelita, a melhor amiga de sua mãe.

— Eu, se pudesse, me mandava de lá também. Mas a casa é própria, né... — Angelita devia ser uns dez anos mais velha do que dona Vanderleia. — E você, menino, tá na Rocinha ainda? — ela perguntou pra incluir Murilo na conversa.

— Não, pô, eu tô morando em Ipanema agora. — Murilo tentava parecer engraçado, mas o jeito como saíram aquelas palavras fazia parecer uma resposta atravessada.

— E ainda não me convidou por quê? Tô precisando pegar uma praia. — Angelita se levantou e apontou pros braços. — Eu chego tá amarela!

Murilo se lembrou da época em que sua mãe e Angelita trabalharam juntas, das tantas noites que a amiga foi dormir na Rocinha. Eles ficavam até tarde conversando, contando piadas. Às vezes até pediam uma pizza. A presença de Angelita sempre mudava o jeito de dona Vanderleia. A mãe ficava mais engraçada, mais leve, brigava menos e ria mais. Talvez por isso ela tenha conquistado a simpatia dos irmãos logo de cara, se tornando, de alguma forma, parte daquela família.

— Mas é isso, menina. Eu só queria te falar como eu fiquei orgulhosa de você. Juro, eu não conseguia parar de chorar lá em casa quando sua mãe ligou pra contar. Mas eu já sabia. Eu sempre soube. — Elas se abraçaram mais uma vez antes de Angelita voltar pro seu lugar.

— Engraçado como ela envelheceu desde o último aniversário, né? — Monique não sabia direito o que fazer com o resto de cerveja quente no seu copo; acabou virando a bebida numa golada só. — Mas continua a mesma figura de sempre — disse ainda, enquanto fazia uma careta e estendia o copo vazio pro irmão calibrar.

— Tu vai te mandar da onde, que eu peguei o bonde andando? — Murilo perguntou, já ligado na resposta. Encheu o copo da irmã e na sequência o seu próprio.

— Do morro. Eu já tô vendo alojamento lá na faculdade. Se não rolar, sei lá, eu tento uma república ali perto.

— Tô ligado.

Murilo tinha noção de que, mesmo vivendo os dois na Rocinha, se viam pouco e participavam cada vez menos da vida um do outro, por isso não fazia o menor sentido e chegava até a ser ridículo ele falar que se sentia abandonado com essa mudança, mas era exatamente isso que ele tinha vontade de falar. Ele acendeu o seu penúltimo cigarro do maço.

— Ali na minha área, aquilo ali não tá maneiro. Todo dia é tiro, todo dia. Esse monte de bala, tá pensando o quê, um dia pode acertar alguém — Monique disse.

— Um dia? Já acertou vários.

— Tu nem sabe de porra nenhuma — Monique continuou. — Já duas vezes, eu voltando pra casa, fiquei no meio da troca. E, porra, nessa hora tu não sabe se tenta subir pra casa, se tenta voltar pelo beco, quer dizer, o que dá pra fazer numa hora dessa? E os pipoco cada vez chegando mais perto. — Murilo acreditava na angústia da irmã, só que ao mesmo tempo não conseguia deixar de pensar que pudesse ter ali algum exagero, talvez a convivência com esse povo na faculdade, com tanta gente da pista, tivesse mexido com Monique.

— De verdade mesmo, Murilo. Ninguém devia se acostumar com isso — ela continuou, com certeza incomodada por aquele olhar de desconfiança que recebia. — E não é só a coisa dos tiros não, é tudo. Porra, cara, eu fiquei uma semana sem água. Uma semana. Pegando água em balde, porra, chegando da aula, depois do trabalho, tu ainda pegar a merda de uma fila pra tomar banho de balde?! — Monique mais uma vez esvaziou o copo. Tentou servir mais uma rodada, mas o chorinho da lata não rendeu.

— Tem essa de se acostumar não, irmã. Bagulho mermo é ter dinheiro. Dinheiro e uma oportunidade, pegou a visão? A gente só mora onde dá pra morar.

Monique não tava gostando nem um pouco do rumo da conversa, até porque não tinha pedido opinião nenhuma sobre o assunto. O irmão já parecia bêbado e com um olhar meio agressivo. Pra não arrumar problema, ela se levantou pra buscar o gelo, mas de repente, num gesto que não parecia calculado, Murilo segurou a sua mão.

— Eu sei que tu vai conseguir.

*

O dia passou voando e, no fim, tudo aconteceu de forma muito mais tranquila e natural do que Murilo imaginava durante a semana. As brincadeiras e piadas de família eram as de sempre, e era fácil dar as mesmas respostas quando todo mundo já espera por isso. A cerveja gelada deixava tudo mais fresco e engraçado; prova disso eram as gargalhadas dos convidados na hora de cantar parabéns, já no começo da noite.

Murilo devorava sua terceira fatia de bolo, sem disposição pra cruzar a cidade de volta pra casa. Tava mais bêbado do que gostaria, mas dormir ali em Campo Grande não era uma opção; não tinha maconha e só restava o último cigarro do maço. Murilo pensava em acendê-lo, quando Roni se aproximou com um amigo.

— Esse aí é o meu enteado, que eu tava te falando. — Eles se cumprimentaram com um aperto de mão. Do outro lado do quintal Murilo via sua irmã já se despedir dos parentes. — Fiquei esperando você lá na mesa, achei que ia tomar uma com a gente.

Murilo sempre ficava com ódio daquela simpatia. Desde que Roni se juntou com sua mãe, era sempre o maior caô toda vez que eles precisavam de uma força da coroa. Quando ela ajudava na encolha, pedia segredo que o marido podia achar ruim.

— Fica pra próxima então. — Murilo engoliu rápido o resto do bolo e se levantou com uma urgência que fazia parecer muito importante que ele jogasse fora aquele prato descartável.

— O Souza também foi militar, por isso queria te apresentar. Ele primeiro foi tenente no Exército, depois passou na prova da polícia.

— Então o senhor é policial?

— Sou reformado — foi o que saiu da boca de Souza, enquanto Murilo só conseguia ouvir: miliciano, miliciano, miliciano.

— O importante é que eu já falei com ele pra ver se a gente consegue uma vaga num curso preparatório. Uma bolsa, no caso.

Murilo enfim acendeu seu último cigarro. Tentava curtir a fumaça quando viu o policial reformado chegar perto demais.

— Tu tem uma carcaça boa. Se parar de fumar e segurar um pouco na bebida, pode ter um bom futuro lá dentro… — Souza falava, enquanto avaliava Murilo dos pés à cabeça.

— Eu dei baixa no quartel. Já vai fazer um mês — ele falou sem pensar. Se tivesse refletido só um pouco, com certeza ia só balançar a cabeça num meio-sorriso, então pedir licença pra jogar fora o lixo, dar um beijo na coroa, acenar pros que ainda tavam por ali e voltar pro morro.

— E por que tua mãe não me contou? — Dona Vanderleia, que passava com uma sacola plástica cheia de latinhas vazias, ouviu seu nome na roda e parou por ali.

— Não te contei o quê, homem?

— Eu saí do quartel, mãe. Faz um tempo já, tá mó perrengue lá em casa, geral duro, bagulho tá osso. Mas eu tive que meter o pé — Murilo deu a notícia, a voz afetada pela bebida.

— Tranquilo, meu filho. Depois a gente conversa...

— Eu queria contar logo pra senhora, mas tava esperando ajeitar minhas parada primeiro, sei lá, eu já fui lá no EJA ver um bagulho do supletivo, faltava agora só pegar meus documento, tem que ir lá de novo na minha escola, a outra, aquela antiga que eu estudava, e falar com a diretora. Aí é começar logo, pra terminar de uma vez. É isso que eu vou fazer.

Dona Vanderleia percebeu que o filho precisava dela e conseguiu carregá-lo até uma mesinha mais afastada. Os dois sentaram frente a frente.

— Por que você não me contou logo, Murilo? Se eu soubesse, podia te dar uma força, uma amiga falou de uma vaga num mercado lá em Copacabana... Não é porque a gente não mora mais junto que eu deixei de ser tua mãe.

— Eu tentei pra caralho, mãe. Desculpa até o palavrão, mas é foda. Eu tentei mermo. Mas não tinha condição, não dava pra ficar nem um minuto mais ali dentro. Não dava. E sabe o que é foda? Dois anos, dois ano naquela merda e eu não juntei nem um centavo, não aprendi fazer porra nenhuma. Só se eu quiser fechar numa boca, virar polícia ou miliciano, sei lá. Porque, fora isso, eu não sei fazer nada, só carregar peso. Eu aguento bem o peso. Mas eu vejo os neguim lá na área, tudo fodido já, de carregar material de construção, mudança dos outro, é foda, mas é o trabalho que tem. Mas uma coisa eu garanto pra senhora: eu ainda vou achar a *minha* parada, mãe, e eu vou fazer direito. Eu sei que ainda tenho tempo, eu sou um moleque novo, tem várias paradas aí pela frente. O bagulho vai virar, mãe. Confia. — Algumas lágrimas começavam a escorrer do rosto de Murilo.

— Eu sei que vai, meu filho. Agora, tá assim por quê? Aquilo era só um trabalho... Já saiu, paciência, agora é o que você mesmo já falou, procurar outra coisa.

— O problema todo é esse, mãe. Aquilo lá não é só um trabalho. Ou a senhora acha que é só um trabalho o maluco apontar um fuzil, um fuzil 7,62 carregado, na cara de um moleque de quinze ano? E se eu falasse pra senhora que esse maluco era eu e que foi por isso aqui ó, muito muito pouco, que eu não apertei o gatilho. Não, mãe. Aquilo lá não é só um trabalho.

— Que isso, Murilo? Aconteceu onde isso, meu Deus?! — Dona Vanderleia, que também passou o dia inteiro na cerveja, ficou careta na mesma hora que ouviu a confissão do filho.

— Foi uma semana antes de eu pedir a baixa. E o pior desse bagulho, mãe, é que não foi porque ninguém mandou não, foi porque eu quis. Eu só tava acompanhando a abordagem de um outro soldado, eu não precisava fazer nada. Mas eu fiz. Eu fiz porque já tava puto, porque me irritou mais ainda, ficou de deboche com a gente da guarda. Eu me lembro, tava um calor do inferno com aquela roupa, o caralho daquele coturno, mas na real mermo eu fiz porque eu quis e porque eu podia. Eu senti que podia, que eu tinha a porra de uma arma carregada na minha mão e que por isso quem mandava naquela merda era eu mermo. Eu apontei, mãe. Bem no meio da cara. Só que eu não sou isso aí não, mãe, a senhora me conhece. Eu não sou e nem quero ser. Mas eu vou mostrar pra senhora. Vou mermo.

Murilo soluçava enquanto tentava continuar sua fala. Dona Vanderleia se levantou e puxou o filho num abraço, cedendo o ombro pro choro. Sem entender nada, alguns convidados se aproximaram, curiosos. Dona Vanderleia fez sinal pra eles de que o filho bebeu demais, que tava tudo bem. Ela aproveitou pra carregar o filho pra dentro de casa, colocá-lo no banho e depois fazer carinho na sua cabeça até que pegasse no sono.

Rio, 9 de agosto de 2012

Foi a maior adrenalina quando ele tirou o carbono daquele ombro e viu seu desenho da Pedra da Gávea. Aquele trabalho, o mais complicado da sua breve carreira de tatuador, chegava na hora certa. Depois de fazer uma série de nomes, frases e borboletas, Douglas tava ligado que precisava de maiores desafios se quisesse ir pra outro patamar. É claro que a situação da casa, com todo mundo duro e desempregado, ajudava a dar coragem pra pular algumas etapas. Na verdade, Douglas confiava que o desespero daquele momento podia servir de combustível pra trabalhar cada vez melhor.

— Vai ficar neurótica essa. — Washington olhava pros contornos do desenho na sua pele e isso o fazia lembrar do momento em que chegaram no topo da pedra, da liberdade que sentiu quando olhou a cidade toda lá embaixo.

— Ainda vou meter um sombreado aqui, fazer um bagulho maneiro com esse sol…

— Bate uma foto aí. Quero fazer um "antes e depois". — Ele entregou o celular ao amigo. Desde que comprou em doze vezes sem juros aquele smartphone, Washington começou com a mania de registrar tudo. Até foto do almoço às vezes tirava. O preço que pagou por aquele celular deixou os amigos todos de bobeira, mas ele explicava, o aparelho era o mundo em suas mãos. Fazia de tudo, muito mais que apenas ligações.

O amigo bateu a foto e então se preparou pra dar início ao trabalho. Ele olhou satisfeito pra sua bancada, com todos os equipamentos limpos, organizados, tudo pronto pra começar a sessão. Douglas tava realmente disposto a dar tudo por aquele desenho. Além da motivação de melhorar seu portfólio, Douglas queria divulgar uma parada foda porque Washington merecia. O pouco tempo de relação já era o suficiente pra saber que tinha encontrado um amigo de verdade. Não fazia nem um mês, Washington emprestou uma grana pra ajudar no aluguel atrasado, agora vinha com essa ideia de tatuagem que era, na realidade, uma grande prova de confiança.

Nem a história com Gleyce foi capaz de atrapalhar a relação entre os dois. Na real, depois que Douglas começou a ficar com ela, sentiu que ficaram ainda mais próximos. Muitas vezes davam rolé os três e gastavam a maior onda. Em algumas ocasiões, chamavam alguma amiga de Gleyce pra ninguém ficar de vela. Nos últimos dias, combinaram de, assim que sobrar algum dinheiro, viajarem os três juntos pra Minas Gerais, onde Douglas tem um primo.

Depois de oscilar um pouco entre as biqueiras, Douglas decidiu começar a tatuar com a agulha de traço, marcando os fundamentos do desenho, um tipo de esboço, pra depois entrar com o sombreado que representava a maior parte do trabalho. Naquela altura, ele já tava muito mais à vontade com a máquina, seu peso e a tremedeira depois de ligada. Aquele barulho finalmente dava tesão ao invés de medo. Com muito cuidado, Douglas fez o primeiro risco e viu a pele do amigo se abrir jorrando sangue.

— Papo reto, bagulho é suave. Nem dói direito. — Washington falou isso cedo demais, e é claro que depois de alguns minutos, ou horas, podia mudar de opinião.

Só que o comentário deixou Douglas com a dúvida: será que tava perfurando a pele de maneira suficiente? Ele ainda não dominava bem esses limites. Às vezes, a pessoa tatuada reclamava de sentir muita dor, outros diziam que não sentiram quase nada. O mais estranho era que, das tatuagens que desbotavam depois da cicatrização, tinha gente dos dois grupos, o que não indicava nenhum padrão.

— Geral fala que no ombro é tranquilão.

Douglas sentiu que não tinha mais pra onde fugir, pra entender de uma vez sobre a profundidade da agulha, ia precisar tatuar o próprio corpo. Só de imaginar já dava calafrios. Na verdade, ele nunca gostou de agulhas.

— E quando é que tu vai lançar a tua?

— Porra, neguim, eu tava pensando nisso agora mermo! — Douglas fez uma pausa pra limpar o sangue do amigo com papel-toalha. — Eu mermo que vou lançar. Se pá aqui na coxa, que eu consigo me apoiar na moral.

Douglas terminou de limpar a superfície do ombro e tomou um susto com um traço que saiu meio torto. Ele respirou fundo pra segurar o nervoso. Com sorte, dava pra resolver no sombreado.

— E tu vai mandar o quê? — Washington aproveitou a pausa pra acender um baseado. O seu ombro começava a arder um pouco mais.

— Ainda não sei. Vai ser uma parada simples, sei lá, uma folha de maconha.

— Coé, neguim, tá maluco, tu?! — Washington chegou a

se engasgar com a fumaça. — Se a polícia te pega, hã, do jeito que eles tá agora, tu vai tá fodido. Tu não viu lá o bagulho com o Vassourinha? Porra, o menó tava voltando da escola…

Douglas acendeu um cigarro do maço do amigo. Mais uma vez, olhou pro traço torto. Será que Washington conseguia perceber se olhasse pelo espelho? Às vezes a pessoa não vê, igual o amigo que tatuou o sobrenome nas costas e saiu todo feliz da sessão. Mas alguém sempre se liga, tanto que no dia seguinte ele voltou bolado, com a certeza de que o desenho tava torto.

— Tá foda. Os cana tá tudo cheio de ódio. Agora que os vagabundo desentocou os fuzil, eles tá peidando na farofa, sem neurose…

Depois de quase um ano de UPP, a dinâmica entre policiais e traficantes mudou bastante. Se no começo o movimento tentava trabalhar na encolha, agora pareciam dispostos a tomar de volta cada centímetro do morro, o que assustava os policiais, e no fim das contas quem se fodia mais era sempre o morador. Washington reparava que os polícias ficavam mais violentos a cada abordagem, por sorte trazia sempre no bolso a sua carteira assinada e sentia que o documento ajudava a passar mais batido.

— É, neguim… Daqui a pouco aí já é a Copa. Se tiver rolando trocação assim direto, eu quero ver. Eles tá fodido.

Douglas ligou a máquina e voltou ao trabalho. Tentava resgatar a tranquilidade com que começou o desenho, mas só conseguia pensar no traço que deu errado. Talvez fosse melhor contar pro amigo logo de uma vez, pelo menos dividia a angústia, podia continuar sem esse peso nas costas. Ele chegou a abrir a boca pra falar algumas vezes, mas desistiu em todas elas. Decidiu terminar todos os detalhes que faltavam com a agulha de traço e começar logo o sombreado. Pensando bem, chegou à conclusão de que a pior coisa é sentir a falta de confiança de quem tá sendo tatuado.

— Eu tô bolado mermo é com esse bagulho do Wesley. — Washington voltou a falar sem notar que o amigo suava frio.

Ele já tinha comentado do sumiço de seu irmão desde o fim de semana, mas o assunto ficava voltando direto na sua cabeça, isso porque, na verdade, tinha certeza da chegada de Wesley no domingo à tarde, no máximo segunda de manhã. Com o relógio sem parar nem um minuto e a terça-feira cada vez mais próxima, ele começava a imaginar as piores coisas que podiam acontecer.

— Até inventei aquele caô, de que ele tá na casa de uma novinha e tal, pra dona Marli não ficar preocupada, mas é foda...

Douglas mais uma vez desligou a máquina, agora pra trocar as biqueiras e agulhas. Ia cair dentro da sombra pra tentar resolver aquele risco o mais depressa possível.

— Pior é que eu sei que ele deve ter se derramado... Wesley tá andando com uma galera mandadona, papo reto. Ali não tem futuro não.

Depois de fazer o procedimento com a máquina, Douglas voltou pro desenho. Parece que essa pausa esfriou de vez o sangue de Washington, e aquela ardência se transformou numa dor bem irritante, aguda e constante.

— Também, né, mano, não dá pra eu não pensar que foi comigo que ele cheirou essa porra a primeira vez, tá ligado? Sei lá, às vez eu fico boladão com essa parada.

Enquanto o amigo falava, Douglas seguia com o foco no serviço, decidido a resolver aquele problema da melhor forma. A agulha de pintura dificultava a visão porque jorrava muito mais sangue e ele não queria dar chance pra vacilar de novo. Nessas horas, que exigem a concentração total, Douglas sonhava com o silêncio, mas a pessoa tatuada sempre inventa de puxar assunto. A saída que encontrava era não prestar atenção. Cuidava de balançar a cabeça de vez em quando e seguia o baile. Quase ninguém se ligava na sua ausência, talvez porque as pessoas na real não se preocupam se tão sendo ouvidas ou não, elas querem mesmo é falar. Mas, naquele caso, Douglas tava ligado que o amigo precisava trocar aquela ideia. Então, a contragosto, desligou mais uma vez a sua máquina.

— Na moral mermo? Eu, se fosse tu, dava um papo nele, isso porque um papo é sempre um papo, ainda mais em bagulho de irmão. Mas, visão, eu não ficava nessa aí de ah, que não sei o quê, a culpa é minha, que isso não tem nada a ver com nada a ver e o papo é reto. Coé, neguim, esse bagulho com teu irmão é normal. É típico até. Todo mundo tem uma fase de doideira, não tem jeito. Eu mermo, eu nunca cheirei, mas eu me derramava era na cachaça. Porra, era todo dia quase. Chegava em casa doidão, vacilando. Sem neurose, eu rachava a cara. Hã, minha coroa avisou uma, duas, três vezes, quando ela cansou, neguim, ela me botou pra ralar. E foi a melhor coisa. Eu acho que era isso mermo que eu precisava pra acordar pra vida, se ligou? E tu acha que ela ficou nessa de ah, mas ele sempre me viu bebendo, ah, mas no Natal eu sempre deixava ele beber um copo de vinho, tomar um gole da minha cerveja? Porra nenhuma. E tava certa, mano. Se eu não começasse a beber em casa, eu ia beber na rua. Tá tudo aí pra nós, mano. Álcool, pó, cigarro, a porra toda, qualquer droga. A escolha que tu pode mermo fazer é a de não usar. Porque, papo reto, usar droga é que é o normal. Hoje em dia é assim, mano. E é fase, não tem outro jeito. Tem vez que a gente tá fodido e nem tá ligado, bota fé? Tipo assim, eu bebia direto, dia de semana, matava aula pra ficar ali na praça. Pegava umas parada bizarra, umas vodca, uns uísque muito barato, fazia Tomba com 51... Na época, eu achava que era isso mermo, era o que eu queria... Mas hoje eu já consigo ver legal que essa fase começou mermo depois que morreu meu avô, tá ligado? Papo reto, melhor do que ficar nessa com teu irmão, é tu conversar com ele, ver qual é a ideia. Porque muitas vez a gente acha que o amigo tá se derramando só porque é cabeça fraca e pá e tal, mas tudo tem uma história, mano. Não tem jeito, tudo tem uma história...

Washington pegou em silêncio aquela visão. Pensava não só em Wesley, mas em várias paradas que aconteceram naquele último ano. A ocupação da polícia mudou a vida de todos os moradores, e por mais que eles sempre comentassem sobre essa mudança, contando histórias, se revoltando com elas, as pessoas pareciam incapazes de falar pro outro como se sentiam no meio disso tudo.

Com toda a sua atenção voltada pro trabalho, Douglas agradecia aos céus por não precisar falar mais nada. Durante um bom tempo, eles trocaram o mínimo possível de palavras, e assim a tatuagem começava a ganhar forma, o traço que tanto o incomodava se dissolvia nas sombras, ele improvisava novas ideias no meio do processo. Douglas entrou numa viagem tão grande enquanto riscava aquele desenho na pele do amigo, que durante o exercício conseguiu deixar de pensar no que aconteceria depois e também em tudo que aconteceu antes. Ele sentia um mergulho tão profundo no processo, que não dava tempo nem de pensar no resultado; tudo que existia pra ele era aquela pedra, as nuvens, o sol e o barulho constante da máquina de tatuagem. Esse momento foi interrompido pelas batidas na porta.

— Fala vocês, rapaziada. — Wesley brotou do nada com a roupa toda suja e uma cara de quem não dormia direito fazia alguns dias. Também parecia mais magro. — Ih, mané, essa tá ficando braba!

Ele comentou algumas coisas sobre a tatuagem antes de explicar que passou ali pra pagar um banho e trocar de roupa. Pela hora, dona Marli já devia tá em casa e com certeza ia ficar bolada de ver o filho naquele estado. Washington ficou tão aliviado que se permitiu sentir raiva do irmão; mas tinha tanto pra falar que preferiu nem abrir a boca. Enquanto isso, Douglas tentava ignorar a interrupção, na esperança de preservar o momento anterior.

Wesley pegou uma toalha e partiu pro banho. A tatuagem continuou e Washington teve a sensação de que o amigo começou a pesar na mão, porque o ombro começou a latejar. Evitando pensar muito no irmão, ele olhava pro desenho riscado no seu ombro; mesmo tendo escolhido com muito cuidado aquela tatuagem, era estranho saber que carregaria aquilo pro resto da vida, igual a cicatriz que arrumou no joelho, o primeiro beijo na boca, a primeira dura na mão dos vermes, a final da Copa do Mundo de 2002.

— Como é que tá esse braço, quer fazer uma pausa? — Douglas jogou essa quando, na verdade, ele mesmo já tava cheio de dores nas costas.

— Eu tô tranquilo, mas já é também.

Eles aproveitaram a parada pra fumar um baseado. Enquanto o amigo triturava a erva, Washington foi olhar com calma a tatuagem no espelho. A primeira de muitas. A vontade que tinha era de fechar o braço com várias paisagens cariocas: os Arcos da Lapa, o Corcovado, o Cristo, a Rocinha. Wesley voltou pra sala na mesma hora que o baseado foi aceso. Já tava com uma cara muito melhor.

— Caralho, na moral, vocês têm que conhecer a praia do Meio, é sem neurose mermo.

— Que porra é essa? — A dor no ombro deixa Washington ainda mais irritado.

— É uma praia, mano. Uma praia foda, eu tava lá, maior doideira, a praia. É lá na puta que pariu, aí tu tem que atravessar um morro ainda, uma trilha assim, de papo de uma hora e pouca, dependendo do peso que tu vai levar. É ossada, mas, na moral, tu chega lá fica à vontade. Não tem porra nenhuma, papo reto, parece até que a cidade nem existe mais, chega uma hora que tu esquece, que tu esquece mermo. — Wesley falava tudo muito rápido e seu irmão se perguntava se aquilo era entusiasmo ou cocaína. — Não, tem uns nativo lá, tá ligado? Os cara mora lá já mó tempão, eles é que toma conta do bagulho. Tipo se tu vai lá, corta madeira verde pra fazer fogueira, suja a água da fonte, deixa lixo na praia, porra, os cara te amassa, sem neurose, ouvi umas história sinistra dos coro que já rolou ali. Mas se tu chega na moral, no respeito com o lugar e pá e tal, pô, os cara é tranquilão. Porra, tem que ver a casa lá do nativo, mano. É no meio da floresta mermo, tudo de madeira, se ligou? Muito foda, muito foda. O maluco é inteligente pra caralho, tem vários livro lá na caxanga dele, prancha de surfe e tal. Aí a vida do cara é essa, fica lá na praia, curtindo a dele, lê os livro, pega onda, fuma vários baseado. Fala tu, eu fiquei até de marola com isso, pra que que a gente se mata pra viver aqui, mano? É só perrengue, neguim morando aí numas quitinete fodida, falta água, direto tá sem luz, vários caô...

— Por que tu não avisou, cara? Tá ligado que dona Marli tá cheia de neurose agora... Essa parada dos cana aí no morro, ela fica preocupada mermo.

— Bagulho foi do nada, mano. Do nada mermo! Eu piei ali na casa do amigo ali na Dioneia, aí ele e os parceiro dele tava tudo partindo já, com barraca, comida, a porra toda. Eu não quis nem saber e fui, mané. Fui mermo. Acho que era isso que eu tava precisando, tá ligado? Bagulho tranquilo, mó paz. Era isso, mano. Eu tava muito acelerado. Porra, lá tem que ver, mané. Não tem um barulho. Não tem moto, não tem carro, não tem tiro, nem música do vizinho, de igreja, nada. É só o mar e os passarinho. Visão, é passarinho pra caralho! E de noite é sinistro, papo dez, é muita estrela, eu nunca vi tanta estrela na minha vida. Sei lá, parece até que é outro céu, elas brilha muito mais.

Sério mermo. A gente tem que marcar de curtir essa parada junto, vocês tudo aí vai se amarrar.

Washington tava ligado que trabalhando no restaurante, com folga só na segunda e um domingo no mês, ele não tinha a menor condição de curtir uma parada assim, na doideira. E isso deixava ele ainda mais bolado com Wesley; o moleque não trabalhava mais, não botava quase nada dentro de casa, e ainda assim curtia várias paradas, enquanto ele se fodia direto pra na metade do mês ficar duro de novo.

Depois do baseado, Douglas voltou pra tatuagem, na intenção de dar o último gás antes de fechar. Eles já tavam mais de quatro horas naquela brincadeira. Wesley acompanhou um pouco o trabalho, mas quando se ligou que nenhum dos dois tava muito pra conversa, achou melhor se adiantar.

A pausa esfriou o sangue de Washington e com isso a dor parecia insuportável. Ele chegou a sugerir que terminassem outro dia, mas Douglas, apesar da dor nas costas, foi contra. Faltava muito pouco e ele queria tirar uma foto do trabalho pronto. Imaginava os comentários no Facebook, as curtidas, as mensagens que ia receber de gente interessada em marcar uma sessão.

O ritmo ficou intenso mais uma vez, e eles só paravam de vez em quando pra fumar um cigarro. Washington nunca mais se esqueceria do alívio que sentia toda vez que ouvia o amigo desligar a máquina. Maior que isso, só o terror de ouvir o barulho da máquina ser ligada de volta. Ele já nem olhava mais pro desenho, nem se lembrava mais por que queria tanto fazê-lo, e chegava a sentir raiva de Douglas por não terminar nunca. Mas de repente, enquanto sofria com os olhos fechados, o barulho da máquina parou de vez, ele sentiu o papel-toalha passar molhado limpando o sangue de seu ombro, ouviu uma risada de satisfação.

— Pega essa visão aí, neguim!

Washington abriu os olhos e viu a Pedra da Gávea. Seu ombro chegava a latejar, mas tinha valido a pena.

Ele se levantou pra apertar a mão de Douglas e agradecer pelo trabalho, mas o tatuador recusou o aperto de mão e chamou o amigo pra um abraço.

Rio, 25 de agosto de 2012

Na hora exata em que subiu naquele ônibus, Biel teve a certeza de que ia dar merda. Sentiu lá no fundo do estômago. Era a terceira vez que fazia o serviço de atravessar pequenas cargas da Rocinha pros seus aliados. Já tinha levado aquela mochila no Vidigal, na Chácara do Céu e uma vez foi até mais longe, lá no Morro de São Carlos, no centro da cidade. Mas agora era muito diferente. Ele carregava na mochila cinco quilos de pasta base de cocaína pra ser entregue na Cruzada, a favela onde nasceu e se criou.

Depois que Biel abandonou seus contatos na pista e parou de vender suas paradas na praia, ele bem que tentou se firmar num trabalho qualquer, só não imaginava que fosse tão difícil. A primeira experiência foi como ajudante de pedreiro, numa obra grande em que Murilo vinha trabalhando. Já começou errado, porque não tinha disposição pra carregar peso, não sabia virar uma massa, além de voltar sempre atrasado depois do almoço. Acabou dispensado pelo mestre de obras antes de fechar a primeira semana. Mesmo com o aluguel batendo na porta e a geladeira cada vez mais vazia, Biel sentiu uma espécie de alívio quando foi mandado embora. Na sua cabeça, não fazia o menor sentido trabalhar o dia inteiro, debaixo de sol e de chuva, pra ganhar vinte e cinco reais.

O ônibus pegou a Niemeyer, e Biel, que tantas e mais tantas vezes já tinha passado por ali, ficou impressionado com a beleza do mar, a cor do céu, a luz do sol. A janela parecia um quadro. Toda essa atenção talvez se justificasse pelo fato de saber que, se rodasse com aquela mochila, ia ficar um bom tempo sem ver paisagem nenhuma. Biel ficou arrepiado só de imaginar. Tentando esquecer os riscos envolvidos no trabalho, uma outra ideia, ainda mais sinistra, veio ocupar sua cabeça: e se caísse na mão dos vermes, só que, em vez de ser levado pra delegacia, eles decidissem roubar a carga pra vender em outra favela? Biel começou a fazer as contas; cada um daqueles cinco quilos podia facilmente virar mais cinco. Vinte e cinco quilos no total, se cada quilo rendesse em média uns oitenta mil, tinha com certeza mais de um milhão e meio naquela mochila.

O ônibus se aproximou do motel VIP's e Biel avistou a blitz que sempre marca daquela curva. Dois policiais revistavam um mototáxi, enquanto um terceiro controlava a passagem dos carros. Biel tava ligado que eles nunca paravam os ônibus naquele trecho, mas tudo parecia tão esquisito que já começou a ver a cena toda; os policiais entrando no coletivo, mandando os passageiros todos descerem, encostarem na lataria do veículo, abrindo sua mochila e dando aquele sorriso que só os vermes sabem dar quando vão foder com a vida de alguém, mas, num instante, a cena se desfez. Os policiais continuaram a revista no piloto da moto e o ônibus passou batido.

Depois do susto, Biel começou a se perguntar pra onde vai todo esse dinheiro que o tráfico rende. Uma coisa era certa, quem trafica na rua é que não vê nada disso. Pra ficar de atividade, correndo risco de rodar enquanto avisa, os moleques tão ganhando cem reais por semana. Um soldado com moral na hierarquia, que troca tiro e fecha em algum bonde importante, tá ganhando no máximo quinhentos por semana. O vapor ainda tem comissão, dependendo da boca levanta um dinheiro, mas também nada que justifique o risco de rodar com tanto flagrante numa bolsa. Quanto será que vai de arrego pros canas todo mês? E como funciona o esquema com os políticos, policiais e militares que permitem a entrada das cargas nas fronteiras? Ainda tem que pagar o matuto, manter os barracos de endolação, e além de tudo isso pensar numa logística que mantenha a loja aberta vinte e quatro horas por dia, sete dias por semana. Essa visão fez Biel sentir que não era nada no meio dessa engrenagem. Nem ele, nem quem vende, quem troca tiro, quem pesa e endola, quem transporta no caminhão, quem prensa ou faz as misturas nas fazendas do Paraguai e da Colômbia.

Subiram vários passageiros quando o ônibus parou no Vidigal. Tudo morador, então Biel nem ficou escaldado com a presença de nenhum deles. Mesmo sem ter frequentado muito o morro, já faz algum tempo que Biel simpatiza com a ideia de morar no Vidigal. Desde a época em que precisavam sair da travessa Kátia, por causa do bagulho do Coroa, ele tenta convencer os amigos a se mudarem pra lá. Tem uma vista bolada, quase não falta água nem luz, dá muito menos caô com a polícia. O único problema é que, a cada dia que passa, o morro fica mais caro. Depois da UPP, o lugar encheu de gringo, o que fez subir o preço dos aluguel e do comércio geral. Com os três amigos desempregados, passando sufoco até pra se manter na Rocinha, Biel tá ligado que o Vidigal é uma realidade cada vez mais distante.

O ônibus passou direto pelo Leblon, e em poucos minutos Biel já podia ver o Jardim de Alah, seu destino. Ele se levantou, mas preferiu puxar a cordinha um pouco mais na frente, pra descer no Posto 10, evitando bater de frente com os policiais que fazem guarda no Canal.

Ele saltou do ônibus e pegou a Henrique Dumont, a caminho da Cruzada. Desde que parou de andar com os playboys, Biel fica meio escaldado de passar em Ipanema. Ao mesmo tempo que fica bolado com o fato de poder ser visto e reconhecido, também não gosta da ideia de passar batido, de que voltou a ser um zé-ninguém naquela área.

Quando virou à esquerda e alcançou a rua do Canal, Biel viu se aproximar também a Henrique Dodsworth, a escola onde terminou o ensino fundamental. Era impossível não se lembrar dos cigarros fumados escondido na hora do recreio, do futebol no Jardim de Alah, da primeira vez em que tocou nos peitos de uma garota. Biel aprendeu muita coisa naquela escola. Foi nessa época, inclusive, que ele pegou a visão de que podia ser diferente, ser outro. O Shopping Leblon tinha acabado de abrir as portas numa rua bem atrás da Cruzada, e era de lei o bonde partir da escola pra ficar por ali, subindo e descendo a escada rolante, babando nos tênis da vitrine e, claro, sendo perseguido pelos seguranças, recebendo o olhar hostil dos clientes e dos vendedores. Um dia, por algum motivo que já não se lembra mais, Biel partiu sozinho no shopping e foi bem mais tranquilo. Mesmo com o uniforme da escola, sentiu que foi deixado muito mais à vontade, pra andar de um lado pro outro. Naquele dia, entendeu que era *diferenciado*.

Biel só precisou botar os pés na Cruzada pra se lembrar por que sempre quis sair dali. O lugar continuava exatamente do mesmo jeito, a não ser pelos prédios, que se mostravam cada vez mais velhos. De resto, o que se via era uma rua parada no tempo; o mesmo ritmo e o mesmo cheiro, os mesmos vendedores e as mesmas sacolas de lixo esperando a boa vontade da Comlurb. Ao mesmo tempo, o lugar traz uma sensação de familiaridade que nenhum outro é capaz de provocar. Isso é tão forte que, mesmo depois de tanto tempo sem voltar em casa, Biel acha estranho que ninguém o cumprimente. Ele vê as caras conhecidas na rua, mas elas todas viram pro outro lado. O pior é não saber se foi esquecido ou se tá sendo ignorado.

Ele entrou no bloco onde se lembrava que era a boca, mas não achou ninguém, só dois menorzinhos chutando a bola de um pra outro. A mochila ficava cada vez mais pesada, Biel não via a hora de se livrar logo daquilo. Tava decidido. Nunca mais ia fazer um serviço assim, onde, por causa de duzentos reais, corre o risco de perder sua liberdade.

— Tá perdido? — um dos moleques mandou pra Biel. Ele nunca tinha visto nenhum dos dois.

— Acho que errei o prédio. Essa porra é tudo igual… — Biel saiu andando até o portão.

— O que tu tá procurando não é mais aqui não, menó, agora é lá no bloco 6. — Os dois moleques deram umas risadinhas e voltaram pro jogo de bola.

O bloco 6 é onde Biel passou a maior parte de sua vida. Onde aprendeu a andar e a xingar os outros. Antes de chegar, já começava a ver as rachaduras e falhas na pintura, o caminho das escadas, as pichações de caneta na parede. Fazia quase um ano que Biel não pisava na casa de sua mãe. Tinha dia que batia até neurose de passar tanto tempo sem ver sua coroa, até porque ninguém vive pra sempre. Mas a verdade é que depois de sua mãe entrar pra igreja, começar a viver muito no fogo de Cristo, a convivência entre os dois ficou impossível. O auge foi quando ela enfiou um pastor mais meia dúzia de obreiros pra fazer uma oração por ele, em plena segunda-feira de manhã. Como a oração não foi suficiente, ela depois exigiu que o filho frequentasse as reuniões pra largar o vício. Biel, que na época só fumava um baseado, se ligou que a melhor forma era caçar um canto pra morar sozinho.

Ele passou pelo portão e viu três moleques sentados em cadeiras escolares. Um cliente acabava de pegar sua parada com um deles. Os três eram bem novos e Biel teve a impressão de que se lembrava deles, todos crianças, correndo no meio da rua. O barulho de gente descendo a escada fez Biel considerar a possibilidade de sua mãe passar bem na hora de sua entrega. Ele apressou o passo na direção dos moleques. Tentava se concentrar no alívio que seria entregar aquela mochila, se livrar daquele peso. Mas antes que conseguisse chegar na boca, ouviu alguns passos nas suas costas e, pela cara de pavor dos moleques, teve a certeza de que era a polícia.

Um deles saiu correndo, tentando pular o muro pra outro bloco.

— Se continuar, eu vou aplicar! — um dos canas gritou, mas o moleque continuou escalando o muro, ciente que, mesmo ali sendo uma favela, era ainda entre o Leblon e Ipanema, e isso de alguma forma servia de escudo contra os disparos. Ninguém queria assustar os clientes do shopping bem ali atrás.

Biel ficou paralisado, ouvindo os passos dos canas na direção dos moleques. Eles conseguiram render os dois. Biel queria voltar, mas não conseguia se mexer.

— Tá olhando o quê? Some daqui, porra! — um dos policiais gritou pra ele, enquanto algemavam os dois que ficaram.

Desnorteado, Biel saiu andando, mas bateu neurose quando viu o Logan estacionado no portão, e pegou o caminho da escada. Ele começou a subir o prédio. A mochila agora pesava tanto que parecia chumbo. Sem olhar pra trás, subia degrau por degrau o caminho até o sétimo e último andar, na esperança de encontrar sua mãe em casa.

Rio, 8 de setembro de 2012

Não era de hoje que Wesley tava no desenrolo pra piar na base lá da Rua 2. Um amigo seu da época de escola, o Doutrinado, tava fechando de soldado por lá e direto mandava mensagem no Facebook, falando pra Wesley brotar, que ia ficar forte. Mas toda semana era um caô diferente. Na real, Wesley queria sim encontrar o amigo, mas além da preguiça, batia neurose porque a Rua 2, nos últimos tempos, tinha virado Faixa de Gaza, com a bala comendo a qualquer hora do dia e da noite.

Naquele dia, depois de acordar numa ressaca fodida e sem dinheiro no bolso pra fumar um baseado, Wesley decidiu fazer a visita. Já iam dar três da tarde quando conseguiu levantar da cama. Ele desceu a Cachopa debaixo de sol, ainda meio que pisando em nuvens, sem firmeza nas pernas. Além das garrafas de vodca, tinham dado ainda vários tecos. Wesley começa a ter lembranças mais fortes da noite anterior, tão fortes que consegue sentir mais uma vez a agonia que experimentou quando acabou a farinha. Também se lembra, cheio de vergonha, de chegar a pensar em voltar em casa pra meter alguma coisa e tentar vender no Valão, o mercado livre dos viciados. Mais uma vez, Wesley ficou de bobeira com o poder que um pó, um farelo, um nada, podia ter sobre ele. De uns tempos pra cá, não foram poucas as vezes que jurou pra si mesmo nunca mais cafungar, mas na primeira oportunidade já se derramava de novo.

Na metade do caminho, Wesley se arrependeu de ter saído de casa. Ainda precisava andar mais um bocado, subir e descer escada, enquanto sentia a cabeça pesar cada vez mais. Pensando legal, era mais jogo ter batido na casa dos vizinhos pra ver se eles tavam salvando, já que Washington saiu pro trabalho e não deixou nem um fino pra contar a história. O problema dos vizinhos é que a situação deles tava tão sinistra, que era capaz de partir o bonde todo pra Rua 2, na intenção de serrotar o mesmo baseado.

Wesley parou num boteco pra comprar um cigarro de baile. Na sua cabeça, o certo era chegar com um de baile na orelha e depois que alguém acendesse o primeiro baseado, tacar fogo. Então ele podia rolar o cigarro pra quem quisesse fumar, depois, quando os outros acendessem também, com certeza iam rolar de volta. Ele aproveitou a parada pra pedir um copo d'água; foi uma boa surpresa ver a dona do lugar pegar uma garrafa na geladeira, em vez de encher direto da pia. Wesley pegou o copo e virou tudo de uma vez, tava tão gelada a água que ele sentiu fazer uma pressão na parte esquerda do cérebro. Era tudo que precisava.

— Quer mais? — ela perguntou ainda com a garrafa aberta.

Wesley confirmou com a cabeça. Mais uma vez, virou o copo numa golada só.

— Esse calor tá brabo, né? Imagina esse verão como é que vem.

— O sol tá foda, tia. Mas o pior mermo é a ressaca, a garganta parece que não molha. — Wesley devolveu o copo. Colocou o cigarro na orelha.

— Deus me livre! É por isso que eu não bebo.

— E como é que faz pra aguentar os bebum aqui, todo dia?

— Ah, menino, desde que morreu o meu marido, eu tomo conta disso aqui. O segredo é deixar os ouvido aberto, entendeu? Que aí a merda entra de um lado e sai do outro. A única coisa que eu presto atenção aqui é na conta, o resto, eu já nem vejo mais.

— Tá certa, tia. É isso aí...

Wesley pensou quantas vezes não teria sido ele mesmo o doidão chato a ser evitado. Ficou imaginando os caras todos na onda, batendo neurose, vendo coisa onde não tinha.

— Vai com Deus! — ela ainda gritou antes de guardar a garrafa na geladeira.

Dali pra frente, faltava pouco pra chegar na base. Wesley já sentia que tava bem melhor depois da pernada, com o álcool saindo do corpo pelo suor. Só aquela tristeza é que não queria passar de jeito nenhum. De uns tempos pra cá, tem sido sempre assim; depois de uma noite no pó, o dia seguinte é depressão na certa. Não que a vida, bagunçada do jeito que tava, precisa de ajuda de qualquer droga pra causar tristeza, mas essa era diferente, vinha de outro lugar, direto do estômago. Diferente das outras bolações da vida, essa paralisava, dava vontade de não sair da cama, e convidava um monte de pensamento esquisito. Também por isso Wesley resolveu dar um rolé, além do baseado podia trocar ideia com uma galera diferente, pegar outras visões. Ouvir histórias do outro lado da favela.

Na reta final, Wesley viu, de relance, os coturnos descerem a escada. Seu primeiro impulso foi dar meia-volta, pra evitar o embate. Mas do jeito que andavam as coisas no morro, era melhor não inventar de dar as costas pra polícia. Ele seguiu o caminho de cabeça baixa, tentando evitar qualquer contato visual. Na mente, já passava e repassava o texto da dura na cabeça, era sempre a mesma coisa.

— Parado aí, cidadão.

Wesley parou em frente ao grupo de policiais. Eram cinco,

no total. Três que fizeram a abordagem, dois vinham mais atrás. Todos carregavam o mesmo tipo de fuzil.

— Tu mora onde?

— Na Cachopa, meu senhor.

— Que caralho tá fazendo desse lado aqui, então?

Os canas sempre ficam putos de ver os moradores longe de suas próprias áreas. Wesley ficava bolado também, com vontade de perguntar de volta onde moravam aqueles policiais. Com certeza era muito mais longe da Rua 2 que a Cachopa.

— Tô indo ver a minha mina, eu. — Ele não conseguiu pensar em nada muito mais original.

— É aqui perto isso?

— É aqui do lado, pô. — Wesley se arrependeu antes mesmo de terminar a frase.

— Então vamo lá. — O policial indicou com o fuzil pra Wesley ir andando.

Wesley ensaiou uns passos em direção a uma casa lá em cima. Não conhecia ninguém que morasse ali, mas o jeito era bater em qualquer casa e ver o que acontecia. E não dava pra enrolar muito, já que, se ficasse andando muito acompanhado de polícia, podia ser identificado como X9. Ele acertou o passo e mirou numa casa ali naquele mesmo beco.

— Pera aí, pera aí... Deixa o moleque ver a mina dele — disse um dos policiais que vinha mais atrás. Pelo jeito que falava, devia ser de uma patente mais alta que os outros.

— Tu tá com droga aí?

— Tô, não senhor. — Wesley ficou aliviado de ver a dura voltar pro mesmo roteiro de sempre.

— E se eu achar alguma coisa, posso fazer o quê contigo?

— Tô com nada, não senhor. — Depois de um ano sendo parado direto, Wesley aprendeu que o melhor é usar sempre o menor número de palavras.

Um dos policiais se aproximou e fez a revista. No bolso, achou a carteira de identidade, que olhou por um tempo sem muito interesse. Antes de liberar Wesley, o cana ainda pegou o cigarro de sua orelha.

— Fuma isso não. Essa porra mata — ele falou, antes de pegar um maçarico no bolso e acender o de baile. O cheiro de canela tomou conta do beco.

Wesley chegou na boca com o coração ainda acelerado. Encontrou seu amigo, Doutrinado, na maior tranquilidade, sentado numa cadeira com sua metralhadora no colo.

— Os polícia tá aqui perto. Eles me parou, eles — Wesley explanou antes de falar qualquer outra coisa.

— Fica tranquilo, menó. Eles não vai tentar nada não.

Enquanto Doutrinado explicava o acordo feito entre os canas e a firma, Wesley olhava pra ele e tentava enxergar o menó que estudou com ele. Na época, era um dos moleques mais tranquilos, sentava lá na frente, era um dos poucos que fazia dever de casa, essas paradas. Se tivesse que falar qualquer um dos tantos com quem já estudou, sem dúvidas o Doutrinado ia ser uma das últimas apostas de que podia fechar no movimento.

— Aí, já fez três dia que tá mó paz, se ligou? Tá pianinho eles. É ordem lá de cima, cria. — Doutrinado terminou de explicar a situação, depois apresentou Wesley pra rapaziada. Tinha mais quatro soldados, um vapor e meia dúzia de simpatizantes na base. Na caixinha de som, tocava uma música que era relíquia do Ja Rule.

Não demorou pra rolar um baseado. O primeiro do dia é sempre especial, ainda mais depois de tanto perrengue. Wesley fumou com vontade. Já nos primeiros puxões, mesmo com a erva não sendo lá grandes coisas, sentiu o corpo e a mente relaxarem de verdade. Naquele momento, tudo pareceu muito tranquilo. Só quando rolou o baseado é que começou a prestar atenção nos papos que rolavam em volta.

— Não, mano, é minha outra irmã. Patrícia. Que mora lá na puta que pariu de Padre Miguel, colada ali na Matriz. Então, era a bike dela, tá ligado? Aí tranquilo, ela emprestou prum tio nosso e tal, que a família do meu pai mora tudo praqueles lado ainda, aí esse meu tio ficou com a bike, tudo tranquilo, normal, mó paz. Mas um dia desse aí ele foi no mercado, deixou ela presa assim do lado de fora, quando ele voltou não achou foi nada. Mó papo de vacilação, bagulho ali já quase na Vintém já. Também é vários cracudo ali naquela área, é difícil de segurar os cara. Mas aí tranquilo, meu tio foi falar com um parceiro dele, pegou a visão? Maluco não é nem envolvido não, mas é cria, da antiga já, porra-loca, tem conceito lá com os cara. Esse maluco, mano, botou geral atrás da bike, tá ligado? Geral mermo. Falou pros cara: pá, é amarela, assim, assim, assim, assado. Foi papo de nem três hora pra bike aparecer. Aí foi meu tio e o amigo dele lá. A bike tava num ferro-velho ali da favela. O coroa, dono do bagulho lá, mandou pra eles: Ó, o cracudo me vendeu aqui, disse que era dele e tal e coisa, paguei foi galo. Aí ele queria receber de volta o dinheiro, se ligou? Os vagabundo que foi lá também pra resolver o caô, acabou que decidiu que o certo mermo era o meu tio pagar vinte cinco, pro coroa não ficar no prejuízo total, mas também pra aprender não sair comprando as parada aí sem puxar legal o fundamento. Suave, meu tio pagou o bagulho, pegou a bike e meteu o pé. Só lá na frente, com eles voltano, é que ele mandou pro parceiro assim: Pô, essa bike é amarela e tal, acho que até parece mermo, mas, na moral, essa não é minha bike não. Aí o parceiro dele: Coé, neguim, eu já fiz minha parte já, agora também não vou chegar lá e falar pros cara que é outra bike, depois de tudo que eles fez já pra achar. Bagulho é tu ficar com essa mermo. Aí meu tio ficou meio assim, né. Aí o maluco ainda mandou assim:

Tu fica com ela, mas joga uma tinta, esquece de jogar uma tinta não, que, se o dono aparece aí pra te dar um coro, tu já tá ligado o motivo. — O amigo terminou de contar e ficou todo mundo de olho nele, como se a história ainda precisasse de um final.

— Caralho, relíquia, o teu tio pagou pra ser ladrão! — o vapor mandou essa e todo mundo caiu junto na gargalhada.

Foi nesse clima descontraído que Wesley viu o menor brotar voado, pra avisar que os vermes embicaram naquela direção. Na mesma hora, todo mundo ali na base se olhou, meio que se perguntando o que fazer.

— Bora subir. A ordem é não arrumar caô — um dos soldados falou finalmente e foi logo atendido. O bloco todo ganhou o beco. Wesley foi atrás, até porque de jeito nenhum queria bater de frente com aqueles canas de novo.

Enquanto eles subiam, comentavam que aquilo era marola dos canas, que não ia dar em nada. Wesley ouvia o papo e não conseguia deixar de pensar que os vagabundos podiam até garantir que não iam aplicar, mas quem garantia que os vermes iam segurar o dedo? E ele bem ali no meio do caô, rodando de bucha só porque fumava um baseado.

Não demorou muito pro bonde encontrar outros soldados pelo caminho, eles explicaram a situação e logo todos seguiram juntos lá pra cima. A notícia de que os policiais continuavam subindo chegava pelo celular e às vezes pelo rádio. Os moleques subiam a escada com seus fuzis gastando a maior onda, contando histórias dos últimos dias, mas pra Wesley todo aquele riso era de nervoso. Ninguém ali queria admitir, mas ele tinha certeza. Numa dessas, teve o pressentimento horrível de que alguma merda grande tava pronta pra acontecer.

A tensão fez Wesley sentir a ressaca, a onda do baseado, o cansaço, tudo. Caminhava e olhava pra tudo com total lucidez. Ele pensava em abandonar o bloco, tentar pegar outro beco, mas batia neurose de tá subindo reforço, outros canas no plantão. Ao mesmo tempo em que morria de medo de estar ali, no meio daquela situação com vários malucos da boca, de certa forma ele também sentia que tava mais protegido. Quanto mais eles subiam, mais gente se juntava ao bonde. A fila aumentava no beco e todo morador que passava em volta já tomava um susto com a movimentação.

Apesar da vontade, Wesley não teve coragem de deixar o grupo e acabou subindo com eles até estourar na base da Rua 1, lá com o bonde do 157. Bagulho tava de verdade. Papo de mais de quarenta malucos armados. Metralhadora, pistola, lança-granada. Fuzil era lixo, alguns de tão novos brilhavam, refletindo a luz do sol. Contando com os moleques que subiram, dava mais de sessenta vagabundos no meio da rua. Só Wesley e mais uns três ou quatro de morador. Mesmo subindo com os caras, não tinha como não ficar oprimido. Wesley tava doido pra meter o pé, mas antes tinha que ver direito a questão dos canas.

Os amigos da Rua 2 explicaram por que tiveram que subir, sempre lembrando que tavam cumprindo o acordo feito com os próprios policiais. Wesley já se imaginava contando essa história quando chegasse em casa, que acompanhou o desenrolo dos caras, que viu o 157 frente a frente, pela primeira vez desde que ele voltou da cadeia cheio de moral. E foi do próprio 157 que ele ouviu pra geral ficar onde tava mesmo; se os vermes brotassem, eles iam ver qual ia ser do desenrolo.

Depois da ordem, todo mundo começou a olhar pra baixo. Sem apontar as armas, mas também sem a menor intenção de escondê-las. Os bandidos olhavam todos pro mesmo beco, de onde os canas deviam aparecer. Wesley sentiu o tempo parar enquanto o coração disparava. Eles ficaram todos nessa tensão por alguns minutos, mas, no fim das contas, ninguém teve coragem de botar a cara.

Rio, 24 de setembro de 2012

Desde que pulou fora do serviço militar, Murilo começou a cair pra dentro de qualquer trabalho que aparecia. Não importava o tamanho do perrengue, ele abraçava. Às vezes pegava uma obra que durava uma semana ou duas, mas na maior parte do tempo carregava material de construção, ajudava nas mudanças, descarregava caixas de cerveja nos botecos. A família direto perguntava se ele já tava na meta de um trabalho fixo, que desse jeito não tinha estabilidade nenhuma, se ficasse doente não ganhava nada, além do risco de foder a coluna carregando peso todo dia. Ele sempre concordava, inventava uma entrevista que fez ou que ia fazer, e continuava no mesmo ritmo. Na verdade, apesar do esforço físico, ele tava gostando de não ter horário nem dia certo pro trabalho, de não ter um patrão pra obedecer todo dia e das surpresas que às vezes esses trabalhos traziam.

Naquele dia, Murilo tinha combinado de esvaziar uma casa entupida com bagulhos de todo tipo. O velho, antigo morador da Cachopa e que viveu a vida inteira na mesma casa, tinha fama de acumulador. Fama que Murilo pôde confirmar assim que passou pela porta e viu a quantidade de coisas espalhadas pelo chão, penduradas na parede, empilhadas pelos cantos. Na mesma hora, ele pegou a visão de que não dava pra resolver aquilo sozinho. Então voltou em casa pra buscar o reforço.

— Tá maluco? Lá na ladeira, na ladeira da Cachopa, numa lua dessa?! Tu é maluco! — Biel ficou ofendido de ser acordado pra isso.

— Ainda ali, colado nos polícia! Ó as boa que tu mete os teus amigo! — Pela descrição do amigo, Douglas logo entendeu que era bem perto da antiga casa do Mestre, que tinha se transformado em sede da UPP. Não eram poucas as histórias contadas de gente carregada até ali pra entrar na porrada. Até a história de que os canas tinham enfiado a cenoura no cu de um moleque lá da Vila Verde, parece que aconteceu ali na sede.

Mais bolado que eles ficou Murilo, de ver os amigos querendo escolher trabalho. Ele não se aguentou e jogou logo na cara que não é pai de ninguém pra bancar sozinho aquela casa. Depois que os três saíram de seus trabalhos, esse tipo de discussão era cada vez mais normal. A falta de dinheiro deixava todo mundo mais estressado. Murilo direto pensava em abandonar o barco, pegar um quarto sozinho e ficar tranquilo, sem os problemas da convivência.

Os outros tinham mais interesse em manter a casa. Biel, porque não tinha a mesma disposição de Murilo pra trabalhar e sabe que não tá na condição de bancar um lugar sozinho. Além do mais, gosta de viver com amigos, detesta a ideia de uma casa vazia. O caso de Douglas é diferente. Ele bem queria ter um lugar maneiro só pra ele, logo assim que pudesse. Mas tá ligado que ainda não é o momento. Até porque não queria, de jeito nenhum, voltar a um trabalho fixo, não agora que faltava tão pouco pra começar a ganhar dinheiro com suas tatuagens. Na última semana, começou a tatuar num estúdio que abriu no Valão. O lugar é novo, tem poucos clientes e ele ainda não conseguiu fechar nenhum trabalho. Mas é só questão de tempo.

No fim, todos concordaram em ajudar na missão. Além de acalmar o coração cada vez mais exaltado de Murilo, era algum dinheiro que entrava no bolso. Com o mês pra virar, era mesmo a hora de defender o aluguel. Eles desceram pra depois subir a ladeira.

Os amigos chegaram na casa do coroa e ficou logo claro que a situação era muito pior do que Murilo explanou pra convencê-los. Além do amontoado sem fim de coisas que precisavam jogar no lixo, a casa inteira tava empestada com um cheiro de mofo insuportável e, ainda por cima, coberta de poeira.

Eles olhavam pros objetos e móveis, sem saber por onde começar. Um monte de fitas VHS, empilhadas num rack, chamou a atenção de Douglas. Era tanta fita que não dava nem pra ver o videocassete. Tinha gravações de jogos de futebol, programas de televisão, filmes aleatórios, desfiles de Carnaval. Tudo identificado com uma etiqueta escrita à mão.

— Esse coroa morreu de quê? — Douglas perguntou, ainda ocupado com as fitas cassete.

— Com certeza deve ter sido esse cheiro — Biel respondeu antes de acender um cigarro. Era um dos três varejos que compraram no caminho e que deviam durar o dia todo.

— Bagulho é deixar o coroa descansar em paz e começar logo isso aqui. Tem coisa pra caralho ainda.

A casa do coroa tinha dois andares, mais uma laje, também cheia de velharias. O plano de Murilo era começar com a laje e então ir descendo até desocupar o primeiro andar. Biel foi contra essa visão. Achava mais fácil começar de baixo pra cima. Desse jeito, quando precisassem descer a escada com algum bagulho pesado, o caminho da casa estaria livre. Todos concordaram que era a melhor forma. Pra ajudar na missão, eles tinham um carrinho de mão pros objetos mais pesados e vários sacos pretos de cinquenta litros.

— A filha dele disse que é tudo lixo. O que tinha pra guardar, ela já veio aqui e pegou essa semana.

Eles começaram a encher os sacos de lixo com as coisas do velho, mas o trabalho era toda hora interrompido pela curiosidade deles com os objetos. Biel ficou de bobeira com uma coleção de ioiôs que achou na cozinha. Tinha da Coca-Cola, Sprite, Fanta, tudo intato, como se ninguém tivesse nunca brincado com eles.

— Na moral, dá pra arrumar um dinheiro com isso aqui!

Além de carregar aquele peso, Murilo se viu em outra função naquele dia. Precisou virar um tipo de fiscal do trabalho dos amigos, que a cada descoberta ficava mais devagar. Douglas já viajava longe, imaginando a vida do coroa através dos objetos deixados pra trás; uma série de canecas de festival de chope, uma piranha empalhada com os dentes à mostra, um berimbau e algumas outras paradas de capoeira, uma bolsa cheia de máquinas fotográficas antigas.

Os três amigos levaram mais de duas horas pra terminar só o primeiro andar. Além de juntar tudo, ainda tinham que descer e depois subir aquela ladeira com o sol dando moca. O único consolo era passar na frente da UPP e ver os canas derreterem dentro daquele uniforme. Depois de fechar o primeiro andar, eles fizeram uma pausa pra comer uns pães com mortadela e tomar um refrigerante.

Terminado o rango, eles subiram pro segundo andar já com o digestivo apertado. Enquanto organizavam as tralhas, faziam a cabeça. Murilo ficou impressionado com um baú enorme que achou no quarto, cheio de fantasias de Carnaval.

— Esse coroa devia ser muito louco, sem neurose.

— Às vez ele vendia esse bagulho em alguma feira, sei lá.

— Mermão, a barraquinha do coroa devia tá fraquinha, vendia era nada, fala tu. Estoque tá como, lotado.

Foi nesse clima de gastação que Murilo achou a bolsa com as fotos. Era uma dessas bolsas de plástico enormes, de um plástico duro, difícil de rasgar. De primeira, ele tentou tirar sozinho de cima do armário, mas quase caiu da cadeira. Era trabalho pra mais de uma pessoa, convocou Douglas.

— Que porra é essa? — Biel perguntou depois de ver os dois amigos descerem a bolsa.

Eles deram de cara com centenas de fotos, grandes, pequenas, três por quatro, algumas dentro de um monóculo. Na mesma hora começaram a vasculhar as fotos, com a curiosidade de encontrar algum retrato do dono da casa, alguma pista da vida que levou.

Pra surpresa dos amigos, os álbuns ali reunidos não tinham nada a ver com a família ou com a vida do falecido. No começo, as fotos não apontavam nenhum padrão; algumas eram de bailes e festas, outras registravam umas obras, a construção de algumas casas, outras foram tiradas em ensaios de escola de samba, festa de são Cosme e Damião. Douglas foi o primeiro a entender que a Rocinha era o que ligava tudo aquilo.

Com essa informação, os três ficaram ainda mais curiosos com o material. Nem Murilo falou nada quando eles inventaram de espalhar tudo no chão. As fotos mostravam várias fases de uma Rocinha sempre em transformação. Biel foi quem se ligou que algumas das fotos vinham com uma data escrita na parte de trás. Os amigos então começaram a procurar por essas; 1987, 1994, 1965, 2002. As mais antigas eram do final dos anos 1950, registravam algumas poucas casas, espalhadas num morro enorme, verde, lindo.

— Pelo menos agora a gente sabe do que morreu esse coroa. — Douglas e Murilo não entenderam o que uma coisa tinha a ver com a outra. — Morreu de desgosto. Imagina tu morar aqui a vida toda pra depois virar vizinho de polícia!

— Coé, neguim, se foi ele que tirou essas foto mermo, porra, coroa era relíquia aqui do morro.

— Esse podia falar: Quando eu cheguei aqui, só tinha mato! — Biel se divertia quando os mais velhos mandavam essa.

— Será que ele chegou aqui antes do morro ter nome? — Murilo tinha na cabeça a história que ouviu sobre a origem do nome Rocinha.

— E chamava como, antes? — Biel olhava uma das fotos mais antigas que acharam. Em preto e branco, se via uma capela, branca, cercada de mato em volta.

— Sei lá, irmão, mas geral conta essa história assim, que tipo, antigamente, tinha várias plantação aqui no morro, tá ligado? Tomate, milho, sei lá que porra eles plantava aqui, mas o papo é que esses maluco plantava os bagulho aqui e descia pra vender numa feira ali na Gávea, pegou a visão? Aí nego fala que as parada que dava aqui era neurótica, braba mermo, qualidade. Aí geral perguntava, né: Ah, mas esse legume, essa fruta, veio de onde, e pá. Os maluco começou a falar que era da rocinha deles, ali no alto do morro ali. Aí foi isso, eles ficou nessa de Rocinha, Rocinha, Rocinha, pegou o nome.

— Esse bagulho aí que tu falou, acho que é mais antigo ainda, neguim. — Douglas tinha muito bem guardado na memória o dia em que o professor de história falou sobre a fundação e o crescimento da Rocinha no século passado. — Tipo esse bagulho da feira foi bem no comecinho mermo, se eu não me engano. Que era uma fazenda que tinha aqui no morro.

— Era tudo uma fazenda só essa porra?

— Acho que não. Tinha outras também. O Laboriaux era fazenda também, só não tô ligado se é da mesma época. Só sei que era francês o neguim que era dono, por isso lá tem até hoje esse nome. Ali no Portão Vermelho também. Acho que devia ter mermo várias fazenda. — Douglas direto pensava em como surgiram os nomes de cada parte da Rocinha.

Se ninguém falasse nada, era capaz deles ficarem naquelas fotos o resto do dia. Só que Murilo queria receber o dinheiro logo de uma vez, comprar um maço de cigarros, jantar um bagulho maneiro. Então, vestiu mais uma vez seu uniforme de fiscal e colocou todo mundo pra trabalhar.

— E essas foto, neguim? — Com muito cuidado pra não amassar, Douglas colocava todos os álbuns de volta na bolsa.

— Sei lá, jogar fora, dar pra filha dele...

Pelo jeito que encontraram a casa, Douglas tava ligado que entregar pra família era só mais um passo antes daquelas fotos chegarem na lata de lixo. Enquanto guardava os álbuns, Douglas sentia que não era certo deixar esse bagulho acontecer.

— Eu vou ficar com elas.

Os outros dois também já tinham pensado em levar as fotos. Mas o espaço que aquela bolsa ocupava, a quantidade de poeira, tudo isso fez com que eles deixassem a ideia de lado, no máximo podiam levar algumas mais relíquias.

— Isso aqui é a história do morro, se ligou? Tem que fazer alguma coisa com isso, eu só não sei ainda o quê, mas algum bagulho tem que fazer.

Resolvido o destino da bolsa, eles caíram na limpeza da casa. Depois de algumas horas em contato direto com aqueles tantos objetos, era possível dizer que todos os três desenvolveram certa intimidade com o falecido. Talvez por isso eles continuaram a limpeza mais em silêncio. Um silêncio de respeito àquelas histórias.

Já passava das quatro da tarde quando subiram na laje. Não foi surpresa pra ninguém, encontrar o lugar entulhado com aquele monte de caixote, caixas de papelão, isopor. Algumas das caixas guardavam discos de vinil, outras alguns livros, e a maioria guardava de tudo que fosse possível. A grande surpresa mesmo ficou por conta de Murilo, quando ele viu, num canto da laje, entre um isopor de cerveja e uma bicicleta sem as rodas, aquela prancha de surfe.

Sem muita esperança, mas com muita curiosidade, ele se aproximou da prancha. As três quilhas tavam perfeitas nos seus lugares e o único teco tava muito bem reforçado com uma Silver Tape. O tamanho era também perfeito, um pouco maior, quase um longboard, o ideal pra quem passou tantos anos sem cair no mar.

Ele se lembrava da conversa com a filha do coroa, dela dizendo que podia jogar tudo, absolutamente tudo, fora. Decidiu ficar com a prancha. Sentiu o coração acelerar de repente. Imaginou seu corpo na água, o gosto de sal... Murilo tentou voltar pro trabalho, mas não tinha mais jeito.

— Aí, bora terminar esse bagulho amanhã cedo?

Ninguém entendeu nada. E, apesar do cansaço, também não concordaram. Depois de tanto que ele tonteou pra terminar tudo no mesmo dia, Douglas e Biel já tinham até se acostumado com a ideia de receber ainda naquela noite, também eles queriam comprar os seus cigarros. Além da maconha, que tinha acabado.

Murilo ainda tentou inventar um caô, de que tava com dor nas costas, mas pra conseguir fazer o que imaginava, só podia contar com o papo reto. Explicou pros amigos que precisava descer na praia. Eles acharam que era gastação, mas o amigo falava sério. Desde que saiu do quartel, várias vezes ele pensou em investir numa prancha, mas o dinheiro acabava rápido e na maior parte das vezes não resolvia nem metade do que precisava.

Pela primeira vez, ele contou em detalhes pros amigos o motivo de ter saído do quartel. Eles ouviam assombrados, com certa pena e desconfiança do amigo, mas sem entender o que aquela história tinha a ver com a praia ou com a prancha.

— Eu quero voltar a fazer minhas paradas. Eu já perdi muito tempo lá dentro, agora é correr atrás.

No fim, os amigos concordaram em terminar no dia seguinte, mas passariam na casa da mulher depois da praia, pra ver se conseguiam um adiantamento qualquer. Murilo meteu a prancha debaixo do braço e eles partiram na missão.

Já na descida pela principal o tempo começou a virar. Umas nuvens pesadas tomaram conta do céu. Douglas quis voltar, mas a convicção de Murilo pra ir até o final dava força pra ninguém desistir. Eles tavam curiosos pra ver se o amigo tinha mesmo habilidade ou se aquele papo de surfista era só da boca pra fora.

Quando eles chegaram na praia de São Conrado, não tinha mais ninguém na água. Na areia, os últimos surfistas e banhistas se preparavam pra meter o pé. Todo mundo ficou olhando pra chegada dos três, sem entender muito bem. Os amigos comentavam o estado do mar, meio metro baixo.

— Pelo menos não precisa de salva-vida! — Biel veio gastando o caminho todo.

Depois de tanto carregar peso, Murilo chegou à conclusão de que não precisava nem se alongar e foi direto pra água. Douglas e Biel sentaram numa guaxa embaixo do calçadão, já de olho na chuva que vinha. Murilo então chegou na beira do mar, a água tava mais gelada do que imaginava, mas ele preferiu entrar de uma vez do que tentar se acostumar aos poucos. A chuva caiu. Umas gotas grossas, menos geladas que a água do mar.

Ele ajeitou a prancha na água e pela primeira vez pensou na falta de um strep, ou de parafina. O que queria provar com aquilo, no fim das contas? Sem interesse na resposta, seguiu empurrando a prancha até a água bater na cintura, então se deitou. As ondas ficaram maiores com essa mudança de perspectiva. Murilo começou a remada. Veio a primeira onda e ele conseguiu passar batido, remando por cima. Na segunda não tinha outro jeito além do golfinho. Sem pensar, repetiu exatamente o mesmo movimento de tantos anos atrás. Com os dois braços e o joelho, afundou a prancha pra vencer a onda. Agora tinha o corpo todo molhado. Veio o resto da série e Murilo repetiu o movimento pra furar ainda mais duas ondas antes de finalmente vencer a arrebentação.

Rio, 9 de outubro de 2012

— Que porra é essa no teu nariz?

Wesley tomou um susto quando sentiu os dedos na sua narina. Ele se levantou do sofá num pulo e só então reconheceu sua mãe, já toda arrumada pra ir trabalhar. Percebeu que por algum motivo dormia na sala, mas não conseguia processar muito bem a cena que se desenrolava.

— Qual foi, coroa?

Dona Marli veio na direção e meteu a mão no queixo do filho, levantando pra olhar bem lá dentro do nariz.

— Você tá cheirando, Wesley? — ela gritou, mas não teve resposta. — Eu queria saber onde é que você arruma dinheiro pra esta merda, já que não ajuda mais em caralho nenhum na porra dessa casa. Olha, Wesley, eu já te falei, já te falei isso um milhão de vezes, mas se você tiver fazendo merda, roubando por aí ou sei lá mais o quê, pra sustentar merda de vício, eu só te falo uma coisa: o dia que alguém me ligar de delegacia, qualquer merda dessa, acabou, eu não quero mais saber de nada, morreu pra mim. Eu não vou ficar em fila de presídio pra te visitar, eu não vou levar cigarro, eu não vou fazer nada, você tá me entendendo? Que, se você fizer qualquer merda, tu vai resolver sozinho?

Ainda meio tonteado, Wesley mal consegue reagir. Pensar em qualquer resposta que possa acalmar sua mãe, iniciar uma conversa. Ele sente a garganta seca, o nariz querendo escorrer.

— Ô mãe, eu não tô cheirando nada não, tá doida… — De cabeça baixa, Wesley tenta fungar pra dentro a secreção do jeito mais discreto possível.

— Agora sim. Dá pra entender por que quase não entra dinheiro seu nessa casa, por que tu não conseguiu terminar o negócio de autoescola… Deve tá gastando tudo com essa merda.

Wesley finalmente acordou e teve o impulso de responder que vive duro porque nasceu pobre, continua pobre e vai morrer desse jeito. E que a maior parte do pouco dinheiro que ganha nos bicos vai sim pra dentro de casa, que o pó que tem cheirado por aí é tudo na base da intera ou na dependência de alguém fortalecer, mas falar essas coisas, além da humilhação de ouvi-las da própria boca, ia contradizer a mentira que acabava de contar.

— Teu irmão e eu trabalhando desse jeito… Por isso que a gente não consegue caralho nenhum nessa vida; tem sempre alguém que puxa isso pra baixo.

Washington apareceu na sala com a maior cara de sono, na certa acordado pelo volume do esporro. O que deixou Wesley puto de verdade foi achar que o irmão botou na cara um sorrisinho de satisfação quando ouviu o próprio nome na conversa.

— A senhora quer saber mermo? Eu tô cheirando, mãe. Gosto muito. Mas aí, antes de ficar rendendo homenagem pra filho, pergunta aí pro Washington quem foi que me ofereceu essa porra na primeira vez…

Dona Marli se virou pro filho mais velho, sem saber o que dizer.

— Tá falando o quê, aí, filho da puta?! — Washington partiu pra cima do irmão com a guarda armada, mas antes que pudesse acertar o primeiro golpe, foi agarrado e derrubado por Wesley. Os dois começaram a rolar no chão, mas sem trocar nenhum soco diretamente.

— Para os dois agora! — Dona Marli se meteu entre eles no chão e conseguiu separá-los.

Os três ficaram em silêncio no meio da sala. Só dava pra ouvir aquela respiração pesada de depois da briga.

— Olha que já tô perdendo a hora. — Dona Marli ajeitou o cabelo e a roupa como se ela mesma tivesse brigado. — Juízo, vocês dois.

Sozinhos em casa, os irmãos continuaram parados no mesmo lugar, só que em vez de olhar pro chão como faziam na presença da mãe, se encaravam de modo muito sério, como se pra entender se continuavam brigados ou não. Nesse momento, frente a frente, Washington conseguiu reparar bem no rosto de seu irmão e achou péssimo. Talvez acuado pelo olhar que recebia, na mesma hora Wesley desviou seus olhos pro chão e saiu na direção do banheiro.

Jogado no sofá da sala, Washington escutava as escarradas do irmão na pia. Por mais que tivesse puto com a explanação, ele precisava lidar com a realidade. Wesley não contou nenhuma mentira, e isso era o que dava mais raiva. Depois de alguns minutos, Wesley saiu do banheiro em direção ao quarto.

— Aí, bora fumar um? — Washington convocou do sofá.

Ele foi até o quarto pegar o baseado e voltou com Wesley pra sala. A erva do morro tava tão seca que nem precisou jogar no dixavador pra triturar. Se esfarelava fácil com a mão. Quando

Washington espalhou o farelo na seda, sentiu ainda mais forte o cheiro de amônia.

— Precisando pegar um boldo maneiro, esse xoldim aqui tá triste... Mas é foda, sem tempo nenhum pra fazer missão.

Washington foi a única pessoa que não acreditou no papo de que Wesley rodou naquela missão do Jaca. Já no começo da história se ligou que era mentira. Pra não queimar o irmão, achou melhor não falar nada, mas depois disso nunca mais confiou seu dinheiro na mão de Wesley, que, por sua vez, também nunca mais se ofereceu pra fazer as missões da casa, mesmo com todo o tempo livre. Depois de passar a goma, Washington tacou fogo no baseado.

— Aí, agora dá pra ver legal, ficou braba mermo. — Wesley falava sobre a tatuagem feita por Douglas.

— Moleque é bom, pô. Tá tirando onda.

Os dois irmãos pareciam ter chegado a um acordo de não falar nenhuma palavra sobre a briga que tiveram alguns minutos atrás.

— Achei maneiro que tu mandou a pedra. Essa parada eu penso direto com tatuagem. Tu tem que ter muita certeza mermo; o bagulho é pra sempre. — Desde que sentaram pra fumar o baseado, Wesley ensaia um pedido de desculpas, arrependido por explanar seu irmão.

— Como é que você tá, mano? — Washington deu ainda mais uns três catrancos antes de rolar o beque. — Faz tempo que a gente não troca uma ideia.

Wesley não esperava que a conversa entrasse por esse caminho, mas além de surpreso ficou também comovido com a sinceridade da pergunta. Enquanto fumava o baseado, tentava organizar em palavras a confusão que dominava sua mente. A ocupação da polícia no morro, as duras que levou, a cocaína, o jeito que saiu do trabalho, a falta de perspectiva, de dinheiro, de cigarros. A correria de todo dia pra conseguir o básico, um dia depois do outro, e como de alguma forma essa lógica reduz qualquer possibilidade de futuro.

— Mano, eu posso te ajudar com esse bagulho, mas tu precisa querer também, se ligou? — Ouvir o irmão falar naquele momento dava pra Wesley a dimensão da distância que construíram nos últimos tempos.

— O caô todo é que eu sei, menó. Eu tô ligado no que eu preciso fazer, mas mermo assim eu não consigo. Quando eu vejo, já passou e tô de novo, sei lá, nesse mermo buraco, sem nem tá ligado como é que eu fui parar ali. E a cabeça, eu não sei, ela quer fugir, pegou a visão? Várias parada sinistra, umas imagem de uns bagulho que já até passou mas que fica voltano direto, do nada, tá ligado? Essa noite quase que eu não durmo, mano. Eu cheguei cedo até, tu já tava apagadão. Eu só vim cair no sofá porque sei lá, acho que eu precisava ficar sozinho. Ontem eu carreguei um metrinho de pedra com os amigo ali em cima, peguei uma merreca, se ligou? Mano, eu fui andando daqui lá na Chácara pra pegar um baseado, que geral tá falando que lá tava maneiro, servida. Eu fui. Coé, menó, eu tava na intenção de nada disso, só queria mermo era pegar um baseado melhorzinho, que essa maconha aqui do morro chega dá raiva. Mas aí eu bati de frente com o Sem Braço. Mano, direto eu piava lá na Chácara e palmeava esse maluco. Toda vez era ele mais um neguim parceiro dele, junto. Os cara gosta também de dá um teco, gosta muito. Aí o Sem Braço, é tipo quando eu falo sem braço é sem nada mermo, tá ligado? Não tem o direito nem o esquerdo nem porra nenhuma. Aí ele tava ontem sozinho, eu passei por ele antes de chegar na boca e tal, nem lá em cima eu vi o neguim que tá direto com ele, pegou a visão? Aí tranquilão, eu já tava com a maconha no bolso, já ganhando lá pro Vidigal, que eu tinha guardado até dois conto pra voltar de van, o Sem Braço manda pra mim: Aí, tá a fim de dar um teco não? Eu dei nem muita ideia e já fui andando logo, mas ele veio atrás, mandou o papo de que tinha acabado de cair o dinheiro da pensão, que tava forte e que não sei o quê, só que o amigo dele tinha caído de moto, tava no hospital ainda e sem ninguém ele não conseguia pegar o cartão do banco pra sacar o dinheiro, muito menos trabalhar o pó, fazer um canudo. O neguim era o braço direito dele mermo e ele tava fodido, porque não ia confiar o cartão na mão de qualquer um. Aí eu mandei pra ele que, se ele não tava ligado na minha, eu também era qualquer um, mas ele veio com um papo de que só confiava em mim mermo porque não me conhecia, porque os maluco que ficava ali perto da boca era tudo vacilão de morro. Eu não sei como ele conseguiu, mas eu fui, menó. Fui lá na casa dele, peguei o cartão da Caixa Econômica na gaveta que ele me mostrou, depois a gente ainda partiu lá pro Leblon, na intenção de um 24Horas. Mano, na hora que eu meti o cartão na máquina é que eu vi legal o nome: Maria Aparecida de não sei o quê. Eu bati mó neurose, mas nem falei nada. Tinha trezentos conto. Ele mandou sacar tudo e de lá já voltamo correndo pra Chácara. No caminho eu várias vez pensei que podia guentar a grana e sair saindo que ia ficar por isso mermo, que o Sem Braço não podia fazer nada comigo. Mas eu fui lá na boca com ele e a gente pegou foi quatro pó de cinquenta. Tava servidão, sei lá, acho que era começo de carga. Nós dois já ficou logo instigadão e desceu direto já na prainha, que era mais tranquilo ali de noite. Mas, porra, tava mó ventania do caralho e, quando eu vi, a gente já tava subindo aquela escada toda de novo, depois ainda subiu mais, numa guaxa lá na puta que pariu da Chácara que ele falou que era tranquilo. Eu, quando a gente chegou, já queria meter o pé, mas comecei trabalhar o pó e foi vários teco na sequência, na moral, rapidinho o primeiro de cinquenta desapareceu. O Sem Braço pancadão falava pra caralho e até me contou como é que ele tinha perdido os dois braço, que tava resgatando uma pipa no fio e tomou logo um choque neurótico, que deu sorte ainda de que não morreu. Isso ele era moleque ainda, jogava bola pra caralho, tava na escolinha Fluminense, era federado. Isso tudo ele me contou e não tem nem como eu saber se é verdade ou se não é, até porque vários bagulho ali que ele falou eu já tava ligado que era caô, que o maluco era o maior mentiroso do caralho. O papo é que eu fui entrando numa onda esquisitona, e na real, enquanto eu trabalhava aquela farinha, botava o canudo pra ele cafungar, eu não conseguia me esquecer da tal Maria Aparecida, tá ligado? Se era a coroa dele, ou se era uma irmã, sei lá. Mas vê legal, tudo que esse maluco precisa tem alguém que faz pra ele, tem que fazer. Pra comer, pra beber um copo d'água, pra limpar a bunda. Aí o filho da puta que dá esse trabalho todo ainda pega o dinheiro todo dessa pessoa pra gastar assim, de bobeira, cheirando entocado no fundo de um beco? Caralho, menó, foi me subindo um ódio, só de olhar pra cara dele, eu sentia, não sei, até nojo, pegou a visão? Aí eu não aguentei e saí saindo, pancadão. Até porque era capaz até de eu meter a mão na cara dele, papo reto, eu juro pra tu. Mas aí ele ficou boladão, me xingando à vera, tentando explanar que eu tava roubando as droga dele, eu como, peguei as cápsula, tranquilo, joguei tudo no chão e me adiantei. Mas quando cheguei em casa, eu não conseguia dormir, mano. Essa porra não saía da minha cabeça.

Wesley voltou a tacar fogo no baseado apagado entre os dedos. Deu mais um puxão antes de rolar, já na ponta. Washington se ligou no esforço que o irmão fazia pra não derramar nenhuma lágrima e se lembrou de Wesley pequeno, o jeito que ele sempre fazia aquela mesma cara pra segurar o choro. A imagem do irmão ainda criança começou então a se misturar com a imagem de

Wesley cheirando pó com um maluco sem braço, em algum lugar escuro da Chácara do Céu.

— Me desculpa, irmão. Eu não devia nunca ter te oferecido uma merda dessa — Washington conseguiu falar depois de algum tempo de silêncio entre os dois.

— Tá tranquilo, menó.

Washington pegou a visão de que, naquele momento, a melhor coisa que podia fazer pelo irmão era ajudá-lo a pensar em outras paradas. Pra isso, ele divulgou um beque e depois outro e depois mais outro, e mesmo com a qualidade duvidosa, a sequência de baseados chapou o coco e os dois conseguiram relaxar pra falar de qualquer coisa. Não demorou pra voltarem às gargalhadas que só davam um na presença do outro, causadas pelas histórias que construíram juntos ao longo da vida.

Washington tava já na intenção de apertar outro quando se ligou na hora e viu que tava atrasado pro trabalho. Ele correu pra botar uma roupa, jogou uma água na cara e escovou os dentes. Mesmo em cima da hora, antes de sair deu um abraço apertado em Wesley, como não se davam fazia muito tempo.

Na descida do morro, Washington tentava pensar numa desculpa pro atraso, mas não conseguia tirar o irmão da cabeça. Precisava fazer alguma coisa pra tirá-lo daquela situação. Ele imaginava Wesley no meio de uma cracolândia e se lembrava do risco de tá no lugar errado e na hora errada. Quantos já não rodaram assim de bobeira? Não, ele ia fazer alguma coisa. Tava decidido, assim que pintasse uma brecha, ia botar o irmão pra trabalhar no restaurante. Depois de um ano trabalhando na casa, já tinha alguma moral, Wesley sempre foi um moleque trabalhador, ia dar certo.

No bequinho que dá na Casa da Paz, Washington teve seus

pensamentos interrompidos por um moleque que passou voado e quase o derrubou. Ele ainda se virou pra xingar o cara, mas se ligou a tempo na pistola automática que ele carregava na mão esquerda. Foi só na hora que saiu do beco que Washington pensou na possibilidade de bater de frente com a polícia. Então ouviu os tiros, um milésimo de segundo antes de cair no chão.

Rio, 16 de outubro de 2012

— Neste dia onde a dor se mistura com a esperança, dia de comunhão com quem amamos e que já partiu, a ressurreição de Jesus é uma verdadeira luz para a nossa fé na vida eterna.

A paróquia Nossa Senhora da Boa Viagem ficou lotada na missa de sétimo dia. Além dos amigos todos da Cachopa, a repercussão do caso de Washington nas redes sociais do morro levou à igreja vários moradores de outras áreas. O pessoal da Cachopa quase todo usava uma camisa com a foto de Washington na Pedra da Gávea, com as palavras "saudades eternas" escritas por baixo da imagem. Do pessoal desconhecido, alguns usavam uma camisa branca onde se lia: A Rocinha pede a paz.

— É esse o sentimento que hoje nos move a estar reunidos para fazer memória de nossos filhos e irmãos, acreditando e esperando que estejam junto de Deus. Em Cristo está nossa certeza de que, vivendo e construindo seu Reino aqui, também o herdaremos na eternidade.

Dona Marli se acomodou na primeira fileira de bancos da paróquia. Acompanhada de sua irmã e mais alguns parentes, ela pensava em Wesley, que saiu de casa de manhã cedo, sem dar nenhuma satisfação. Eles começaram a cantar os primeiros hinos. Apesar da maioria do público na igreja continuar de pé durante a música, dona Marli voltou a sentar no banco. Tinha o corpo dolorido. O esforço do choro fazia doer o rosto, o peito, a região lombar.

— Jó tomou a palavra e disse: "Gostaria que minhas palavras fossem escritas e gravadas numa inscrição com ponteiro de ferro e com chumbo, cravadas na rocha para sempre! Eu sei que o meu redentor está vivo e que, por último, se levantará sobre o pó; e depois que tiverem destruído esta minha pele, na minha carne, verei a Deus. Eu mesmo o verei, meus olhos o contemplarão, e não os olhos de outros".

Era impossível pra dona Marli olhar aquelas paredes, aqueles santos, e não se lembrar do dia em que batizou Washington, exatamente naquela paróquia. A festa que foi aquilo, a feijoada que preparou depois da cerimônia. Trinta de maio de 1989. Vinte e cinco dias depois do seu nascimento, no dia 5 de maio. Tudo isso pra voltar a outra data: 9 de outubro de 2012. Tão curta a distância entre os acontecimentos. Vinte e três anos. Dona Marli se lembra perfeitamente do macacão amarelo que Washington usou no dia do batizado, as mãozinhas tão pequenas ainda, ele meio careca, bochechudo. Nasceu com quase quatro quilos.

— Naquele tempo, disse Jesus a seus discípulos: "Não se perturbe o vosso coração. Tendes fé em Deus, tende fé em mim também. Na casa de meu Pai há muitas moradas. Se assim não fosse, eu vos teria dito. Vou preparar um lugar para vós e, quando eu tiver ido preparar-vos um lugar, voltarei e vos levarei comigo, a fim de que onde eu estiver estejais também vós. E, para onde eu vou, vós conheceis o caminho". Mas Tomé disse a Jesus: "Senhor, nós não sabemos para onde vais. Como podemos conhecer o caminho?". Ao que Jesus respondeu: "Eu sou o Caminho, a Verdade e a Vida".

Nove de outubro de 2012. Dona Marli não esquece o momento daquela ligação. Ela aspirava um sofá imenso na casa onde trabalhava. O barulho do aspirador quase sufocou o toque do celular, mas ela ouviu. Desligou o aspirador e recebeu a notícia. A vizinha ligava do celular de Wesley, que tava em choque, sem conseguir dizer nenhuma palavra. Faltavam dez minutos pras quatro horas da tarde. Washington devia tá no trabalho, as pessoas deviam ter confundido alguém com seu filho. Aquilo não era possível. Mas a vizinha tinha certeza e pediu pra ela correr pra casa. Dona Marli correu, deixando sofá, aspirador, tudo pra trás.

As palavras do padre entram por um ouvido e saem por outro. Ela não consegue se concentrar em nada do que é dito, ainda assim não quer que essa missa acabe nunca. Porque, depois do fim da cerimônia, não sabe mais o que fazer. Cuidar de um velório, de um enterro, encomendar missa, mandar os convites, tudo isso tinha um propósito. Um número exato de passos a serem cumpridos e, de alguma forma, essas obrigações mantinham dona Marli de pé. Agora, enquanto o padre encaminha a missa pro final, ela sente medo de voltar pra casa. Encarar a vida que segue sem uma parte fundamental. É preciso pagar o aluguel que vence já no começo do próximo mês, é preciso quitar as prestações do serviço funerário, é preciso se alimentar, tomar banho, se vestir, todos os dias.

— Inúmeras vezes, eu falei aqui diante da comunidade que nós nunca seremos capazes de entender os planos divinos. No entanto, eu estaria mentindo e, portanto, cometendo um pecado diante de todos vocês se não admitisse o profundo assombro que a partida do jovem Washington Pereira dos Santos me causou. Como sacerdote, estudioso da Palavra, eu posso garantir que isso não tem nada a ver com os planos de Deus. — Nessa hora, toda a igreja de fato começou a prestar atenção. — O que acontece hoje na comunidade da Rocinha é um plano político. Como será possível, num lugar onde todos sofremos com a falta de saneamento, com a falta de luz, a falta de espaço? A Rocinha concentra hoje a maior quantidade de tuberculosos de todo o estado do Rio de Janeiro. Nossas escolas estão numa situação deplorável. E, no meio de tudo isso, a resposta do Estado qual é? Enviar centenas de policiais despreparados. Um monte de armas. Cadê o tratamento de esgoto? As medidas de proteção pra área de risco? Há vinte anos eu sou morador, e fico me perguntando: o que mudou, de verdade, no último ano na vida dessa comunidade? — O padre foi aplaudido de pé pelas pessoas na igreja. Dona Marli continuou sentada. Ele agradeceu as palmas, se recompôs, então continuou: — Às famílias que choram a perda dos seus, eu digo para buscarem em Deus a resposta a essa dor. Falem com Ele, abram seus corações. O tempo não irá apagar a dor e a saudade, mas certamente irá apaziguar e amenizar tamanho sofrimento. Diante da morte, não há nada que possamos fazer a não ser rezar e confiar em Cristo. Para nós, que ficamos, resta agora lutar pela justiça.

A missa terminou com algumas pessoas gritando: Polícia assassina, Fora Sérgio Cabral, com muita gente indo cumprimentar dona Marli. Ela agradecia, acenando com a cabeça, enquanto tentava chegar ao lado de fora da paróquia, auxiliada por seus familiares.

Os parentes ainda se ofereceram pra acompanhá-la de volta em casa, mas dona Marli os liberou da ajuda quando encontrou com os amigos dos filhos. Gleyce, Murilo, Biel e Douglas vieram ao seu encontro. Na mesma hora, todos sentiram falta da presença de Wesley, mas ninguém teve coragem de perguntar.

— Wesley saiu hoje cedo sem me falar nada... Ele não tá

bem. Meu filho não tá bem — ela contava aos amigos enquanto acompanhava sem interesse a movimentação em volta da igreja. As pessoas se aglomeravam em pequenos grupos pra comentar a situação no morro, organizar protestos, tentar chamar a atenção da mídia.

— Vai ser muito difícil. Eu, com toda sinceridade, não sei o que fazer pra consolar meu filho. Eu não sei nem o que fazer comigo mesma... — Dona Marli baixou os olhos, sentiu o choro subir mais uma vez. Aquela sensação que nos últimos dias se tornou tão familiar. — Mas eu preciso de vocês. Preciso da ajuda de vocês que são amigo dele...

— A senhora pode ficar tranquila, dona Marli. A gente vai dar uma força — Douglas garantiu em nome de todos.

Dona Marli notou como estavam abatidos os amigos de seu filho. Tão diferentes das outras vezes em que os viu, sempre falando e rindo alto. Ela olha com atenção pra camiseta de cada um deles. Todas idênticas, com a mesma foto de Washington no alto da montanha, idênticas à camisa que ela própria usa, mas diferentes, porque cada camisa daquelas representa uma relação que o filho construiu com cada uma daquelas pessoas. A criança que ela ensinou a andar, falar, correr. Aquele menino cresceu e fez amigos, foi amado por eles. Conquistou meninas, foi pra cama com elas. Vinte e três anos.

Um carro de polícia passou devagar em frente à igreja, escoltando a movimentação. Os moradores começaram a xingar os policiais. Alguns deram porradas com a mão na traseira do carro. Os policiais subiram o vidro e seguiram seu rumo.

— Qualquer coisa que a senhora precisar, pode falar com a gente também. Bater lá em casa, se quiser ajuda pra carregar uma compra, qualquer coisa dentro de casa... — Biel falava com sinceridade.

Todos se comprometeram a ajudar como podiam. Dona

Marli sentiu nesse gesto uma pontada de alegria. A atenção e amizade daqueles jovens eram uma herança que seu filho deixava. Era o seu legado.

— A igreja ficou lotada hoje.

— Papo reto.

— Achei maneira a visão lá do padre. Importante ele falar.

Eles trocavam essa ideia ainda na porta da igreja, mas era uma conversa estranha, porque tudo girava em torno de Washington e, ao mesmo tempo, todo mundo parecia fazer um esforço muito grande pra não falar o nome dele. O sol esquentou de verdade e todos concordaram que era melhor subir pra casa. Os amigos de Washington sabiam que dona Marli precisava comer alguma coisa, então fizeram uma intera pra comprar um frango assado. Enquanto Murilo, Biel e Douglas correram na padaria, Gleyce subiu a Cachopa com dona Marli, pra adiantar o arroz e as outras paradas do almoço.

Rio, 19 de outubro de 2012

O ônibus só ia partir às duas da tarde, mas pra não correr o risco de perder a viagem, Douglas chegou pouco mais de meio-dia na rodoviária. Trazia nada mais que uma mala com suas roupas, uma mochila com os equipamentos de tatuagem e uma pasta com os seus desenhos preferidos. Gleyce Kelly era a única que vinha junto, pra se despedir.

Com a rodoviária lotada naquela sexta-feira, tudo ficava ainda mais confuso. Muita gente andava de um lado pro outro, cheios de malas, crianças, cachorros. Algumas pessoas choravam na despedida, outras comemoravam o retorno de alguém, no meio de tudo isso os guichês pareciam vender passagem pra todas as cidades do Brasil. Douglas e Gleyce tiveram que rodar de ponta a ponta todo o pátio pra encontrar a tal empresa Paraibuna.

— Eu quero uma passagem pra São João del Rei.

Era a segunda vez que Douglas deixava o Rio de Janeiro. A primeira foi pra mesma cidade de Minas, mas ele era moleque, não tinha nem oito anos, e a única lembrança guardada é de jogar futebol com o primo e seus amigos num campinho de barro e de achar que todos eles falavam de um jeito muito engraçado. A própria família que tem lá, ele viu poucas vezes, quando eles vinham passar algum tempo nas férias. Ele não tem ideia de como são as ruas de lá, nem os bares, nem o uniforme da polícia. Isso com certeza explicava o alívio que sentiu quando pegou sua passagem nas mãos.

Eles deram uma volta atrás de um lugar pra comer e ficaram assustados com o preço de tudo. Douglas não tinha muito mais dinheiro no bolso. O que arrumou com a venda do celular foi quase tudo na passagem e no maço de cigarros. Ele já tava conformado com a ideia de só comer quando chegasse na casa da tia, mas Gleyce ficou preocupada e botou pra rolo seu cartão de crédito. Os dois sentaram pra comer no Bob's.

— E tu já tem algum trabalho lá pra fazer?

Assim como todos os outros, Gleyce também foi avisada em cima da hora daquela mudança. Douglas não contou pra ninguém direito o que pretendia fazer na cidade nova, nem pediu opinião, só comunicou dois dias antes de partir. Quando contou pra Gleyce, entregou a bolsa com as fotos da Rocinha e pediu pra ela fazer alguma coisa.

— Meu primo falou que vai tentar me botar num bagulho lá da dengue. Que ele trabalha também.

— Que parada é essa? — Gleyce se esforçava pra não mostrar como ficou desapontada com a decisão de Douglas. Não que fosse incapaz de compreender, mas num momento como esse, em que todo mundo de alguma forma precisava de apoio, era impossível não enxergar aquilo como uma atitude egoísta.

— Esses maluco que vai na casa dos outro e tal, aí olha se tem água parada no quintal, na laje, umas parada assim. Lá tem muita casa, lá. Tipo umas casa mermo, com quintal e os caralho, tá ligada? Mas o que tiver lá pra mim eu faço, pô. Qualquer coisa. Também, quero logo mandar umas tattoo no meu primo, nos amigo dele, sei lá, às vez, já que é cidade pequena, os cara nem tem muito tatuador não, pode ser a boa pra mim. — Douglas olhava pra baixo, sem dar impressão de que acreditava no que dizia.

O lanche veio com os hambúrgueres frios e os dois comiam sem muita vontade. O barulho de tantas pessoas em volta preenchia os silêncios daquelas mordidas. Eles nunca tiveram tanta dificuldade pra trocar uma ideia.

— E tu, vai fazer o quê? — Douglas se ligou que o assunto girava muito em torno dele e ficou incomodado.

— Começo do mês agora eu tenho Enem pra fazer. Sei lá. Eu me preparei o ano todo pra essa merda e agora parece que não faz mais sentido, tá ligado? Quer dizer, eu sei que é importante, que eu preciso ocupar esse lugar, mas é foda, cara... Essas merda que acontece com a gente é sempre um soco de realidade. E é um bagulho tão forte, tão pesado, faz qualquer objetivo, qualquer plano, sonho nosso, parecer até bobeira. Fala tu, de que adianta tu pensar no dia seguinte, se no dia seguinte tu pode tá nem mais aí. Quem é que te garante? Eu não consigo tirar da cabeça essa porra de que a minha vida, a vida de todo morador, criança, velho, qualquer um, tá na mão desses caras. E ninguém fala nada. E ninguém faz porra nenhuma.

Gleyce tinha ainda os olhos molhados quando saíram pra fumar um cigarro. Na porta da rodoviária tinha quase tanta gente quanto lá dentro. O sol queimava bonito e os camelôs gritavam o mais alto que podiam, oferecendo água gelada. Douglas reparava no cheiro de mijo e nas dezenas de pessoas que dormiam embaixo dos viadutos e das marquises. Com a viagem cada vez mais próxima, tudo na cidade do Rio de Janeiro se mostrava mais intenso e mais insuportável.

— Dá licença aqui, com todo respeito, eu não queria incomodar o casal... — Douglas tava tão distraído com o movimento da rua que nem percebeu o coroa chegar. — Mas eu tava passando e vi, eu juro por Deus, eu vi vocês dois aqui e de repente, eu não sei nem te explicar como isso aconteceu, mas apareceu vocês dois velhinho assim na minha cabeça, junto ainda. Olha, vocês não me leva a mal, eu não quero ser intrometido nem nada, mas eu trabalho aqui perto, o que eu mais vejo, direto, é isso, o casal assim, porque vai se despedir, vai separar. — Quanto mais o coroa falava, mais o cheiro do álcool se espalhava no ar. — Mas vocês dois eu tinha, eu precisava, eu não sei se vocês acredita, mas eu vi uma coisa bonita em vocês dois e eu só queria mermo era falar, que eu já sou burro velho, sei como funciona esse negócio todo, eu só queria falar pra vocês dois ficar com o coração tranquilo. Tudo acontece num tempo só, e é o tempo do Senhor. Nenhuma despedida é pra sempre, isso eu garanto. Nem a morte. Olha, eu já perdi mãe, eu já perdi filho, mas o que me deixa em pé, um dia depois do outro, é que eu tenho certeza de que a gente ainda vai se ver de novo, porque nós, nós é imagem e semelhança de Deus, e isso não sou eu quem fala, é a Bíblia, a gente aqui é muito mais que um pedaço de carne.

O coroa puxou da mochila uma garrafinha de cachaça e molhou a garganta. Sem saber como reagir, Gleyce e Douglas agradeceram pelos conselhos. Pra deixar o coroa mais tranquilo, ainda garantiram que tava tudo muito bem.

— Então aproveita e me arranja um careta desse aí, sobrinho.

Depois que o coroa pegou o cigarro e foi embora, mais um monte de gente veio pedir coisas pros dois. Dinheiro pra comprar fralda, leite em pó, cocaína. Uma senhora já de idade oferecia um cartão RioCard por cinco reais e garantia que tinha mais de cinquenta em passagem. Cansados de falar não, eles voltaram pra rodoviária.

Os dois aguardavam pelo ônibus escorados um no outro, numa daquelas cadeiras de metal. O tempo passava devagar. Depois de ouvir a conversa do coroa, eles repararam melhor na quantidade de casais e familiares que se despediam aos prantos no portão de embarque. Também reparavam nos reencontros, nos abraços apertados, os longos beijos.

— Obrigado aí por vim comigo. — Faltavam quinze minutos pro ônibus deixar a garagem e Douglas sabia que precisava falar alguma coisa. Ele se ajeitou no banco, começou a organizar suas paradas. — Faz pouco tempo que a gente tá junto, mas tu me conhece, né, Gleyce? Tu sabe que eu não queria meter o pé assim, ninguém quer uma merda dessa. Eu sou cria, pô. Eu sou cria. — Ele se levantou da cadeira, pegou suas paradas e Gleyce foi atrás, cada vez mais próximos do portão de embarque. — A real é que eu nunca imaginei morar um dia em outro lugar, eu juro pra tu, nunca mermo. Isso porque eu conheço tudo ali, eu sei como funciona as coisa, as pessoa, tudo. Mas agora, depois de tudo que aconteceu, eu fico pensando que é esse mermo motivo que tá me obrigando a meter o pé, tá ligada? Eu conheço demais aquele morro. E é muito ódio, é muito ódio o que eu tô sentindo. Papo reto, toda vez que eu vejo um carro de polícia, ou então aqueles filha da puta parado mermo, ou andando em beco, eu juro pra tu, a vontade que eu tenho é de matar todo mundo. Não deixar aí nenhum pra contar a história. Eu vejo a cena toda aqui ó, bem na minha cabeça. É muito ódio, Gleyce, e eu me liguei que, se eu não fizesse alguma coisa pra fugir disso, aí que ia ser foda, eu ia ficar sufocado. Ou então cair pra dentro e fazer alguma merda... Eu não consigo, papo reto, eu não consigo imaginar que eu vou ter que olhar pra esses cara todo dia sem poder fazer nada. E ainda ligado que se der mole pode rodar igualzinho. Sem neurose, dá pra mim não...

— Vai lá que tá na tua hora. — Gleyce deu um abraço forte nele. — A gente aqui fica bem. Não tem outro jeito... — Eles se encaminharam pra fila de passageiros no portão de embarque.

Onde deram um último beijo, sem calor e sem nenhum desejo, mas cheio de carinho.

Douglas não demorou pra encontrar o seu ônibus na plataforma. Deixou a bagagem na mala do coletivo e esperou alguns minutos na fila, até mostrar a passagem e seu documento de identidade pro motorista. Ele entrou no ônibus e ficou feliz de ver que seu lugar era na janela. Outras pessoas também chegavam e se acomodavam. Os rostos dos passageiros eram muito diferentes daqueles que tava acostumado a ver, isso dava a sensação de que tudo realmente seria muito diferente.

O ônibus partiu devagar, mas sem trânsito logo pegou a avenida Brasil e ganhou velocidade. Douglas olhava pela janela, mas não via os carros, nem as favelas, nem os prédios que formavam a paisagem da cidade. Tinha na cabeça uma imagem da Rocinha, toda iluminada pelas luzes das casas e que, aos poucos, ficava cada vez mais distante.

Rio, 20 de outubro de 2012

Sentado nas areias da praia de São Conrado, Wesley encara o mar. É estranho porque, mesmo com o céu branco de um dia nublado, a água brilha num azul impecável. Ele presta atenção no movimento das ondas, suas paredes lisas, seus tubos perfeitos. Nenhum surfista ou banhista na água, a areia também deserta. Wesley mesmo não entende como foi parar ali.

— Mó tempão que eu não curtia aqui também! — Era a voz de Washington.

Wesley se virou e viu o corpo de seu irmão. O corpo inteiro, os pés, os braços, as mãos, a cabeça. Sem camisa e com um short vermelho, era o próprio Washington que sentava do seu lado na areia.

Na mesma hora, os irmãos começaram a falar sobre as histórias que viveram naquela praia. Os dias de sol em que matavam aula pra pegar jacaré, o futebol, as rodas de capoeira na areia. Não demorou também pra se lembrar também das ressacas, dos perrengues pra sair da água, dona Marli avisando sempre que o mar não tinha cabelos.

— Mas hoje tá tranquilão... Correnteza nenhuma. — Wesley ainda não compreendia o significado daquele encontro, mas tinha uma certeza: não queria que acabasse nunca.

Washington acendeu um baseado. O cheiro da erva fresca perfumou o lugar. Enquanto assistia o irmão fumar, Wesley matava a saudade daquele aroma que não sentia fazia tanto tempo. Quando pegou o beque, puxou com tanta vontade que teve uma crise de tosse.

— Caralho, tu pegou essa onde? — ele perguntou quando já era capaz de tossir e falar ao mesmo tempo.

Mas Washington não deu muita atenção à pergunta e começou a puxar o fundamento de outras histórias ali em São Conrado. A escolinha de bodyboard do Lei, o projeto Golfinho, as paixões nunca declaradas pras meninas da praia, o dia em que um tubarão apareceu e todo mundo saiu voado pra areia. Wesley se lembrou do dia em que acharam um corpo boiando perto das pedras e correram pra avisar os salva-vidas, depois viram o defunto ser resgatado por um helicóptero, mas preferiu não falar nada.

— Qual foi, bora dar um mergulho? — Washington convocou de repente.

Os dois correram em direção ao mar e mergulharam de cabeça sem se preocupar nem um pouco com a temperatura da água. Sem correnteza, num instante os irmãos chegaram na boca das ondas e começaram a pegar jacarés. Naquele momento, Wesley começou a ver tudo embaçado. Os tempos se misturavam. Ele via a si mesmo e seu irmão ainda crianças, brincando na espuma das ondas, na sequência estão adolescentes, mergulhando depois de fumar um baseado, ao mesmo tempo que continua ali, com aquele céu branco e o mar azul. O mais estranho era a sensação de que tudo era, na verdade, a mesma parada.

Eles voltaram pra areia molhados e felizes. Wesley não se lembrava de como era bom mergulhar. Mesmo sem ter deixado nenhuma canga ou qualquer outra coisa na areia, os irmãos voltaram exatamente pro mesmo lugar de antes. A praia continuava deserta e isso fazia com que parecesse ainda maior.

De repente, eles já tavam no caminho de volta pra casa. Wesley pensava como seria a reação de dona Marli quando visse a chegada do outro filho. Foi difícil pisar na rua e bater de frente com as pessoas. Ver o irmão passar perto de tanta gente dava a impressão de que tudo ia acabar mais uma vez, de que ele ia acordar a qualquer momento. Washington não ficou nem um pouco incomodado com a presença dos outros. Falava sobre qualquer coisa à medida que avançavam no caminho das amendoeiras, em direção aos acessos do morro.

Ele comentava sobre o time do Flamengo, o preço da passagem, o dia nublado. Enquanto isso, Wesley lutava contra um pensamento que não era capaz de evitar: será que o irmão sabia que tava morto? Que a sua presença não passava de um sonho?

Eles chegaram na Via Ápia e o fluxo de pessoas era intenso, como sempre. A diferença era a total ausência da polícia. Na principal entrada da Rocinha, não se via um carro, um soldado, ninguém armado. Os irmãos atravessaram a rua no meio da confusão dos moradores, do barulho das motos, dos gritos das crianças e dos camelôs. Wesley continuava com a mesma pergunta na cabeça, mas não tinha coragem de dividir a angústia com seu irmão, com medo de que, se falasse aquelas palavras, elas se transformassem numa verdade tão absoluta quanto a morte.

Os dois começaram a subir a estrada da Gávea. Wesley não sentia nenhum cansaço com a subida, e nem mesmo na Curva do S precisou parar pra respirar. Ainda assim, o coração batia cada vez mais rápido, à medida que se aproximavam de casa. Antes de passar pelo 24Horas, Wesley tentou ganhar o caminho da Vila Verde, pra chegar na Cachopa por dentro. Mas Washington continuou andando pela principal e ele foi atrás.

— Tá tudo tranquilo, mano? — Wesley pressentia o caminho que o irmão tinha na cabeça, e queria evitá-lo a qualquer custo.

Quando Washington atravessou a rua em direção à Casa da Paz, Wesley quis gritar que por ali não ia continuar. Desde o que aconteceu com seu irmão, ele nunca mais pegou aquele caminho. Se vinha pela Via Ápia, entrava pela Vila Verde. Se precisava ir mais pra cima do morro, descia e depois voltava pela ladeira. Nunca mais pela Casa da Paz. Mas Wesley não disse nada, nem conseguiu deixar de seguir seu irmão, com medo de nunca mais voltar a vê-lo.

Washington seguia o caminho sem demonstrar nenhuma preocupação, com a confiança típica de quem nasceu e foi criado naquele lugar. Ele caminhava sem pressa, mas decidido. Os dois enfim passaram pelo beco onde, segundo chegou a notícia, Washington tinha sido baleado. Na passagem pelo beco, Wesley procurava por buracos de bala na parede, rastros de sangue, mas o beco era o mesmo beco de sempre, onde tantas vezes os dois passaram correndo, brincando de pique.

Quando chegaram na Cachopa, encontraram vários amigos na rua. Todos cumprimentavam Washington como se nada tivesse acontecido. Eles pararam numa roda, beberam cerveja, fumaram maconha, conversaram sobre qualquer coisa. Será que mais ninguém aqui sabe que meu irmão morreu?, Wesley ficava pensando, enquanto tentava se distrair, aproveitar aquele momento.

De uma hora pra outra, o céu ficou escuro. Washington quis ir pra casa, porque dona Marli devia tá esperando pelos dois. Os irmãos se despediram da rapaziada e ganharam o beco. Parados no portão do prédio, Wesley viu seu irmão tirar as chaves do bolso da bermuda. Pela primeira vez, acreditou que talvez, de algum jeito muito estranho, aquilo fosse a realidade, e o pesadelo dos últimos dias, aquela dor no peito, aquele nó na garganta, não passavam exatamente de um pesadelo. Washington segurou o portão pro irmão entrar.

— Você primeiro.

*

Wesley abriu os olhos e demorou pra reconhecer o lugar onde dormia. Deitado num tapete fino no meio do cômodo, ele tentava entender que móveis eram aqueles e como foi parar ali. Até que viu o dono da casa dormindo num colchão encostado na parede e se lembrou de tudo. O barraco ficava no Valão, onde ele conheceu o maluco que dormia. Eles fizeram vários corres juntos nos últimos dias, carregaram entulho e caixas de cerveja, arrumaram fios de cobre pra levar no ferro-velho, furtaram algumas garrafas de vodca no Extra e venderam na rua. No final de cada dia, cheiravam juntos o dinheiro que levantavam.

Na última noite, além do pó, fumaram também duas pedras de crack que um amigo do maluco foi buscar no Cantagalo. Mas o pior de tudo foi que beberam as duas garrafas daquela vodca Absolut que não conseguiram vender. Só a lembrança já fez Wesley sentir fechar a garganta, de tão seca. Ele se levantou com dificuldade e foi direto na pia, rezando pra ter água. A torneira soltava um fio escasso de água, onde Wesley fez uma concha com a mão pra beber e depois lavar o próprio rosto. Tava na hora de voltar pra casa.

Wesley entrou sem bater. Encontrou dona Marli sentada no sofá, com a televisão ligada mas sem som. Ela se virou devagar quando ouviu o movimento da porta, mas quando percebeu a chegada do filho, se levantou num pulo.

— A bença, mãe.

— Deus te abençoe e lhe dê boa sorte, meu filho.

Eles se abraçaram na sequência, e só então Wesley conseguiu chorar tudo aquilo que segurou nos últimos dias. Dona Marli consolava, segurava o filho contra o próprio peito, num abraço apertado, como se quisesse fazê-los se tornar a mesma pessoa. Apesar do esforço da mãe, Wesley não deixava de sentir naquele abraço um vazio, um buraco entre eles. Pra tentar compensar, ele apertou dona Marli de volta, com ainda mais força.

Rio, 26 de outubro de 2013

Demorou mais de um ano pra Douglas conseguir voltar pro morro. Também não foi nada planejado, de um dia pro outro tomou a decisão e o mais rápido possível embarcou de volta pro Rio. Como Biel e Murilo já não moravam mais juntos, ele precisou voltar pra casa de sua coroa. Pelo menos até achar um quarto com um preço maneiro, pra começar tudo de novo.

Naquela noite, Douglas chegou cedo na Via Ápia, onde marcaram de curtir o baile. Não tinha sido anunciado no carro de som, nem nos outdoors da principal, mas corria um papo no morro de que ia rolar um show do MC Marcinho, pelo menos foi o que Murilo falou nas mensagens que trocaram ao longo do dia. Além disso, a expectativa era grande também porque desde a chegada da UPP que não rolava um baile de verdade nos acessos.

Eram onze da noite e o pessoal ainda montava as barraquinhas de bebida na rua. Em cima do palco, sem receber a atenção de ninguém que passava, um DJ testava o som. Douglas foi até o camelô mais próximo, resgatou uma latinha e acendeu um cigarro. Marolava na confusão da rua. Aquele barulho das motos, dos aparelhos de som, dos gritos e buzinas. As luzes dos faróis, das casas, das lojas que nunca fecham. Era estranho e um pouco assustador, mas ele não podia negar que também era bom estar de volta.

— Qual foi, maluco! Eu tinha certeza que tu ia chegar cedo. Tu agora é mineiro, porra! — Murilo apareceu do nada, deu um abraço forte no amigo, chegando a tirá-lo do chão.

— Sai, neguim! Eu sou cria, porra. Cria. Eu posso ficar não sei quantos ano fora disso aqui, eu sempre vou ser cria no bagulho.

Pra mostrar sua alegria em rever o amigo, Douglas correu no camelô pra buscar outra latinha, pegou mais um copo de plástico e os dois brindaram pela primeira vez naquela noite. Eles se acomodaram ali de frente pra travessa Kátia, nas escadas do China. As barraquinhas já tavam quase todas montadas, o som tocava mais alto. Douglas tentava se lembrar da última vez em que curtiu um baile no morro. Já fazia papo de mais de dois anos, um mês antes de chegar a UPP, quando o morro vivia toda aquela expectativa. Distraído com a lembrança, ele nem se ligou quando Murilo pegou um baseado no seu maço de cigarros e acendeu, bem no meio da rua. Quando pegou a visão que vinha dali a marola, não deu pra disfarçar o susto.

— Tá tranquilo, irmão. Rapidinho tu vai se ligar que vários bagulho mudou — disse Murilo.

Douglas balançou a cabeça, concordando. Na mesma hora sentiu o cheiro da erva, um cheiro doce, fresco. Depois de fumar, quis saber se Murilo tinha pego ali no morro mesmo.

— Não, mano. Vários bagulho mudou, mas a maconha tá a merma merda. Essa daí foi um parceiro lá da praia que pegou pra mim. É lá da Primavera. Tá o verme, geral indo buscar de lá.

Murilo contou que desde o último verão trabalhava numa barraca de praia em Ipanema. Bagulho era puxado, na alta temporada é todo dia doze, treze horas de trabalho, mas também levanta um dinheiro, fica forte e, além do mais, gosta de tá na praia, de trabalhar de frente pro mar.

— Tô juntando uma merreca, irmão. Tô na meta de comprar umas prancha maneira de stand up, botar pra alugar, pegou a visão? É vários turista aí, tu bota um preço bom na hora, fica gostosim.

— Vai dar bom, neguim. — Douglas puxava devagar a fumaça, quando viu passar dois canas numa moto. No reflexo, ele tirou logo o beque da boca, botou a mão nas costas, assustado. Mas os vermes passaram direto. Murilo achou graça.

— E a maconha em Minas, era como?

— Papo reto, era melhor que a daqui do morro, mas era também pior do que eu imaginava. — Douglas chegou de manhã na rodoviária, depois dormiu o dia inteiro, aquele era o primeiro baseado desde que chegou no Rio e ele sentiu bater forte a onda. — Sei lá, bagulho é mó cidade pequena, achei que ia ter vários pé de maconha, várias plantação mermo, tá ligado? Hã, nada, nada. Tu chega lá, é maconha prensada, igual aqui mermo. Não é muito boa não, mas dá pra fumar. O que tem maneiro lá é cogumelo. Cogumelo é maneiro.

Enquanto falava, Douglas ficou feliz de ver que automaticamente recuperava seu sotaque, suas palavras e sua melodia. Depois de um ano ouvindo mineirês, era natural que começasse a lançar uns trens no meio das frases, chamar os amigos de véi em vez de neguim, falar: nu! onde antes falava: puta que pariu! Com o tempo e a convivência na cidade mineira, Douglas se ligava em como sua fala mudava, xingava menos, colocava outro ritmo nas frases.

— E o Biel, neguim? Vai piar hoje mermo?

— Tu não falou com ele não? Biel tá no Vidiga, mano. Começou pegar uma novinha de lá e coisa e tal, rapidinho os dois já pegou uma casinha, partiu pra lá. Foi a melhor forma, eu na época já queria também pegar uma casa de novo com a minha irmã, foi cada um prum lado. Mas a gente direto se fala.

No final do baseado, as luzes coloridas começaram a piscar na rua, algumas pessoas chegavam já arrumadas, ensaiavam os primeiros passos de dança. Douglas ficou viajando que eles fumaram o beque de inauguração do baile.

— Aí, eu vi lá teus trabalho, DG. Só bagulho maneiro, as tattoo. Tá tirando onda...

— Valeu, neguim.

— Quando é que tu vai mandar a minha?

O telefone de Douglas tocou de repente. Era Gleyce. Na mesma hora que atendeu, ele a viu surgir com o aparelho no ouvido. Ela também não demorou pra vê-los, mas, mesmo assim, nenhum dos dois desligou, até Gleyce chegar onde tavam. Eles trocaram um abraço longo e meio confuso.

— Parabéns — Douglas falou, assim que terminaram os primeiros cumprimentos. — Eu tinha certeza que ia fluir.

Ele já tinha dado os parabéns a Gleyce por entrar na faculdade de jornalismo quando viu a publicação no Facebook, ele já tinha escrito por mensagem e também falado sobre isso numa chamada telefônica, mas na hora sentiu vontade de falar aquilo pessoalmente. Murilo aproveitou também pra render homenagem.

— Obrigada, gente. — Gleyce deu um sorriso cansado pros dois. — A PUC não é essa maravilha toda que geral imagina, ainda mais quando tu é bolsista... É várias caozada ali dentro, papo reto, eu prefiro nem começar falar. Hoje eu vim pra rebolar o cuscuz, quero pensar em mais nada!

Os três riram juntos. O riso gostoso de quem reencontra velhos amigos. Murilo acendeu mais um baseado e na sequência Biel chegou com sua namorada. Ele foi direto em Douglas, deu um abraço e um beijo no seu rosto. Douglas se lembrou na mesma hora do dia em que Biel apareceu em casa com a máquina de tatuagem; depois de tanto tempo, ele parece finalmente entender o tamanho daquele gesto.

— Essa aqui é minha novinha, Larissa. Esse aqui é os maluco que morava comigo, Murilo tu já conhece, né? E essa é Gleyce, não morava lá na casa, mas era fechamento purim também.

Eles todos se cumprimentaram. A cada minuto chegava mais gente e o baile ia tomando forma, o som também subia o volume. Um bonde cheio de gente armado chegou também e ficou marcando de frente pra rua. Ninguém em volta se mostrou incomodado, nem com medo que pudesse dar merda se a polícia passasse de novo.

— Que isso, mané! Hoje é quatro equipe de som aqui! — Larissa apontava pras caixas enormes de som no meio da rua. — E esse show, será que vai rolar mermo? Sem neurose, Rocinha é outro mundo... — Mesmo se afastando do palco, o grave da caixa de som obrigava que todos falassem gritando.

— Essa daí, tudo pra ela na Rocinha é melhor... Já dei o papo, o dia que vim morar aqui, em menos de uma semana já vai querer meter o pé de novo.

Biel contou pros amigos como era a casa lá no Vidigal, que era só um quarto com banheiro mas que tinha uma laje maneira pra fazer um churrasco, maior visual de frente pro mar. Falou também sobre o trabalho novo, das roupas importadas que vendia no morro. Um amigo trazia dos Estados Unidos e ele repassava pros moradores, tinha tudo: Oakley, Nike, Aeropostale. Tênis, camisa, bermuda. Ele convidou Douglas pra ir dar uma olhada no material. Até porque todo mundo espera que o seu tatuador se apresente num traje maneiro.

— Sempre com tuas treta, né, Biel. Tu é foda! — Douglas percebia aos poucos como sentiu falta daquele moleque.

— Eu e mozão ainda vamo abrir uma loja lá no morro, neguim! Virar empresário, porra!

* * *

O baseado já tava na ponta quando Wesley chegou, com mó cara de sono. Ele cumprimentou todo mundo ainda meio aéreo, olhando pras luzes que piscavam na rua e pra sombra das pessoas, como se fizesse um grande esforço pra estar ali.

— Dormi pra caralho, rapaziada. Foi mal. Porra, cheguei do trabalho, fumei um baseado, comecei a ler um livro lá, quando vi, capotei de verdade. Acordei agora, agorinha mermo. No susto. Caralho, botei qualquer roupa lá e desci, peguei o mototáxi e desci.

Wesley trabalhava agora na faxina da Biblioteca Parque. Ele contou que várias vezes, quando não tem trabalho pra fazer, pega algum livro pra ler, que tem vários livros maneiros. Lembrou então de dizer que dona Marli mandava beijos pra geral, que ela acordou também com ele se arrumando e tomou um susto, mas ficou feliz quando soube a galera que o filho ia encontrar.

— Aperta outro aí então, pra acordar esse moleque. — Douglas voltou e abraçou Wesley mais uma vez, porque o primeiro abraço tinha sido rápido demais. — Fazer um brinde, porra. Bonde todo reunido. — Ele se arrependeu na mesma hora do que disse. "Bonde todo" queria dizer que não faltava ninguém e todos ali, provavelmente até mesmo a Larissa, sabiam que isso era mentira. Douglas ainda assim pegou as latinhas numa barraca, meia dúzia de copos e levou pro grupo.

Ele encheu o copo de todo mundo, mas quando chegou na vez de Larissa, ela explicou que ia precisar ficar um tempo sem beber.

— Qual foi, promessa? — Gleyce perguntou.

Larissa e Biel se olharam de um jeito que não foi preciso dizer mais nada. Todo mundo pegou a visão.

— Caô! Tá vindo um Bielzinho aí então!

— Coé, neguim, tu imagina esse moleque PAI?!

— A gente ficou sabendo essa semana — ela confessou.

Então todos eles se abraçaram, com os copos de cerveja na mão, derramando uns nos outros, felizes com a notícia de que seriam tios em breve. Brindavam juntos pela vida da criança, que ainda não sabiam se vinha menino ou menina.

Os amigos decidiram chegar mais perto do palco. Por ali o clima já tava envolvente, com muita gente dançando na pista. A rua toda cheirava a suor, maconha e Gudang Garam, o famoso cigarro de baile. Eles estalaram mais latinhas, apertaram outros baseados, começaram a ficar embrazados. Às vezes, alguns deles paravam de dançar pra tentar conversar alguma coisa.

— Tá ligado a Biblioteca, lá onde Wesley tá trabalhando. Tu tem que ir lá — Gleyce gritou no ouvido de Douglas, pra tentar se fazer ouvir.

— Tô ligado, pô. Qualquer dia eu broto.

— É ali colado na Rampa ali, já na subida da Cachopa. Vai lá. Lembra as foto que tu me deu? As foto do coroa da ladeira, ali do lado da UPP? Tão tudo lá agora. — Por um segundo a música parou e todo mundo olhou pro DJ. — Eles botou na parede, aí tem uns texto também, contando a história do morro. — O som voltou no seu volume máximo e Gleyce não teve certeza se Douglas conseguiu ouvir a frase inteira.

— Vai abrir amanhã? Se for, eu vou. Amanhã mermo eu vou lá.

Os dois voltaram a dançar. Depois de algumas músicas, Douglas começou a olhar pra Gleyce de forma diferente. Via ela rebolar e se lembrava daquele corpo nu, em cima do colchão na casa da Cachopa. Se perguntava se ainda tinha alguma chance, se ainda queria ter alguma chance. A dança ficava cada vez mais excitante, e Douglas ficou com medo de explanar o tesão que sentia. Foi lá pra fora buscar mais cerveja.

— É maluco, foi depois que sumiu o Amarildo. Depois dessa parada que mudou tudo. — Douglas ouviu Murilo gritar pros amigos. Eles comentavam que um baile que nem esse, até pouco tempo atrás, era impossível. Que, no máximo, o que dava pra curtir era um baile no Emoções, que a UPP tinha acabado com todos os bailes de rua.

— Papo reto, precisou desse bagulho do Amarildo aí, depois disso a mídia caiu em cima aqui no morro. Foi isso que mudou. Aí eles teve que ficar na moral, aceitar o arrego e ficar no sapatinho. — Gleyce molhou a garganta com o resto de cerveja do seu copo, a música não dava uma trégua e ficava cada vez mais difícil conversar.

Douglas se lembrava do artigo sobre Amarildo que Gleyce escreveu no Fala Roça, um portal de notícias do morro, onde ela falava que, se a sociedade se organizasse pra cobrar os assassinatos nas favelas como se organizaram por causa de um aumento na passagem de ônibus, talvez a polícia começasse a pensar duas vezes antes de tirar a vida de alguém.

— Foda foi perder tanta gente, antes do bagulho mudar. E, na real, ninguém sabe até quando vai durar, fala tu. — A fala de Biel, gritada numa competição com o funk, soava desesperada. Todos pararam de falar na mesma hora, ninguém voltou a dançar. Douglas encheu o copo de todos os amigos e dessa vez eles brindaram em homenagem a Washington.

Todo mundo já tava na onda quando Biel e Larissa começaram a discutir no meio do baile. Ninguém entendeu nada. Ele voltou do banheiro e os dois começaram a gritar um com o outro. No começo, o bonde todo achou que era o barulho, mas os gestos eram de briga, e de repente eles meteram o pé sem nem se despedir direito.

— Biel tava cheirando ali no beco, acho que isso foi que deu caô — Wesley explicou pros amigos. — Ele me chamou pra dar um tequinho com ele também, mas eu nem quis não. Hoje eu quero ficar tranquilão.

Murilo aproveitou pra meter o pé na sequência. Sentia o corpo inteiro moído do trabalho na praia e tava ligado que no outro dia acordava cedo pra batalha. Nem mesmo a insistência de Douglas, que, muito bêbado, implorava pro amigo não abandoná-lo, depois de um ano fora; que eles tinham que curtir até de manhã e foda-se, igual eles faziam antes, exatamente da mesma forma que faziam antes. Mas nada foi capaz de fazê-lo mudar de ideia. Murilo deu um abraço apressado nos amigos e se adiantou.

Depois de alguns minutos, o som parou de repente. Só dava pra ouvir as pessoas falando todas ao mesmo tempo. Geral acreditou que o som parou pra anunciarem o show, mas não acontecia nada. Douglas se ligou num maluco falando com o DJ, bem perto. Não dava pra ver se ele tava armado ou não, mas usava vários cordões de ouro, o que indicava que podia ser alguém quente na hierarquia do morro. Douglas logo pensou que podia ser a polícia, mandando acabar com o baile, mas não chegou a comentar com os amigos, que também olhavam em volta, sem entender nada. Era só o que faltava, ser recebido de volta dessa forma, ele pensava. Mas o som voltou com a mesma intensidade de antes e, num piscar de olhos, ninguém mais se lembrava da tensão que o silêncio gerou.

Às três da manhã parecia não caber mais ninguém na Via Ápia, o baile tava entupido de gente. Na onda máxima, Douglas palmeava Gleyce e Wesley dançarem, cada um do seu jeito, inventando seus passinhos. Ele viajava em como a vida era capaz de se transformar em tão pouco tempo, mudando coisas que pareciam impossíveis de serem mudadas. Douglas olhava pros amigos, se lembrava do jeito como Biel e Murilo foram embora, e sentia que nunca mais teriam a relação que já tiveram um dia, mas, ao mesmo tempo, carregava a certeza de que nunca poderiam cortar aquele laço. Como numa tatuagem, estavam marcados por tudo aquilo que viveram juntos. Cada sorriso, perrengue, tragédia. Estavam marcados pela história daquele morro e daquela cidade.

O MC Marcinho finalmente subiu no palco, pra delírio de todos. Quando pegou o microfone e gritou: Boa noite, Rocinha!, o volume das caixas ficou ainda mais alto. Ele começou a cantar a capela: *Nem melhor nem pior, apenas diferente*... A batida entrou na sequência e na mesma hora todo mundo começou a dançar. As luzes agora piscavam frenéticas, a fumaça das máquinas se misturava com a dos cigarros e baseados, o som do tambor digital atravessava aquelas centenas de corpos, e era a vida — sempre ela e nunca a morte — o que fazia aquele chão tremer.

1ª EDIÇÃO [2022] 3 reimpressões

ESTA OBRA FOI COMPOSTA EM ELECTRA PELO ESTÚDIO O.L.M./ FLAVIO PERALTA
E IMPRESSA EM OFSETE PELA GEOGRÁFICA SOBRE PAPEL PÓLEN SOFT
DA SUZANO S.A. PARA A EDITORA SCHWARCZ EM DEZEMBRO DE 2023

A marca FSC® é a garantia de que a madeira utilizada na fabricação do papel deste livro provém de florestas que foram gerenciadas de maneira ambientalmente correta, socialmente justa e economicamente viável, além de outras fontes de origem controlada.